10% Humano

10% Humano

Alanna Collen

SEXTANTE

Título original: *10% Human*

tradução
Ivo Korytowski

preparo de originais
Rafaella Lemos

revisão
Hermínia Totti e Raphani Margiotta

projeto gráfico e diagramação
DTPhoenix Editorial

adaptação de capa
Ana Paula Daudt Brandão

impressão e acabamento
Lis Gráfica e Editora Ltda.

CIP-BRASIL. CATALOGAÇÃO NA PUBLICAÇÃO
SINDICATO NACIONAL DOS EDITORES DE LIVROS, RJ

C668d Collen, Alanna
10% humano/Alanna Collen; tradução de Ivo Korytowski; Rio de Janeiro: Sextante, 2016.
288 p.; il.; 16 x 23 cm.

Tradução de: 10% Human
Inclui bibliografia
ISBN 978-85-431-0344-0

1. Microbiologia. 2. Sistema imunológico. 3. Saúde e bem-estar. I. Korytowski, Ivo. II. Título.

CDD: 616.079
16-29734 CDU: 612.017

GMT Editores Ltda.
Rua Voluntários da Pátria, 45 – Gr. 1.404 – Botafogo
22270-000 – Rio de Janeiro – RJ
Tel.: (21) 2538-4100 – Fax: (21) 2286-9244
E-mail: atendimento@sextante.com.br
www.sextante.com.br

Para Ben e seus micróbios,
meu superorganismo favorito.

No coração da ciência existe um equilíbrio essencial entre duas atitudes aparentemente contraditórias: uma abertura para ideias novas, por mais bizarras ou contrárias à intuição que sejam, e o exame cético mais implacável de todas as ideias, antigas e novas. É assim que verdades profundas são separadas de disparates profundos.

Carl Sagan

SUMÁRIO

PRÓLOGO

A cura

Enquanto caminhava de volta pela floresta naquela noite, no verão de 2005, com vinte morcegos dentro de bolsas de algodão penduradas em meu pescoço e todo tipo de inseto disputando a luz da minha lanterna de cabeça, percebi que meus tornozelos estavam coçando. Eu havia enfiado minha calça ensopada de repelente nas meias reforçadas contra sanguessugas e colocado outro par de meias por baixo, como proteção extra. A umidade, aquele suor todo, as trilhas lamacentas, meu medo de tigres e os mosquitos já eram inimigos suficientes durante as rondas para coletar morcegos de armadilhas nas trevas da floresta úmida. Mas algo transpusera a barreira de tecido e produtos químicos que protegiam minha pele. E estava coçando.

Aos 22 anos, passei três meses na Reserva de Vida Selvagem Krau, na Malásia. Isso marcou a minha vida. Durante a graduação em biologia, eu ficara fascinada pelos morcegos. Quando surgiu a oportunidade de trabalhar como assistente de campo de um cientista britânico que estava pesquisando esses animais, me candidatei imediatamente. Tínhamos que dormir em uma rede e tomar banho num rio repleto de lagartos-monitores, mas os encontros com langures-obscuros, gibões e uma diversidade extraordinária de morcegos fizeram tudo isso valer a pena. Só que acabei descobrindo que as adversidades da vida na floresta tropical podem ir além da própria experiência.

De volta ao acampamento, numa clareira à beira do rio, removi todas as camadas de roupa para descobrir a origem do meu desconforto: não eram sanguessugas, mas carrapatos. Uns cinquenta, alguns cravados na minha pele, outros escalando minhas pernas. Passei uma escova para retirar os que estavam soltos e fui cuidar dos morcegos. Tinha que medi-los e registrar alguns dados científicos sobre eles antes de soltá-los. Depois, com a floresta escura feito breu, dominada pelo canto das cigarras, aninhei-me em minha rede, que mais parecia um casulo, e, com uma pinça, sob a luz de minha lanterna de cabeça, removi todos os carrapatos.

Alguns meses depois, já em casa em Londres, a infecção tropical que os carrapatos me transmitiram se manifestou. Meu corpo entrou em parafuso e o meu dedão do pé inchou. Sintomas estranhos iam e vinham, assim como os exames de sangue e médicos especialistas. Minha vida ficava em suspenso por semanas e meses a cada crise. Surtos de dor, fadiga e confusão mental me dominavam sem avisar e depois desapareciam, como se nada tivesse acontecido. Na época em que recebi o diagnóstico, muitos anos depois, a infecção já havia se consolidado. Então fui submetida a um tratamento longo e intenso com antibióticos que seriam suficientes para curar um rebanho inteiro. Enfim voltaria a ser eu mesma.

A história terminaria aí, não fosse por uma reviravolta inesperada: eu estava curada, mas não somente da infecção transmitida pelos carrapatos. Parecia que eu tinha sido curada como um pedaço de carne. Os antibióticos haviam funcionado, mas comecei a ter novos sintomas, tão variados quanto os de antes. Minha pele ficou estranha, meu sistema digestivo ficou delicado e eu parecia propensa a contrair todas as viroses do mundo. Suspeitei dos antibióticos: eles tinham erradicado não apenas as bactérias que estavam me deixando doente, mas também aquelas que pertenciam ao meu corpo. Foi como se eu tivesse me tornado inóspita aos micróbios, e assim descobri que falta faziam as criaturinhas amigáveis que, até recentemente, faziam de mim seu lar.

Você é apenas 10% humano.

Para cada célula que compõe o recipiente que você se acostumou a chamar de "meu corpo", existem nove células impostoras pegando carona. Você não é formado só de carne e sangue, músculo e osso, cérebro e pele. Há também bactérias e fungos. Você é mais "eles" do que "você". Somente seu intestino abriga 100 trilhões deles, como um recife de coral no leito escarpado que é o seu intestino. Cerca de 4 mil espécies diferentes criam seus próprios pequenos nichos, aninhados entre as dobras do seu cólon, que, com 1,5 metro de comprimento, tem a área correspondente a uma cama de casal. No decorrer da vida, você vai ter abrigado o peso de cinco elefantes africanos em micro-organismos. Eles estão por toda a sua pele, e existem mais de 50 milhões deles só na ponta de seu dedo.

Repugnante, não é? Com certeza somos sofisticados demais, limpinhos demais, *evoluídos* demais para sermos colonizados desse jeito. Não deveríamos ter deixado para trás os micróbios da mesma forma que fizemos com os pelos e a cauda quando saímos da floresta? Não é verdade que a medicina moderna dispõe de ferramentas para expulsá-los? Assim teríamos uma vida mais limpa, saudável e independente... Desde que descobrimos que os micro-organismos habitam o nosso corpo e não nos fazem mal, nós os toleramos. No entanto, ao contrário dos recifes de coral e das florestas tropicais, ninguém pensou em protegê-los – muito menos em acolhê-los.

Como sou bióloga evolucionista, fui treinada para procurar a vantagem, o *sentido*, na anatomia e no comportamento dos organismos. Em geral, características e interações prejudiciais são combatidas ou se perdem no tempo. Isso me levou a pensar: nossos 100 trilhões de micróbios não poderiam ter transformado nosso corpo em lar se não tivessem trazido alguma contribuição para a festa. Se nosso sistema imunológico combate os germes e nos cura de infecções, por que deixou que fôssemos invadidos desse jeito? Tendo sujeitado meus próprios invasores – tanto os bons quanto os maus – a meses de guerra química, eu queria saber mais sobre os efeitos colaterais que isso havia causado.

Ao que se revelou, eu estava fazendo essa pergunta bem na hora certa. Após décadas de esforços científicos esporádicos para aprendermos mais sobre os micróbios do nosso corpo, tentando cultivá-los em placas de Petri, a tecnologia enfim poderia matar nossa curiosidade. A maioria dos micro-organismos que vivem dentro de nós morrem quando são expostos ao ar porque estão adaptados a uma vida livre de oxigênio nas profundezas do nosso intestino. Por isso, cultivá-los fora do corpo é difícil e fazer experimentos com eles é mais complicado ainda.

Mas, na esteira do Projeto Genoma Humano, em que cada gene humano foi decodificado, agora os cientistas são capazes de sequenciar quantidades enormes de DNA de forma extremamente rápida e barata. Até os micróbios expelidos do corpo nas fezes podem ser identificados porque, apesar de mortos, seu DNA permanece intacto. Achávamos que os micro-organismos presentes no corpo não tinham importância, mas a ciência está começando a revelar uma história diferente, na qual nossa vida está ligada àquelas criaturinhas que pegam carona em nós, controlam nosso corpo e tornam possível que sejamos saudáveis.

Meus problemas de saúde foram a ponta do iceberg. Descobri através das evidências científicas que estavam surgindo que perturbações aos micro-organismos do nosso corpo estavam por trás de distúrbios gastrointestinais, alergias, doenças autoimunes e até obesidade. E não era apenas a saúde física que podia ser afetada, mas a mental também – de ansiedade e depressão a transtorno obsessivo-compulsivo e autismo. Muitas das doenças que aceitamos como parte da vida aparentemente não se devem a falhas em nossos genes ou em nosso corpo. Elas não passam de novas condições provocadas pelo fato de não sermos capazes de valorizar a velha extensão de nossas próprias células humanas: nossos micróbios.

Com a minha pesquisa, eu pretendia não apenas descobrir quais danos havia causado à minha colônia microbiana com os antibióticos, mas como isso me deixara doente e o que eu poderia fazer para restaurar o equilíbrio anterior às mordidas dos carrapatos – e já fazia oito anos. Para aprender mais, dei um grande passo na minha jornada de autodescoberta: o sequenciamento de DNA. Mas em vez de sequenciar meus próprios genes, preferi conhecer minha colônia de micróbios – meu microbioma. Sabendo quais espécies e cepas de bactérias eu continha, eu teria um ponto de partida para meu autoaperfeiçoamento. Empregando os conhecimentos mais recentes sobre os seres que *deveriam* estar vivendo dentro de mim, eu poderia avaliar a dimensão do dano e tentar repará-lo. Para isso, procurei um projeto científico civil, o American Gut Project (Projeto Americano do Intestino), que funcionava no laboratório do professor Rob Knight, na Universidade do Colorado, em Boulder. Com seu serviço disponível a qualquer pessoa do mundo em troca de uma doação, o AGP faz o sequenciamento de amostras de micro-organismos presentes no corpo humano para aprender mais sobre as espécies que abrigamos e seu impacto sobre a nossa saúde. Quando enviei a eles uma amostra de fezes contendo os micróbios do meu intestino, recebi uma "fotografia" do ecossistema que fazia do meu corpo seu lar.

Fiquei aliviada ao saber que, após anos de antibióticos, ao menos *alguma* bactéria ainda vivia dentro de mim. Foi bom descobrir que os grupos que eu abrigava eram semelhantes aos de outros participantes do American Gut Project, e não criaturas mutantes tentando sobreviver na desolação tóxica. Mesmo assim – e isso era previsível –, os remédios pareciam ter prejudicado a diversidade de minhas bactérias. No nível mais alto da hierarquia taxonômica, os micro-organismos não eram tão variados em comparação com o intestino das outras pessoas. Mais de 97% de minhas bactérias pertenciam aos dois grupos bacterianos principais, enquanto, na maioria dos outros participantes, esses dois grupos correspondiam a cerca de 90% do total. Talvez os antibióticos que tomei tenham exterminado as espécies menos abundantes, restando apenas as mais resistentes. Isso me deixou intrigada. Agora eu precisava saber se essa perda estava ligada a algum dos meus problemas de saúde mais recentes.

Mas, assim como a comparação de uma floresta tropical com um bosque de carvalhos pela proporção de árvores para arbustos ou de aves para mamíferos pouco nos diz sobre o funcionamento desses dois ecossistemas, comparar minhas bactérias em uma escala tão ampla não revela muito sobre a saúde de minha comunidade interior. No outro extremo da hierarquia taxonômica estavam os gêneros e as espécies dos micro-organismos que moravam em mim. O que a identidade das bactérias que haviam resistido ao tratamento – ou retornado depois que ele terminou – poderiam revelar sobre meu estado de saúde atual? Ou talvez seja mais pertinente perguntar: o que a *ausência* das espécies que podem ter sido vítimas da guerra química que eu travara significava para mim agora?

Quando decidi aprender mais sobre *nós* – meus micróbios e eu – comecei a pôr em prática tudo o que havia aprendido. Eu queria recuperar as bactérias boas, e sabia que precisava fazer mudanças em minha rotina diária para ter de volta a colônia que trabalharia em harmonia com minhas células humanas. Se meus sintomas mais recentes eram resultado do dano colateral que eu inadvertidamente infligira à minha microbiota, será que eu seria capaz de reverter esse quadro e me livrar das alergias, dos problemas de pele e das infecções quase constantes? Minha preocupação não era apenas comigo, mas também com os filhos que esperava ter nos anos vindouros. Como eu transmitiria não só meus genes mas igualmente meus micro-organismos, queria me certificar de que tinha algo que valesse a pena ser passado adiante.

Tomei a decisão de colocar meus micróbios em primeiro lugar e alterar minha dieta para que ela se adequasse melhor às necessidades deles.

O plano era mandar sequenciar uma segunda amostra depois que a alteração em meu estilo de vida tivesse tido tempo de surtir efeito. Eu nutria a esperança de que meus esforços pudessem ficar evidentes na mudança da diversidade e do equilíbrio das espécies de que sou anfitriã. E, acima de tudo, esperava que meu investimento rendesse frutos, abrindo a porta para uma vida mais saudável e feliz.

INTRODUÇÃO

Os outros 90%

Em maio de 2000, semanas antes do anúncio do primeiro esboço do genoma humano, um caderno começou a circular entre alguns cientistas sentados no bar em frente ao Laboratório Cold Spring Harbor, no estado de Nova York. Todos estavam muito entusiasmados com a próxima fase do Projeto Genoma Humano, em que a sequência de DNA seria dividida em suas partes funcionais: os genes. O caderno continha uma aposta em bolão, os palpites do grupo mais bem informado no planeta sobre uma questão intrigante: de quantos genes se constitui o ser humano?

A cientista veterana Lee Rowen, que liderava um grupo trabalhando na decodificação dos cromossomos 14 e 15, bebericava sua cerveja enquanto refletia sobre a questão. Os genes produzem proteínas, os "tijolos" da vida, e a mera complexidade do ser humano tornava provável que o número fosse alto. Maior que o do camundongo, com certeza, que possui 23 mil genes. Provavelmente também maior que o do trigo, que tem 26 mil genes. E, sem dúvida, bem maior que o do verme *C. elegans*, uma das espécies favoritas dos biólogos de laboratório, com seus 20.500 genes.

Os palpites em média superavam os 55 mil genes e chegavam a 150 mil, mas os conhecimentos de Rowen a levaram a um palpite mais modesto. Ela apostou em 41.440 genes naquele ano e, no seguinte, arriscou que teríamos 25.947 genes. Em 2003, com a divulgação do número real de genes e a conclusão do sequenciamento do genoma humano, Rowen ganhou o bolão. Seu palpite fora o mais baixo dentre todas as 165 apostas, e a contagem de genes era inferior ao que qualquer cientista havia previsto.

Com quase 20 mil genes, o genoma humano nem chega a superar o do verme *C. elegans*. Tem metade dos genes de um pé de arroz, e até a humilde pulga-d'água ultrapassa esse número, com 31 mil genes. Nenhuma dessas espécies é capaz de falar, criar ou ter pensamentos inteligentes. Você pode pensar, assim como os cientistas que participaram do bolão, que o ser humano deveria ter muito mais genes que gramíneas, vermes e pulgas. Afinal, genes constroem proteínas, e proteínas constroem corpos. Com certeza um corpo tão complexo e sofisticado quanto o humano precisaria de mais proteínas e, portanto, de mais genes do que um verme.

Mas esses 20 mil genes não controlam nosso corpo sozinhos. Não estamos sós. Cada pessoa é um superorganismo, uma coletividade de espécies vivendo lado a lado, em cooperação, para controlar o corpo que nos sustenta. Nossas células, embora bem maiores em volume e peso, são superadas à razão de dez para uma pelas células dos micróbios que moram dentro da gente e sobre nosso corpo. Esses 100 trilhões de micro-organismos – conhecidos como a microbiota – são predominantemente compostos por bactérias: seres microscópicos constituídos de uma só célula. Junto com elas, há outros: vírus, fungos e arqueias. Os vírus são tão pequenos e simples que colocam em xeque o conceito do que seria necessário para constituir "vida", pois dependem das células de outras criaturas para se replicarem. Os fungos que vivem em nós em geral são levedos, organismos mais complexos do que bactérias, mas ainda assim unicelulares. As arqueias formam um grupo semelhante às bactérias, mas suas diferenças, em termos evolutivos, são tão significativas quanto as que separam as plantas dos animais. Juntos, os micro-organismos vivendo no corpo humano somam 4,4 *milhões* de genes – esse é o microbioma: o genoma coletivo de nossa microbiota. Esses genes cumprem seu papel no controle de nosso corpo junto com nossos 20 mil genes humanos. Segundo esses números, você é apenas 0,5% humano.

Agora já sabemos que o genoma humano deve sua complexidade não somente ao número de genes que contém, mas também às muitas combinações de proteínas que esses genes são capazes de produzir. No caso dos humanos e de algumas outras espécies, eles são capazes de desempenhar mais funções do que poderíamos pensar à primeira vista. Além disso, os genes de nossos micróbios acrescentam ainda mais complexidade a essa mistura, oferecendo com maior facilidade ao corpo humano serviços que evoluíram rapidamente.

Até recentemente, para estudar esses micro-organismos, tínhamos que cultivá-los em placas de Petri cheias de componentes sanguíneos, tutano ósseo ou açúcares, suspensos em geleia. Só que essa era uma tarefa difícil,

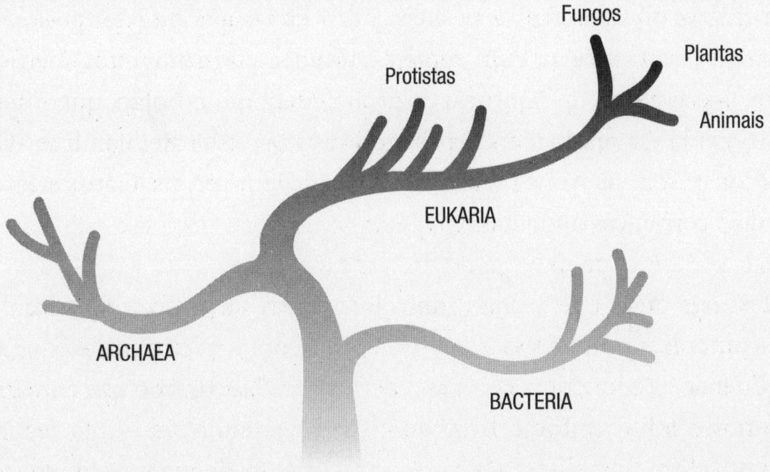

Uma árvore da vida simplificada, mostrando os três domínios e os quatro reinos do Domínio Eukaria

pois já vimos que a maioria das espécies que moram no intestino humano morre quando é exposta ao oxigênio. Além disso, para que os micro-organismos das placas crescessem, precisávamos adivinhar quais eram os nutrientes, a temperatura e os gases necessários à sua sobrevivência. Se não descobríssemos isso tudo, não era possível aprender mais sobre a espécie em questão. Era mais ou menos como conferir quem faltou à aula fazendo uma chamada – se você não chama algum nome, não tem como saber se a pessoa está ali. Felizmente, os avanços da tecnologia hoje permitem o sequenciamento do DNA de forma rápida e barata – graças aos esforços dos cientistas do Projeto Genoma Humano –, e mesmo aqueles componentes que você não estava esperando encontrar podem ser detectados.

Conforme o Projeto Genoma Humano ia chegando ao fim, as expectativas aumentavam. O Projeto era visto como a chave para a nossa humanidade, a maior obra de Deus, e uma biblioteca contendo o segredo de todas as doenças. Quando o primeiro esboço ficou pronto em junho de 2000, vários anos adiantado e sob um orçamento de 2,7 bilhões de dólares, o presidente norte-americano Bill Clinton declarou:

> Hoje estamos aprendendo o idioma em que Deus criou a vida. Estamos ficando cada vez mais impressionados pela complexidade, beleza,

maravilha do dom mais divino e sagrado de Deus. Com esse profundo conhecimento novo, a humanidade está à beira de ganhar um imenso e novo poder de cura. A ciência do genoma terá um impacto real sobre a nossa vida – e, ainda mais, sobre a vida de nossos filhos. Ela vai revolucionar o diagnóstico, a prevenção e o tratamento da maioria, senão de todas, as doenças humanas.

Mas, nos anos que se seguiram, jornalistas científicos do mundo inteiro começaram a expressar sua decepção com a contribuição que o conhecimento da sequência completa do nosso DNA tinha dado à medicina. Embora decodificar nosso livro de instruções tenha sido uma realização indiscutível que fez diferença para o tratamento de diversas doenças importantes, isso não foi suficiente para revelar o que esperávamos descobrir sobre a causa de muitas delas. Buscar diferenças genéticas comuns a pessoas que têm uma enfermidade específica não se mostrou útil para identificar vínculos diretos entre os genes e as doenças, como se esperava. Com frequência, algumas doenças foram associadas a dezenas ou centenas de variantes de genes, mas raras vezes uma dada variante genética determinou diretamente o aparecimento de dada doença.

O que deixamos de perceber na virada do século foi que aqueles 20 mil genes não são a história toda. A tecnologia de sequenciamento do DNA inventada durante o Projeto Genoma Humano tornou possível outro grande projeto de sequenciamento genético que recebeu bem menos atenção da mídia: o Projeto Microbioma Humano. Em vez de examinar o genoma de nossa própria espécie, o PMH foi criado para identificar as espécies presentes no corpo humano – no microbioma – através de seu DNA.

A dependência de placas de Petri e a superabundância de oxigênio já não seriam obstáculos à pesquisa de nossos coabitantes. Com um orçamento de 170 milhões de dólares e um programa de cinco anos de sequenciamento de DNA, o PMH deveria interpretar o código genético de micro-organismos vivendo em dezoito habitats diferentes no corpo humano – o que equivalia a processar dezenas de vezes mais dados que o PGH. Era uma pesquisa bem mais abrangente dos genes tanto humanos quanto microbianos que constituem uma pessoa. Na conclusão da primeira fase de pesquisas do Projeto Microbioma Humano em 2012, nenhum líder mundial fez qualquer declaração triunfante e apenas um punhado de jornais tocou no assunto. Mas o PMH viria a revelar mais sobre o que significa ser humano atualmente do que nosso genoma jamais foi capaz.

Desde o início da vida, as espécies exploram umas às outras, e os micróbios têm se mostrado particularmente eficientes em sobreviver nos lugares mais esquisitos. Dado seu tamanho microscópico, o corpo de outro organismo – sobretudo de uma grande criatura vertebrada como o ser humano – representa não apenas um nicho individual, mas todo um mundo de habitats, ecossistemas e oportunidades. Tão variável e dinâmico quanto nosso planeta Terra, o corpo humano possui um clima químico que vai e vem com marés hormonais e paisagens complexas que mudam conforme envelhecemos. Para os micro-organismos, isso é o Paraíso.

Evoluímos lado a lado com bactérias e fungos desde bem antes de sermos humanos. Antes mesmo de nossos ancestrais serem mamíferos. Cada animal, da menor das moscas drosófilas à maior das baleias, é um mundo para os micróbios. Apesar da imagem negativa de germes causadores de doenças com que muitos deles foram tachados, pode ser extremamente recompensador servir de abrigo a essas formas de vida em miniatura.

A lula havaiana – que tem olhos grandes e é colorida como um personagem de animação – conseguiu diminuir uma grande ameaça à sua vida quando convidou apenas uma espécie de bactéria bioluminescente para viver em uma cavidade especial embaixo de sua barriga. Nesse local, a bactéria conhecida como *Aliivibrio fischeri* converte alimento em luz, de modo que, ao ser vista de baixo, a lula brilha. Isso oculta sua silhueta em contraste com a superfície do oceano iluminada pela lua, camuflando-a de predadores que se aproximem por baixo. A lula deve essa proteção aos seus habitantes bacterianos, que por sua vez devem a ela seu lar.

Embora servir de casa a uma fonte de luz microbiana possa parecer uma forma especialmente inventiva de aumentar as chances de sobrevivência, a lula está longe de ser a única espécie animal que deve sua vida aos micróbios que abriga em seu corpo. As estratégias de vida são muitas e variadas, e a cooperação entre macro e micro-organismos tem sido uma força propulsora da evolução desde que os seres vivos com mais de uma célula surgiram pela primeira vez, 1,2 bilhão de anos atrás.

Quanto mais células compõem um organismo, mais micróbios podem viver nele. De fato, animais grandes como as vacas são conhecidos por sua hospitalidade às bactérias. Bovinos comem grama, e, se precisassem confiar apenas em seus próprios genes, conseguiriam extrair pouquíssimo valor nutricional de sua dieta fibrosa. Para digerir esse tipo de alimento, são necessárias proteínas especializadas – chamadas enzimas –, capazes de decompor as moléculas duras das membranas celulares da grama. Como as mutações genéticas dependem de mudanças aleatórias no código do DNA que só podem ocorrer a cada geração de organismos, esse processo levaria milênios se as vacas tivessem que desenvolver sozinhas os genes que formam essas enzimas.

Um jeito mais rápido de adquirir a capacidade de absorver os nutrientes da grama seria terceirizar a tarefa para especialistas: os micróbios. As quatro câmaras do estômago bovino abrigam populações na casa dos trilhões de micro-organismos cuja função é quebrar as fibras das plantas. O bolo alimentar – uma bola sólida de fibra vegetal – viaja para lá e para cá, entre a moagem mecânica da ruminação da vaca e a decomposição química realizada pelas enzimas produzidas pelos micro-organismos que vivem em seu intestino. Para os micróbios, é rápido e fácil adquirir os genes necessários para fazer isso, já que seu tempo de geração – e portanto as oportunidades de mutações e evolução – costuma ser inferior a um dia.

Se a lula havaiana e as vacas podem se beneficiar ao se aliarem aos micróbios, por que nós, humanos, não poderíamos fazer o mesmo? Não comemos grama nem temos um estômago dividido em quatro câmaras, mas temos nossas próprias especializações. Nosso estômago é pequeno e simples, e existe apenas para misturar a comida, adicionar algumas enzimas para a digestão e um pouco de ácido para matar os micro-organismos indesejados. Mas, ao final do intestino delgado – onde a comida é decomposta por ainda mais enzimas e incorporada ao sangue por uma espécie de tapete de protuberâncias semelhantes a dedos que lhe dão uma área equivalente à de uma quadra de tênis –, atinge-se uma cavidade, semelhante a uma bola, que marca o início do intestino grosso. Esse anexo que parece uma bolsa e fica no canto inferior direito do tronco, é chamado de ceco e é o centro da comunidade microbiana do corpo humano.

Do ceco pende um órgão que tem a fama de só existir para causar dor e infecções: o apêndice. Seu nome completo – apêndice vermiforme – refere-se à sua aparência, semelhante a um verme, mas poderia ser igualmente comparado com uma larva ou uma cobra. O apêndice varia de comprimento, de diminutos 2 cm a longos 25 cm, e *às vezes* uma pessoa pode ter dois deles – ou nenhum. Segundo a opinião popular, estaríamos melhor sem ele, já que há cem anos se diz que esse órgão não tem nenhuma função. Na verdade, o homem que enfim enquadrou a anatomia dos animais em um esquema evolutivo elegante é aparentemente responsável pela persistência desse mito. Charles Darwin, em *A descendência do homem*, uma continuação de *A origem das espécies*, incluiu o apêndice em uma discussão sobre órgãos "rudimentares". Após compará-lo com apêndices maiores em muitos outros animais, Darwin chegou à conclusão de que o apêndice era um vestígio evolutivo, gradualmente definhando à medida que a alimentação dos seres humanos mudava.

Com poucos indícios contrários, a condição residual do apêndice praticamente *não foi questionada nos cem anos que se seguiram, e a ideia de sua inutilidade* foi crescendo devido a sua tendência a causar transtornos. A comunidade médica passou a considerá-lo tão inútil que, na década de 1950, a remoção do apêndice de tornou um dos procedimentos cirúrgicos mais realizados no mundo desenvolvido. Uma apendicectomia costumava até ser oferecida como bônus durante outras cirurgias abdominais. A certa altura, um homem tinha uma chance em oito de ter seu apêndice removido durante a vida, enquanto para as mulheres essa chance era de uma em quatro. Cerca de 5% a 10% das pessoas sofrem de apendicite em certo estágio da vida, geralmente antes de terem filhos. Sem tratamento, metade delas morreria.

Surge assim um paradoxo. Se a apendicite fosse uma doença que ocorresse naturalmente, levando à morte com frequência em uma idade prematura, o apêndice teria sido eliminado pela seleção natural. Aqueles com apêndices suficientemente grandes para serem infectados morreriam, não raro antes de se reproduzir, deixando portanto de transmitir seus genes formadores de apêndices. Com o tempo, cada vez menos pessoas teriam apêndice, e esse órgão acabaria se perdendo. A seleção natural teria preferido as pessoas sem apêndice.

A suposição de Darwin de que o apêndice era uma relíquia de nosso passado poderia ter sido convincente se as consequências de possuí-lo não fossem muitas vezes fatais. No entanto, existem duas explicações para a persistência desse órgão que não são mutuamente exclusivas. A primeira sugere que a apendicite é um fenômeno moderno, acarretado pela mudança ambiental. Assim, mesmo um órgão inútil pode ter persistido no passado apenas por haver se mantido longe de problemas. A outra é que o apêndice, longe de ser um vestígio maligno de nosso passado evolutivo, na verdade oferece à saúde benefícios que superam seu lado negativo, fazendo sua presença valer a pena apesar do risco de apendicite. Ou seja, a seleção natural prefere aqueles que têm apêndice. A questão é: por quê?

A resposta está em seu conteúdo. O apêndice, com um comprimento médio de 8 cm e largura de 1 cm, forma um tubo protegido do fluxo da comida – na maior parte já digerida – que passa por sua entrada. Mas em vez de ser só um filamento atrofiado de carne, na verdade ele está repleto de células e moléculas imunes especializadas que não são inertes; pelo contrário, são parte integrante do sistema imunológico, protegendo, cultivando e se comunicando com uma coletividade de micróbios. Dentro do apêndice, esses micro-organismos formam um "biofilme" – uma camada de indivíduos que se apoiam mutuamente, deixando de fora bactérias que possam causar dano. Portanto o apêndice, longe de não ter função, parece ser o refúgio proporcionado pelo corpo humano a seus habitantes microbianos.

Como um pé de meia guardado para uma emergência, esse estoque microbiano vem a calhar em tempos de dificuldades. Após um episódio de intoxicação alimentar ou uma infecção gastrointestinal, o intestino pode ser repovoado por seus habitantes normais, que estavam escondidos no apêndice. Pode parecer uma apólice de seguro corporal meio exagerada, mas as infecções intestinais, como disenteria, cólera e giardíase, só foram eliminadas no mundo ocidental nas últimas décadas. Medidas de saneamento básico, com sistemas de esgoto e estações de tratamento de água, acabaram com essas doenças nos países desenvolvidos, mas, no mundo, uma dentre cada cinco mortes na infância ainda é causada por diarreia infecciosa. Para aqueles que resistem e sobrevivem, é provável que possuir um apêndice acelere sua recuperação. Só no contexto de uma condição de saúde relativamente boa é que passamos a acreditar que o apêndice não tem nenhuma função. Na verdade, as consequências negativas da retirada do apêndice têm sido mascaradas pelo estilo de vida moderno e higienizado.

Ao que se revela, a apendicite é *mesmo* um fenômeno moderno. Na época de Darwin, era algo extremamente raro, causando pouquíssimas mortes, de modo que podemos talvez perdoá-lo por pensar que o apêndice era uma simples sobra da evolução que não ajudava nem atrapalhava. A apendicite tornou-se comum no fim do século XIX, com os casos em um hospital britânico disparando de uma taxa estável de três ou quatro pessoas por ano antes de 1890 para 113 casos por ano em 1918 – um aumento verificado em todo o mundo industrializado. O diagnóstico nunca foi um problema – a forte cólica, seguida de uma rápida autópsia se o paciente não sobrevivesse, revelava a causa da morte mesmo antes que a apendicite se tornasse tão comum.

Muitas explicações foram oferecidas para esse aumento, do consumo exagerado de carne, manteiga e açúcar ao bloqueio dos seios paranasais e dentes cariados. Naquela época, chegou-se à conclusão de que a redução da quantidade de fibras em nossa dieta era a causa principal, mas outras hipóteses ainda existem, inclusive uma que responsabiliza a maior pureza da água e a melhoria nas condições higiênicas – justamente o desenvolvimento que pareceu tornar o apêndice inútil. No entanto, qualquer que seja a resposta, a partir da Segunda Guerra Mundial, nossa memória coletiva esquecera o aumento dos casos de apendicite, dando-nos a impressão de que isso é esperado, embora indesejável, da vida normal.

Mesmo no mundo moderno, desenvolvido, conservar o apêndice ao menos até a fase adulta pode se mostrar benéfico, protegendo-nos de infecções gastrointestinais recorrentes, de disfunções imunológicas, câncer no sangue, algumas doenças autoimunes e até ataques cardíacos. De algum modo, seu papel como santuário da vida microbiana nos traz todos esses benefícios.

Além de mostrar que está longe de ser inútil, a presença revela algo ainda maior: os nossos micróbios são importantes para o nosso corpo. Parece que não estão apenas pegando carona, mas prestando um serviço importante o suficiente para que, na evolução de nosso intestino, tenha sido reservado um espaço para servir de refúgio e mantê-los em segurança. A questão é: que micro-organismos estão lá e o que exatamente fazem por nós?

Embora saibamos há várias décadas que os micróbios em nosso corpo nos oferecem certos benefícios – como sintetizar algumas vitaminas essenciais e decompor fibras duras de plantas –, o grau de interação entre nossas células e as deles só foi descoberto recentemente. No final da década de 1990, usando as ferramentas da biologia molecular, os microbiologistas deram um grande salto e descobriram mais sobre nosso estranho relacionamento com nossa microbiota.

As novas tecnologias de sequenciamento do DNA são capazes de nos informar quais micróbios estão presentes em nossa microbiota, e assim podemos situá-los em seu local apropriado na árvore da vida. Nessa hierarquia, do domínio para o reino, depois filo, classe, ordem, família, gênero, espécie e cepa, os indivíduos vão ficando cada vez mais intimamente relacionados entre si. De baixo para cima, nós, os humanos (gênero *Homo* e epíteto específico *sapiens*), somos grandes antropoides (família *Hominidae*) situados junto com os macacos e alguns outros animais na categoria dos primatas (ordem Primatas). Todos nós, primatas, pertencemos, com nossos colegas peludos bebedores de leite, ao grupo dos mamíferos (classe *Mammalia*), que se enquadram então no grupo que contém os animais vertebrados (filo *Chordata*) e, finalmente, entre *todos* os animais, vertebrados ou não (pense na lula, por exemplo), no reino *Animalia*, domínio *Eukaria*. As bactérias e outros micro-organismos (excetuando-se os vírus, que desafiam qualquer categoria) se enquadram nos outros grandes ramos da árvore da vida, pertencendo não ao *Animalia*, mas ao seu próprio reino e domínio.

Um segmento de DNA particularmente útil, o gene 16S rRNA, é tipo um código de barras para as bactérias, fornecendo uma rápida identificação sem a necessidade de sequenciar um genoma bacteriano inteiro. Quanto mais os códigos dos genes 16S rRNA se assemelham, mais intimamente relacionadas estão essas espécies, e mais ramos e galhos da árvore da vida compartilham.

O sequenciamento do DNA, porém, não é a única ferramenta que temos à disposição para responder às perguntas sobre nossos micróbios, especialmente no tocante ao que cada micro-organismo faz. Quando deparamos com esses mistérios, costumamos nos voltar para os camundongos – em particular, os "livres de germes". As primeiras gerações desses seres indispensáveis aos laboratórios nasceram de cesariana e foram mantidas em câmaras de isolamento para que não fossem colonizadas por micro-organismos benéficos nem prejudiciais. Dali em diante, a maioria dos camundongos livres de germes nascem simplesmente em isolamento, de mães livres de germes, numa linhagem esterilizada de roedores livres de micróbios. Mesmo sua comida e suas instalações são expostas à radiação e embaladas em recipientes esterilizados, para evitar qualquer contaminação dos camundongos. Transferi-los entre suas gaiolas que mais parecem bolhas é uma grande operação que envolve vácuos e substâncias químicas antimicrobianas.

Ao comparar camundongos livres de germes com camundongos "convencionais" dotados de seu pleno complemento de micróbios, os pesquisadores conseguem avaliar os exatos efeitos de se possuir uma microbiota. Eles podem até colonizar camundongos livres de germes com uma única espécie de bactéria, ou um pequeno conjunto de espécies, para ver como cada grupo contribui para a biologia de um camundongo. Do estudo desses camundongos "gnotobióticos" (que abrigam "vida conhecida"), obtemos uma ideia da ação dos micro-organismos em nosso corpo também. Claro que eles não são iguais a nós, e às vezes resultados de experimentos em camundongos são radicalmente diferentes daqueles em seres humanos, mas são uma ferramenta de pesquisa muito útil e com frequência nos oferecem pistas cruciais. Sem modelos roedores, a ciência médica iria progredir a um milionésimo de sua velocidade.

Foi usando camundongos livres de germes que o maior expoente da ciência do microbioma, o professor Jeffrey Gordon da Universidade de Washington em St. Louis, Missouri, descobriu um indício notável de quão fundamental é a microbiota para a manutenção de um corpo saudável. Ele comparou o intestino de camundongos livres de germes com o de camundongos convencionais e descobriu que, sob a orientação das bactérias, as células que revestem a parede do intestino dos camundongos estavam liberando uma molécula que "alimentava" os micróbios, encorajando-os a fixar residência ali. A presença de uma microbiota não altera apenas a química do intestino, mas também sua morfologia. As protuberâncias semelhantes a dedos crescem mais por insistência dos micro-organismos, tornando a área de sua superfície grande o suficiente para captar a energia necessária dos alimentos. Estimou-se que os ratos precisariam de cerca de 30% a mais de alimentos se não fossem os micróbios.

E não são somente nossos coabitantes que se beneficiam em viver em nosso corpo, nós também. Nosso relacionamento com eles não é só de tolerância, mas de encorajamento. Essa descoberta, combinada com as potencialidades do sequenciamento do DNA e estudos de camundongos livres de germes, deu início a uma revolução na ciência. O Projeto Microbioma Humano, dirigido pelos Institutos Nacionais da Saúde dos Estados Unidos, junto com muitos outros estudos em laboratórios no mundo inteiro, revelaram que dependemos radicalmente de nossos micróbios para sermos saudáveis e felizes.

O corpo humano, tanto por dentro quanto por fora, forma uma paisagem de habitats tão diversificados como quaisquer outros na Terra. Assim como os ecossistemas do planeta são povoados por diferentes espécies de plantas e animais, os habitats do corpo humano abrigam diferentes comunidades de micróbios. Somos, como todos os animais, um tubo sofisticado. O alimento entra por uma extremidade e sai pela outra. Vemos que a pele cobre nossa superfície "externa", mas a superfície interna de nosso tubo também é "externa" – igualmente exposta ao ambiente. Enquanto as camadas da pele nos protegem de intempéries, micro-organismos invasores e substâncias nocivas, as células do trato digestivo também precisam nos manter em segurança. Nosso verdadeiro "interior" não é o trato digestivo, mas os tecidos e órgãos, músculos e ossos que estão armazenados entre o interior e o exterior de nossos eus tubulares.

A superfície de um ser humano, então, não é apenas sua pele, mas as voltas, sulcos e dobras de seu tubo interior também. Mesmo os pulmões, a vagina e o trato urinário contam como " lado de fora" – como partes da superfície – quando você vê o corpo dessa forma. Não importa se na parte de dentro ou de fora, *toda* essa superfície é uma moradia em potencial para os micróbios. Alguns locais são mais valorizados que outros, e comunidades densas como cidades se formam em lugares nobres, ricos em recursos, como os intestinos, enquanto grupos mais esparsos de espécies ocupam áreas mais "rurais" ou hostis, como os pulmões e o estômago. O Projeto Microbioma Humano teve como intuito caracterizar essas comunidades, recolhendo amostras de micro-organismos de dezoito locais nas superfícies interna e externa do corpo humano, em centenas de voluntários.

Durante os cinco anos do PMH, microbiologistas moleculares supervisionaram algo que foi a versão biotecnológica da era dourada da descoberta de espécies, dos armários impregnados de formol e repletos de coleções de aves e mamíferos descobertos e nomeados por exploradores-biólogos nos séculos XVIII e XIX. O corpo humano é, ao que se revela, um tesouro de grupos e espécies novas para a ciência, muitas delas presentes em apenas um ou dois dos voluntários participantes no estudo. Cada pessoa está longe de abrigar um mesmo conjunto de micróbios. Pelo contrário, pouquíssimos grupos de bactérias são comuns a todo mundo. Cada um de nós contém comunidades de micro-organismos tão singulares quanto nossas impressões digitais.

Embora os detalhes mais sutis de nossos habitantes sejam específicos a cada um de nós, todos abrigamos micróbios semelhantes nos níveis hierárquicos maiores. As bactérias que moram no seu intestino, por exemplo, se assemelham mais às bactérias no intestino da pessoa sentada ao seu lado do que às que habitam nas articulações de seus dedos. Além disso, apesar de termos comunidades diferentes, as funções que elas desempenham costumam ser indistinguíveis. O que a bactéria A faz por você, a bactéria B pode fazer pelo seu melhor amigo.

Das planícies áridas e frescas da pele dos antebraços às florestas úmidas e quentes da virilha e à acidez e ao ambiente quase desprovido de oxigênio do estômago, cada parte do corpo oferece um lar para os micróbios capazes de evoluir de forma a explorá-la. Mesmo dentro de um mesmo habitat, nichos diferentes abrigam espécies diferentes. A pele, com seus dois metros quadrados, contém tantos ecossistemas quanto as paisagens das Américas – mas em miniatura. Os ocupantes da pele rica em sebo da face e das costas são tão diferentes daqueles dos cotovelos secos e expostos quanto as florestas do Panamá diferem das rochas do Grande Canyon. Se o rosto e as costas são dominados por espécies pertencentes ao gênero *Propionibacterium*, que se alimentam das gorduras liberadas pelos poros densamente comprimidos nessas áreas, os cotovelos e os antebraços abrigam uma comunidade bem mais diversificada. As áreas úmidas, incluindo o umbigo, as axilas e as virilha, são o lar das espécies *Corynebacterium* e *Staphylococcus*, que adoram a umidade e se alimentam do nitrogênio no suor.

Essa segunda pele microbiana proporciona uma dupla camada de proteção para o verdadeiro interior do corpo, reforçando a inviolabilidade da barreira formada pelas células da pele. Bactérias invasoras com intenções maldosas lutam para conquistar seu lugar nessas cidades fronteiriças fortemente protegidas e enfrentam um ataque de armas químicas enquanto isso. Talvez ainda mais vulneráveis à invasão sejam os tecidos moles da boca, que precisam resistir à colonização por uma enxurrada de intrusos que vêm contrabandeados na comida e flutuando no ar.

Da boca de seus voluntários, pesquisadores do Projeto Microbioma Humano extraíram não apenas uma amostra, mas nove, cada uma de um local ligeiramente diferente. Esses nove locais, com poucos centímetros de distância entre eles, ao que se revelou, abrigavam comunidades perceptivelmente distintas constituídas de cerca de oitocentas espécies de bactérias dominadas pela espécie *Streptococcus* e um punhado de outros grupos. O *Streptococcus* tem má fama, devido às muitas espécies que causam doenças, da faringite estreptocócica à fasciite necrosante, uma infecção devoradora da carne. Mas muitas outras espécies nesse gênero apresentam um comportamento impecável, expulsando os seres malignos que atacam essa vulnerável entrada para o corpo. Claro que essas distâncias minúsculas entre os locais das amostras dentro da boca podem parecer insignificantes para nós, mas para os micróbios são como vastas planícies e cadeias de montanhas com climas tão diversos quanto o do norte da Escócia e o do sul da França.

Imagine, então, o salto climático da boca até as narinas. A piscina viscosa de saliva sobre um leito de rocha escarpado substituída por uma floresta cabeluda de muco e poeira. As narinas, como seria de esperar do seu papel de porteiro na entrada para os pulmões, abriga uma grande variedade de grupos bacterianos, alcançando umas novecentas espécies, incluindo grandes colônias de *Propionibacterium*, *Corynebacterium*, *Staphylococcus* e *Moraxella*.

Descendo pela garganta rumo ao estômago, a enorme diversidade de espécies se reduz de forma drástica. Por ser muito ácido, o estômago mata muitos dos micro-organismos que entram junto com a comida, e só se conhece uma espécie que com certeza reside ali permanentemente em algumas pessoas: *Helicobacter pylori*, cuja presença pode ser tanto uma bênção quanto uma maldição. Desse ponto em diante, o percurso pelo trato digestivo vai revelando uma densidade – e diversidade – cada vez maior de micróbios. O estômago se abre para o intestino delgado, onde o alimento é rapidamente digerido por nossas próprias enzimas e incorporado à corrente sanguínea. Mas ainda existem micro-organismos aqui: há cerca de 10 mil indivíduos em cada mililitro de conteúdo no início do intestino delgado. Esse número chega a incríveis 10 milhões por mililitro em sua porção final, onde o intestino delgado encontra o ponto inicial do intestino grosso.

Fora do abrigo criado pelo apêndice, há uma metrópole fervilhante de micro-organismos, no núcleo da paisagem microbiana do corpo humano: o ceco, ao qual o apêndice está ligado. Esse é o epicentro da vida microscópica, onde trilhões de indivíduos de pelo menos 4 mil espécies aproveitam ao máximo o alimento parcialmente digerido que passou pela primeira

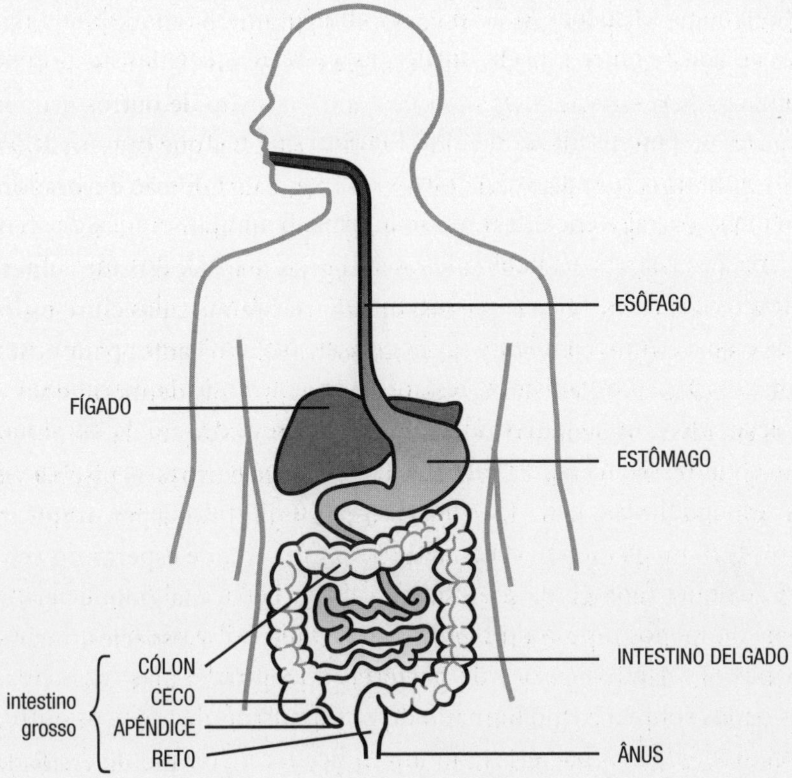

O intestino humano

rodada do processo de extração de nutrientes no intestino delgado. As partes duras – fibras vegetais – são deixadas para os micróbios atacarem na segunda rodada.

O cólon, que constitui a maior parte do intestino grosso, sobe pelo lado direito do tronco, sob a caixa torácica, e desce de volta pelo lado esquerdo. Esse local oferece moradia para cerca de 1 trilhão (1.000.000.000.000) de indivíduos por mililitro em suas dobras e nas reentrâncias de suas paredes. Ali, eles recolhem os refugos de alimento e os convertem em energia, deixando os resíduos para serem absorvidos pelas células das paredes do cólon. Enquanto a maioria das células do corpo são alimentadas pelo açúcar transportado no sangue, a principal fonte de energia das do cólon são os resíduos da microbiota. Por isso, sem os micróbios do intestino, essas células estariam fadadas a definhar e morrer. O ambiente úmido, quentinho e pantanoso do cólon, em algumas partes totalmente desprovido de oxigênio, proporciona não apenas uma fonte de alimento para seus habitantes, mas uma camada de muco rica em nutrientes, capaz de sustentar sua população em épocas de escassez.

Como os pesquisadores do PMH teriam que realizar uma cirurgia em seus voluntários se quisessem coletar amostras dos diferentes habitats do trato intestinal, eles encontraram uma forma bem mais prática de recolher informações sobre seus habitantes: sequenciar o DNA dos micróbios encontrados nas fezes. Em sua passagem pelo intestino, o alimento que ingerimos é quase completamente digerido e absorvido, tanto por nós quanto por nossos micro-organismos, restando somente uma pequena quantidade que deve sair na outra extremidade. As fezes, longe de serem os resíduos de nossa comida, são na maior parte bactérias – algumas mortas, outras vivas. Elas respondem por cerca de 75% do peso úmido das fezes, enquanto as fibras vegetais constituem cerca de 17%.

A qualquer momento, seu intestino abriga cerca de 1,5 kg de bactérias – mais ou menos o peso do fígado –, cuja vida útil varia de meros dias a semanas. As 4 mil espécies de bactérias encontradas nas fezes nos dão mais dados sobre o corpo humano do que amostras de todos os outros locais reunidos. Essas bactérias são um indicador de nosso estado de saúde e da qualidade da nossa alimentação – não apenas enquanto espécie, mas como sociedade e como indivíduo. O grupo de bactérias mais comum nas fezes é formado de *Bacteroides*, mas, como as bactérias de nosso intestino comem o mesmo que nós, a comunidade bacteriana intestinal varia de pessoa para pessoa.

Entretanto, os micróbios do intestino não são só coletores, aproveitando nossas sobras. Nós também tiramos proveito deles, especialmente quando se trata de terceirizar funções que levaríamos muito tempo para desenvolver sozinhos. Afinal, por que se dar o trabalho de ter um gene para sintetizar a proteína que produz a vitamina B_{12}, essencial ao funcionamento do cérebro, quando as bactérias *Klebsiella* podem fazer isso para você? E quem precisa de genes para moldar as paredes do intestino, quando as *Bacteroides* já os possuem? É bem mais barato e fácil que desenvolvê-los do zero. Mas, como veremos adiante, o papel dos micro-organismos que moram em nosso intestino vai bem além de ajudar na síntese de umas poucas vitaminas.

No início, o Projeto Microbioma Humano examinou apenas a microbiota de indivíduos saudáveis. A partir do estabelecimento desse referencial, o PMH resolveu indagar quais são as alterações encontradas na microbiota de pessoas cujo estado de saúde é ruim, se as doenças modernas poderiam ser uma consequência dessas alterações e, em caso positivo, o que estaria causando esse dano. Será que distúrbios da pele, como acne, psoríase e dermatite, seriam indicação de transtornos no equilíbrio dos micróbios da pele? Será que a doença intestinal inflamatória, o câncer do trato digestivo e até a obesidade poderiam se dever a alterações nas comunidades de micro-organismos que moram no intestino? E, o que seria mais extraordinário: será que distúrbios aparentemente distantes dos centros de população microbiana, como alergias, doenças autoimunes e mesmo problemas mentais, poderiam ser causados por danos à microbiota?

O palpite de Lee Rowen no bolão em Cold Spring Harbor apontava para uma descoberta bem mais profunda. Não estamos sozinhos, e nossos "caronas" microbianos desempenham um papel bem maior em nossa humanidade do que jamais pensamos. Nas palavras do Professor Jeffrey Gordon:

> Essa percepção do nosso lado microbiano está trazendo uma nova visão de nossa individualidade. Uma nova noção de nossa ligação com o mundo microbiano. O reconhecimento do legado de nossas interações pessoais com nossa família e o ambiente no princípio da vida. Está fazendo com que paremos e reflitamos sobre o fato de que poderia haver mais uma dimensão em nossa evolução humana.

Passamos a depender de nossos micróbios, e sem eles seríamos uma mera fração de quem somos. Mas o que significa ser apenas 10% humano?

UM

A doença no século XXI

Em setembro de 1978, Janet Parker se tornou a última pessoa na Terra a morrer de varíola. A apenas 100 quilômetros do lugar onde Edward Jenner vacinou um menino pela primeira vez contra a doença, 180 anos antes, com pus de varíola bovina de uma leiteira, o corpo de Parker abrigou o vírus em sua última investida na carne humana. Seu emprego como fotógrafa médica na Universidade de Birmingham, no Reino Unido, não a colocaria em risco direto, não fosse a proximidade de sua câmara escura em relação ao laboratório, abaixo. Enquanto ela encomendava equipamento fotográfico pelo telefone numa tarde de agosto, vírus de varíola subiram pelos dutos de ar da sala de "varíola" no andar de baixo, levando à sua infecção fatal.

A Organização Mundial da Saúde (OMS) já passara uma década vacinando pessoas contra varíola ao redor do mundo, e aquele verão prenunciava a iminência de sua erradicação completa. Havia se passado quase um ano desde o último registro de ocorrência natural da doença. Um jovem cozinheiro de hospital havia se recuperado de uma forma branda do vírus na Somália. Uma vitória assim contra a doença não tinha precedente. A vacinação colocara a varíola contra a parede, deixando-a sem nenhum humano vulnerável à sua infecção e sem nenhum lugar para ir.

Mas o vírus tinha um refúgio onde podia se esconder: as placas de Petri cheias de células humanas usadas pelos pesquisadores para cultivar e estudar a doença. A Faculdade de Medicina da Universidade de Birmingham era justamente um desses refúgios do vírus, onde um certo professor Henry Bedson e sua equipe esperavam encontrar um meio para identificar com rapidez quaisquer vírus de varíola que pudessem surgir em populações de animais, agora que a doença fora erradicada entre os humanos. Era um objetivo nobre e tinha o respaldo da OMS, apesar das preocupações dos inspetores em relação aos protocolos de segurança das salas de varíola. Como faltavam poucos meses para o laboratório de Birmingham ser fechado, os temores dos inspetores não justificavam um fechamento prematuro ou uma obra cara para readaptar as instalações.

A doença de Janet Parker, de início desprezada e considerada uma infecção branda, chamou a atenção dos médicos quinze dias depois de ter se manifestado. Àquela altura, a mulher já estava coberta de pústulas, e o diagnóstico possível voltou-se para varíola. Parker foi posta em isolamento, e amostras de líquidos foram extraídas para análise. Numa ironia que não passou despercebida ao professor Bedson, a experiência de sua equipe na identificação dos vírus da varíola foi muito útil no momento de confirmação do diagnóstico. Mas os temores de Bedson se confirmaram e Parker foi transferida para um hospital especializado. Duas semanas depois, em 6 de setembro, o estado de Parker ainda era grave, e o professor Bedson foi encontrado pela esposa morto em sua residência, tendo cortado a própria garganta. Em 11 de setembro de 1978, Janet Parker morreu em consequência da doença.

O destino de Janet Parker foi o de centenas de milhões antes dela. Ela havia sido infectada por uma cepa de varíola conhecida como "Abid", em alusão ao nome de uma criança paquistanesa de 3 anos que sucumbira à doença oito anos antes, pouco depois do início da campanha intensiva de erradicação da varíola da OMS no Paquistão. No século XVI, a varíola tinha se tornado uma doença mortal em quase todo o mundo, em grande parte devido à tendência dos europeus de explorarem e colonizarem terras distantes. No século XVIII, à medida que as populações humanas cresceram e ganharam mobilidade, a varíola se espalhou e passou a ser uma das principais causas de morte ao redor do mundo, matando até 400 mil europeus por ano – inclusive cerca de uma entre cada dez crianças. Com o advento da variolação – uma predecessora grosseira e arriscada da vacinação que envolvia a infecção intencional de pessoas saudáveis com fluidos das vítimas de varíola –, a taxa de mortalidade da doença se reduziu na segunda metade do século XVIII. Em 1796, a descoberta da vacinação com o uso da varíola bovina trouxe mais alívio. Na década de 1950, a varíola havia sido praticamente eliminada dos países industrializados, mas ainda existiam cerca de 50 milhões de casos anuais no mundo inteiro, resultando em mais de 2 milhões de mortes por ano.

Embora a varíola tivesse deixado de assolar os países do mundo industrializado, o domínio tirânico de muitos outros micróbios se estendeu pela primeira década do século XX. As doenças infecciosas eram de longe as formas de doença mais comuns e sua propagação passou a ser auxiliada por nossos hábitos sociais e pelo costume de explorar outras civilizações. A população humana, que crescia exponencialmente, ocasionou o aumento da densidade populacional dos lugares, facilitando o trabalho dos micro-organismos que precisavam saltar de pessoa para pessoa para continuar seu ciclo de vida. Nos Estados Unidos, as três maiores causas de morte em 1900 não eram doença cardíaca, câncer e derrame, como hoje, mas sim doenças infecciosas, causadas por micróbios transmitidos entre pessoas. Dentre elas, a pneumonia, a tuberculose e a diarreia infecciosa, que ceifavam a vida de um terço das pessoas.

Até então considerada a principal causa de mortalidade, a pneumonia começa com uma tosse e desce até os pulmões, comprometendo a respiração e provocando febre. Mais um quadro sintomático do que uma doença com causa única, essa condição deve sua existência a um amplo espectro de micro-organismos, de vírus minúsculos, passando por bactérias e fungos, até parasitas protozoários (nome que significa "animais mais antigos"). A diarreia infecciosa também pode ser atribuída a diferentes variedades de micróbios. Suas apresentações incluem o cólera, causado por uma bactéria, a disenteria, que se deve geralmente à ameba, e a giardíase, também causada por um parasita. O terceiro grande assassino, a tuberculose, afeta os pulmões da mesma forma que a pneumonia, mas sua origem é mais específica: trata-se de uma infecção por uma pequena seleção de bactérias pertencentes ao gênero *Mycobacterium*.

Toda uma série de outras doenças infecciosas também deixaram sua marca, literal e figurativa, em nossa espécie: pólio, febre tifoide, sarampo, sífilis, difteria, escarlatina, coqueluche e diferentes formas de gripe, entre muitas outras. No início do século XX, a poliomielite, causada por um vírus que infecta o sistema nervoso central e destrói nervos que controlam os movimentos, paralisava centenas de milhares de crianças por ano nos países industrializados. Dizem que a sífilis – uma doença bacteriana transmitida sexualmente – atingiu 15% da população da Europa em alguma fase da vida. O sarampo matava cerca de 1 milhão de pessoas ao ano. A difteria – quem se lembra dessa? – costumava matar 15 mil crianças por ano somente nos Estados Unidos. Já a gripe matou, nos dois anos após a Primeira Guerra Mundial, de cinco a dez vezes mais vítimas que a própria guerra.

Não é surpresa que essas pragas tivessem uma grande influência sobre a expectativa de vida. Em 1900, a expectativa de vida média em todo o planeta era de apenas 31 anos. Viver num país desenvolvido melhorava a perspectiva, mas para pouco menos de 50 anos. Na maior parte de nossa história evolutiva, nós, os seres humanos, conseguíamos viver até 20 ou 30 anos, embora a expectativa de vida *média* fosse bem menor. Em um só século, e em grande parte graças aos progressos de uma só década – a revolução dos antibióticos da década de 1940 –, nossa expectativa média de vida dobrou. Em 2005, o ser humano comum podia esperar viver até os 66 anos, com aqueles nos países mais ricos alcançando, em média, a idade avançada de 80 anos.

Essas cifras são altamente influenciadas pelas chances de sobrevivência na infância. Em 1900, quando até três em cada dez crianças morriam antes dos 5 anos, a expectativa média de vida era substancialmente menor. Se na virada do século seguinte as taxas de mortalidade infantil tivessem se mantido como em 1900, mais de meio milhão de crianças americanas teriam morrido antes de completar 1 ano. Em vez disso, cerca de 28 mil morreram. Permitir que a grande maioria das crianças passem ilesas por seus cinco primeiros anos possibilita que quase todas prossigam e cheguem à "velhice", o que aumenta a expectativa de vida.

Embora os efeitos estejam longe de ser plenamente sentidos em grande parte dos países em desenvolvimento, enquanto espécie fomos capazes de avançar muito rumo à derrota de nossos mais antigos e maiores inimigos: os patógenos, ou seja, os micro-organismos que causam doenças. Eles se desenvolvem nas condições insalubres criadas pelos seres humanos que vivem em aglomerados urbanos. Quanto mais superpovoado o ambiente, mais fácil se torna a vida dos patógenos. Ao migrarmos, damos a eles acesso a ainda mais seres humanos e, assim, mais oportunidades de procriarem, sofrerem mutações e evoluírem. Muitas das doenças infecciosas com que lutamos nos últimos séculos surgiram depois que os primeiros humanos deixaram a África e fixaram residência ao redor do mundo. O domínio mundial dos patógenos refletiu o nosso próprio, e poucas espécies têm companheiros tão fiéis quanto os agentes infecciosos que nos seguem.

Para a maioria das pessoas que moram nos países desenvolvidos, a questão das doenças infecciosas está confinada ao passado. Quase tudo que restou de milhares de anos de combate mortal contra os micróbios são lembranças das picadas de nossas imunizações na infância, a gotinha da vacina contra a pólio... Para muitas crianças e adolescentes de hoje, o fardo da história é ainda mais leve, já que não apenas as próprias doenças, mas mesmo algumas vacinações, antes rotineiras, já não são mais necessárias.

As inovações médicas e as medidas de saúde pública – sobretudo as do final do século XIX e início do século XX – fizeram uma diferença profunda para a vida humana. Quatro acontecimentos, em particular, fizeram com que deixássemos de ser uma sociedade de duas gerações e passássemos a conviver com quatro, ou até cinco, gerações durante a vida. O primeiro e mais antigo deles surgiu graças a Edward Jenner e uma vaca chamada Blossom: a vacinação. Jenner sabia que as leiteiras estavam protegidas da varíola por terem sido infectadas pela varíola bovina, que era bem mais branda que a humana. Ele então achou que o pus das pústulas de uma leiteira poderia transmitir aquela proteção se fosse injetado em outra pessoa. Sua primeira cobaia foi um menino de 8 anos chamado James Phipps – filho do jardineiro de Jenner. Depois de inocular a variante bovina em Phipps, Jenner tentou infectá-lo duas vezes, injetando nele pus de uma infecção de varíola real. O menino estava totalmente imunizado.

Desde a varíola em 1796, passando, no século XIX, pela raiva, pela febre tifoide, pelo cólera e a peste, e, a partir de 1900, por dezenas de outras doenças infecciosas, a vacinação não apenas protegeu milhões da morte, como também chegou a eliminar alguns patógenos em países inteiros e a erradicar outros completamente. Graças à vacinação, não precisamos depender apenas do nosso sistema imunológico para nos defender dos patógenos. Em vez de termos que adquirir defesas naturais contra doenças, contornamos esse processo usando o intelecto para oferecer ao sistema imunológico advertências sobre o que ele poderia encontrar pela frente.

Sem vacinação, a invasão de um novo patógeno provoca doença e, possivelmente, a morte. Nosso sistema imunológico, além de enfrentar os micróbios invasores, é responsável por produzir as moléculas conhecidas como anticorpos. Se a pessoa sobrevive, esses anticorpos formam uma equipe especializada de espiões que patrulham o corpo à procura daquele micro-organismo específico. Eles continuam lá bem depois de a doença ter sido vencida, sempre prontos a informar ao sistema imunológico se houver uma nova invasão do mesmo agente infeccioso. A próxima vez que esse micróbio for encontrado, o sistema imunológico já estará preparado e, dessa forma, vai evitar que a doença se instale.

A vacinação imita esse processo natural, ensinando o sistema imunológico a reconhecer um patógeno específico. Em vez de ter que sofrer a doença para adquirir imunidade, só precisamos tolerar a injeção – ou a gotinha – de uma variedade morta, enfraquecida ou parcial do patógeno. Embora sejamos poupados da enfermidade, ainda assim nosso sistema imunológico reage à vacina, produzindo anticorpos que ajudam o corpo a resistir à doença se o mesmo patógeno tentar nos atacar para valer.

Programas amplos de vacinação visam imunizar o "rebanho" numa proporção suficientemente grande para que as doenças infectocontagiosas não continuem mais se espalhando. Graças a eles, muitas doenças infecciosas foram eliminadas quase por completo em países desenvolvidos e uma, a varíola, foi totalmente erradicada. A erradicação dessa doença, além de reduzir sua incidência de 50 milhões de casos anuais no mundo inteiro para zero em pouco mais de uma década, poupou aos governos bilhões em recursos no custo direto da vacinação e em cuidados médicos, bem como nos custos indiretos da doença para a sociedade. Os Estados Unidos, que contribuíram com uma quantia imensa de dinheiro para a erradicação global, recupera seu investimento a cada 26 dias em custos poupados. Programas de vacinação governamentais para uma dezena de outras doenças infecciosas diminuíram substancialmente o número de casos, reduzindo o sofrimento e poupando vidas e dinheiro.

Hoje a maioria dos países desenvolvidos promove programas de vacinação contra cerca de dez doenças infecciosas – algumas das quais a Organização Mundial da Saúde pretende alcançar a eliminação regional ou a erradicação global. Esses programas tiveram um efeito dramático na incidência dessas doenças. Antes do início do programa de erradicação mundial da pólio em 1988, o vírus afetava 350 mil pessoas ao ano. Em 2012, a doença se restringiu a apenas 223 casos em somente três países. Em 25 anos, cerca de meio milhão de mortes foram evitadas e 10 milhões de crianças que teriam ficado paralisadas estão livres para caminhar e correr. O mesmo ocorre com o sarampo e a rubéola: numa só década, a vacinação contra essas doenças impediu 10 milhões de mortes no mundo inteiro. Nos Estados Unidos, assim como na maior parte do mundo desenvolvido, a incidência de nove grandes doenças infantis se reduziu em 99% com a vacinação. Além disso, para cada mil bebês nascidos vivos em 1950, cerca de 40 morreriam antes do primeiro aniversário. Em 2005, essa cifra se reduziu para apenas quatro. A vacinação é tão bem-sucedida que só os mais velhos conseguem se lembrar do medo e da dor causados por essas doenças mortais. Agora estamos livres delas.

Após o desenvolvimento das primeiras vacinas, veio a segunda grande inovação na saúde: a prática médica higiênica. Ainda hoje enfrentamos a pressão de melhorar as condições de higiene hospitalar, mas em comparação com os padrões do final do século XIX, os hospitais modernos são templos da limpeza. Imagine enfermarias lotadas de doentes e moribundos, feridas expostas em putrefação, jalecos cobertos de sangue e sujeira de anos de cirurgias... Para que limpar, se a opinião corrente considerava que as infecções eram causadas pela exposição ao "ar ruim" ou *miasma*, não pelos germes? Acreditava-se que essa névoa tóxica se originava na matéria em decomposição ou na água poluída – portanto, era uma força intangível, para além do controle de médicos e enfermeiros. Os micro-organismos haviam sido descobertos 150 anos antes, mas a correlação entre eles e as doenças não tinha sido estabelecida. Acreditava-se que o miasma não podia ser transmitido por contato físico, e assim as infecções eram espalhadas justamente pelas pessoas que deveriam curá-las. Os hospitais eram uma novidade. Haviam surgido da ascensão da assistência médica pública e de um desejo de garantir o acesso das massas à medicina "moderna". Apesar das boas intenções, eram incubadoras imundas de doenças, e quem os frequentava arriscava a vida.

As mulheres foram as que mais sofreram com a proliferação dos hospitais, já que os riscos do parto, ao invés de diminuírem, aumentaram. Na década de 1840, até 32% das mulheres que davam à luz em hospitais acabavam morrendo. Os médicos – todos homens – atribuíam as mortes a qualquer coisa, de trauma emocional a falta de higiene do intestino... A verdadeira causa dessa taxa de mortalidade horrivelmente alta seria enfim desvendada por um jovem obstetra húngaro chamado Ignaz Semmelweis.

No hospital onde Semmelweis trabalhava, o Hospital Geral de Viena, as mulheres em trabalho de parto recebiam dois tipos diferentes de cuidado em dias alternados. Num dia, eram atendidas por médicos; no outro, por parteiras. Dia sim, dia não, ao chegar no trabalho, Semmelweis avistava mulheres dando à luz na rua, diante do hospital. Sempre era no dia em que as mulheres seriam recebidas por médicos. Como sabiam que suas chances de sobrevivência seriam menores na mão dos médicos, elas preferiam tentar esperar até o dia seguinte. A febre puerperal – que causava a maioria das mortes – espreitava na clínica dos médicos. Assim, elas aguardavam, no frio, sentindo dores, na esperança de que seu bebê adiasse sua vinda ao mundo até depois da meia-noite.

Ser admitido na clínica controlada por parteiras era, em termos relativos, muito mais seguro. Sob cuidados das parteiras, a taxa de mortalidade materna devida a febre puerperal ficava entre 2% e 8% – bem menor do que as que sucumbiam sob cuidados dos médicos.

Apesar de seu cargo subalterno, Semmelweis pôs-se a procurar diferenças entre as duas clínicas que pudessem explicar a divergência na taxa de mortalidade. Primeiro ele achou que a superlotação e o clima da enfermaria pudessem ser os culpados, mas não conseguiu encontrar indícios que provassem essa teoria. Então, em 1847, um amigo próximo e colega médico, Jakob Kolletschka, morreu depois de ser acidentalmente cortado pelo bisturi de um estudante durante uma autópsia. A causa da morte: febre puerperal.

Após a morte de Kolletschka, Semmelweis teve um vislumbre. Eram os médicos que estavam espalhando a doença entre as mulheres na enfermaria. As parteiras, por outro lado, não. E ele sabia por quê. Durante o trabalho de parto de suas pacientes, os médicos passavam o tempo no necrotério, ensinando estudantes de medicina por meio de observações em cadáveres humanos. De algum modo, pensou, eles estavam levando a morte das salas de autópsia para a maternidade. As parteiras nunca tocavam em cadáveres, e as pacientes que morriam em suas enfermarias eram provavelmente aquelas cujo sangramento pós-natal exigira a presença de um médico.

Semmelweis não tinha noção exata de como a morte vinha passando do necrotério para a sala de parto, mas teve uma ideia para detê-la. Os médicos costumavam se lavar com uma solução de hipoclorito de cálcio para se livrar do fedor de carne podre. Semmelweis raciocinou que, se essa substância conseguia remover o cheiro, talvez pudesse remover o vetor da morte também. Ele então instituiu uma política segundo a qual os médicos deveriam lavar as mãos com hipoclorito de cálcio entre as autópsias e os exames dos pacientes. Após um mês, a taxa de mortalidade na clínica médica havia despencado, igualando-se à da clínica das parteiras.

Apesar dos resultados substanciais que alcançou em Viena e, mais tarde, em dois hospitais na Hungria, Semmelweis foi ridicularizado e ignorado por seus contemporâneos. A rigidez e o fedor do jaleco de um cirurgião eram considerados marcas de sua experiência e de seus conhecimentos. "Os médicos são cavalheiros, e as mãos de um cavalheiro são limpas", declarou um importante obstetra da época, enquanto continuava infectando e matando dezenas de mulheres por mês. A simples ideia de que eles pudessem ser responsáveis por levar aos seus pacientes a morte, e não a vida, gerou forte indignação, e Semmelweis foi expulso da comunidade médica. Já as mulheres ainda continuariam arriscando a vida no parto por décadas, pagando o preço pela arrogância dos médicos...

Vinte anos depois, o cientista francês Louis Pasteur desenvolveu a teoria dos germes como causadores das doenças, não os miasmas. Em 1884, a teoria de Pasteur foi provada pelos experimentos aprimorados do médico alemão vencedor do Prêmio Nobel, Robert Koch. Àquela altura, Semmelweis já havia morrido. Obcecado com a febre puerperal, cheio de raiva e desespero, ele atacou a comunidade médica, defendendo suas teorias e acusando seus contemporâneos de serem assassinos irresponsáveis. Foi então atraído a um asilo psiquiátrico, sob o pretexto de uma visita, e forçado a beber óleo de rícino e espancado pelos guardas. Duas semanas depois, morreu de uma febre, provavelmente devido à infecção de suas feridas.

Mesmo assim, a teoria dos germes foi a revolução que deu às observações e políticas de Semmelweis uma explicação científica. Logo a assepsia das mãos foi adotada por cirurgiões em toda a Europa, e as práticas higiênicas se tornaram norma após o trabalho do cirurgião britânico Joseph Lister. Na década de 1860, Lister leu sobre o trabalho de Pasteur com micróbios e alimentos e decidiu experimentar soluções químicas em feridas para reduzir o risco de gangrena e septicemia. Usou ácido fênico, conhecido por impedir o apodrecimento da madeira, para lavar seus instrumentos, embeber os curativos e até limpar as feridas durante a cirurgia. Assim como Semmelweis, Lister também alcançou uma grande queda na taxa de mortalidade. Se antes 45% de seus pacientes cirúrgicos morriam, agora o uso pioneiro da ácido fênico reduzira a mortalidade em dois terços, para cerca de 15%.

Ao trabalho de Semmelweis e Lister na prática médica higiênica, seguiu-se uma terceira inovação no âmbito da saúde pública que impediu que milhões adoecessem. Como ainda hoje acontece em muitos países em desenvolvimento, as doenças transmitidas pela água constituíam um grande risco à saúde no Ocidente antes do século XX. As forças sinistras e miasmáticas continuavam em funcionamento, poluindo rios, poços e bombas-d'água. Em agosto de 1854, os moradores do bairro londrino de Soho começaram a adoecer. Eles apresentavam diarreia, mas não como eu ou você a conhecemos. Tratava-se de uma matéria branca e aquosa, que parecia não ter fim. Cada pessoa infectada podia excretar até vinte litros por dia, e tudo isso era despejado nas fossas entre as casas apertadas. A doença era o cólera e matava às centenas.

O Dr. John Snow, um médico britânico, cético quanto à teoria do miasma, passara alguns anos buscando uma explicação alternativa. De epidemias anteriores, começara a suspeitar de que o cólera fosse transmitido pela água. Esse último surto no Soho lhe deu a oportunidade de testar sua teoria. Entrevistando moradores do bairro, ele mapeou os casos de cólera e mortes, buscando o que teriam em comum. Snow percebeu que todas as vítimas haviam bebido da água da mesma bomba na Broad Street (agora Broadwick Street), bem no centro da epidemia. Mesmo mortes que ocorreram longe dali puderam ser ligadas à bomba de Broad Street, já que o cólera fora levado e transmitido pelas pessoas infectadas lá. Havia apenas uma anomalia: monges de um mosteiro que pegavam água proveniente da mesma bomba não tinham sido infectados. Só que não era a fé que os protegia, mas seu hábito de beber a água somente após a terem transformado em cerveja.

Snow estava à procura de padrões – pontos em comum entre aqueles que tinham adoecido, motivos pelos quais outros haviam escapado, vínculos que explicassem a aparição da doença fora de seu epicentro na Broad Street. Seu estudo usou lógica e indícios materiais para compreender a epidemia e identificar sua origem, eliminando pistas falsas e explicando as anomalias. Seu trabalho levou à desativação da bomba de Broad Street e à descoberta subsequente de que uma fossa próxima havia transbordado e estava contaminando o suprimento de água. Foi o primeiro estudo epidemiológico da história – ou seja, ele usou a distribuição e os padrões de uma doença para entender sua origem. John Snow então usou cloro para desinfetar o suprimento de água da bomba de Broad Street, e seus métodos de cloração foram rapidamente aplicados em outras partes. No fim do século XIX, o saneamento da água já era um hábito generalizado.

Com o desenrolar do século XX, essas três inovações no campo da saúde pública foram ficando mais sofisticadas. Ao final da Segunda Guerra Mundial, mais cinco doenças já podiam ser evitadas pela vacinação, elevando o total a dez. Técnicas de higiene médica foram adotadas internacionalmente, e a cloração se tornou um processo-padrão nas estações de tratamento de água.

A quarta e última inovação que poria fim ao domínio dos micróbios nos países desenvolvidos foi o resultado do trabalho duro e da boa sorte de um punhado de homens. O primeiro deles, o biólogo escocês Sir Alexander Fleming, ficou famoso pela descoberta supostamente "acidental" da penicilina em seu laboratório no Hospital St. Mary's, em Londres. Na verdade, ele já vinha buscando compostos químicos antibacterianos havia anos.

Durante a Primeira Guerra Mundial, ele tratara soldados feridos no Front Ocidental na França, apenas para ver muitos deles morrerem de sepse. Quando a guerra chegou ao fim e Fleming retornou ao Reino Unido, imbuiu-se da missão de melhorar os curativos de ácido fênico introduzidos por Lister. Logo ele descobriu um antisséptico natural presente no muco nasal, que chamou de lisozima. Mas, assim como o ácido fênico, a lisozima não era capaz de penetrar a superfície das feridas, de modo que as infecções profundas acabavam inflamando. Alguns anos depois, em 1928, Fleming estava investigando estafilococos – bactérias responsáveis por furúnculos e inflamação de garganta – quando notou algo estranho em uma de suas placas de Petri. Ele estivera de férias e havia retornado a uma bancada de laboratório desarrumada, repleta de culturas bacterianas velhas, muitas das quais já tinham sido tomadas por fungos. Ao examiná-las, no entanto, reparou numa em particular. Em volta de um pedaço tomado pelo fungo *Penicillium*, havia um claro anel, completamente livre das colônias de estafilococos que cobriam o restante da placa. Fleming percebeu o que isso significava: o fungo havia liberado um "suco" que matara as bactérias ao seu redor. Esse suco era a penicilina.

Embora o aparecimento do *Penicillium* não tenha sido intencional, o reconhecimento de sua importância potencial por Fleming não foi nada acidental. Isso iniciou um processo de experimentação e descoberta que abarcaria dois continentes e vinte anos, causando uma revolução na medicina. Em 1939, uma equipe de cientistas da Universidade de Oxford liderada pelo farmacologista Howard Florey achou que poderia empregar a penicilina de um modo mais produtivo. Fleming enfrentara algumas dificuldades para cultivar quantidades significativas do fungo e extrair a penicilina por ele produzida. Mas a equipe de Florey obteve sucesso ao isolar quantidades pequenas de antibiótico líquido. Em 1944, com o apoio financeiro do War Production Board dos Estados Unidos, a penicilina foi produzida em quantidade suficiente para atender aos soldados que retornavam da invasão do Dia D da Europa. O sonho de Sir Alexander Fleming de derrotar as infecções dos feridos na guerra se realizou, e no ano seguinte ele, Florey e mais um membro da equipe de Oxford, Sir Ernst Boris Chain, receberam o Prêmio Nobel de Medicina.

Mais de vinte variedades de antibióticos foram desenvolvidas, cada uma atacando um ponto fraco diferente das bactérias e oferecendo ao nosso sistema imunológico um reforço quando somos dominados pela infecção. Antes de 1944, até arranhões e escoriações podiam significar uma chance assustadoramente alta de morte por infecção. Em 1940, um policial britânico de Oxfordshire chamado Albert Alexander foi arranhado por um espinho de rosa. Seu rosto ficou tão gravemente infeccionado que tiveram que remover seu olho. Ele estava à beira da morte, quando Ethel, esposa de Howard Florey, que era médica, persuadiu o marido de que o agente Alexander deveria se tornar o primeiro receptor da penicilina.

Vinte e quatro horas depois da injeção de uma quantidade minúscula de penicilina, a febre do policial baixou e ele começou a se recuperar. Mas o milagre não perduraria. Alguns dias após o início do tratamento, no entanto, o estoque de penicilina acabou. Florey vinha tentando extrair penicilina da urina do paciente para continuar o tratamento, mas, no quinto dia, ele morreu. Hoje, é impensável morrer em decorrência de um arranhão ou abscesso, e com frequência tomamos antibióticos sem nos darmos conta de que eles são capazes de salvar a nossa vida. As cirurgias também representariam um risco enorme, não fosse o escudo protetor dos antibióticos ministrados antes da primeira incisão.

Nossa vida no século XXI é uma espécie de cessar-fogo estéril. As infecções são mantidas a distância com a ajuda de vacinas, antibióticos, do saneamento da água e da prática médica higiênica. Já não somos ameaçados por surtos agudos e perigosos de doenças infecciosas. Em seu lugar, os últimos 60 anos testemunharam a ascensão de uma série de doenças que antes eram raras. Essas "doenças crônicas do século XXI" se tornaram algo tão comum que as aceitamos como parte normal da vida. Mas e se, no fim das contas, não forem normais?

Olhando para os amigos e familiares à sua volta, você não verá mais varíola, sarampo nem pólio. Você pode pensar que somos mesmo muito sortudos e saudáveis hoje. Mas olhe outra vez e talvez enxergue as coisas de um modo diferente. Pode ser que você veja sua filha espirrando muito na primavera, com olhos vermelhos e irritados por causa da febre do feno. Ou pense em sua cunhada, que tem que tomar insulina injetável várias vezes ao dia para tratar sua diabetes tipo 1. Pode ser que tenha medo de que sua esposa acabe numa cadeira de rodas com esclerose múltipla, como aconteceu com a tia dela. Ou que tenha ouvido falar no filhinho de seu dentista, que berra, se sacode e não faz contato visual agora que tem autismo. Pode ficar impaciente com sua mãe que fica tão ansiosa que não consegue fazer as compras. Pode estar procurando um sabão em pó que não piore a irritação na pele do seu filho. Talvez sua prima seja aquela pessoa esquisita no jantar que não pode comer trigo porque lhe dá diarreia. Seu vizinho pode ter ficado inconsciente enquanto procurava o antialérgico depois de comer nozes acidentalmente. E *você* pode ter perdido a batalha para manter o peso que as revistas de beleza, e seu médico, afirmam ser o ideal. Esses problemas – alergias, doenças autoimunes, problemas digestivos, problemas de saúde mental e obesidade – são o novo *normal.*

Vejamos as alergias. Talvez não haja nada de alarmante na febre do feno de sua filha, já que 20% de suas amigas também ficam fungando e espirrando o verão inteiro. Você não se surpreende com a irritação na pele de seu filho, porque um dentre cada cinco dos seus colegas de classe tem eczema também. O choque anafilático de seu vizinho, por mais terrível, é tão comum que todos os alimentos que "podem conter nozes" precisam trazer uma advertência na embalagem. Mas você já se perguntou por que um dentre cada cinco amiguinhos de seus filhos precisa estar sempre com a bombinha a postos para o caso de sofrer um ataque de asma? Respirar é algo fundamental, mas, não fossem os medicamentos, milhões de crianças estariam enfrentando dificuldades para não perder o fôlego. E por que uma dentre cada 15 crianças é alérgica a ao menos um tipo de alimento? Será que isso é normal?

As alergias afetam quase metade das pessoas nos países desenvolvidos. As vítimas, submissas, continuam tomando seus anti-histamínicos, evitam passar a mão no gato e checam as listas de ingredientes de tudo o que compram. Já estão habituadas a fazer o necessário para impedir que seu sistema imunológico reaja de maneira exacerbada às substâncias mais inócuas e onipresentes: pólen, poeira, pelo de bichos de estimação, leite, ovos, nozes, e assim por diante. Essas substâncias são tratadas pelo corpo como se fossem germes que precisassem ser atacados e expulsos. Mas nem sempre foi assim. Na década de 1930, a asma era uma doença rara, afetando talvez uma criança em cada escola. Na década de 1980, sua prevalência disparou, e uma criança em cada turma era afetada. Mais ou menos na última década, o aumento se estabilizou, mas acabou deixando um quarto das crianças com asma. O mesmo vale para as outras alergias: a alergia a nozes, por exemplo, triplicou em apenas dez anos no fim do século passado e depois voltou a dobrar nos cinco anos que se seguiram. Irritações na pele e a febre do feno também eram raros, e agora são considerados fatos da vida.

Isso não é normal.

E as doenças autoimunes? A dependência à insulina de sua cunhada é bem comum, pois a diabetes tipo 1 afeta cerca de quatro dentre cada mil pessoas hoje em dia. A esclerose múltipla destruiu os nervos da tia da sua esposa. E ainda existe a artrite reumatoide, que destrói articulações; a doença celíaca, que ataca o intestino; a miosite, que quebra as fibras musculares; o lúpus, que desmantela células em seu núcleo; e mais cerca de 80 outros distúrbios desse tipo. À semelhança das alergias, o sistema imunológico se descontrola, atacando não apenas os germes que trazem doenças, mas as células do próprio corpo. Você pode se surpreender ao descobrir que as doenças autoimunes afetam quase 10% da população nos países desenvolvidos.

Como a diabetes tipo 1 é inconfundível, trata-se de um ótimo exemplo, uma vez que os registros são relativamente confiáveis. "Tipo 1" é a versão da diabetes que costuma aparecer cedo, em geral nos anos de adolescência. Ela ataca as células do pâncreas e impede a produção do hormônio insulina. (Na diabetes tipo 2, a insulina continua a ser produzida, mas como o corpo se tornou menos sensível a esse hormônio, ele já não funciona tão bem.) Sem insulina, o corpo não consegue converter e armazenar a glicose presente no sangue – dos simples açúcares nos doces e sobremesas aos carboidratos das massas e do pão. Ela se acumula e logo se torna tóxica, fazendo com que o infeliz adolescente sinta uma sede tremenda e a necessidade constante de urinar. O paciente enfraquece e, semanas ou meses depois, a morte se segue, com frequência por insuficiência renal – a não ser que passe a receber injeções de insulina. Uma doença muito grave, não é?

Felizmente, em comparação com a maioria das doenças, a diabetes é de fácil diagnóstico e sempre foi. Hoje em dia, uma rápida análise do teor de glicose no sangue após jejum costuma revelar a doença, mas mesmo cem anos atrás esse diagnóstico não era difícil para um médico dedicado. Isto porque o teste da doença envolvia provar um pouco da urina do paciente. Se estivesse doce, era sinal de que havia tanta glicose no sangue que ela havia sido expelida na urina pelos rins. Embora sem dúvida mais casos passassem despercebidos no passado do que nos dias de hoje e muitos tenham ficado sem registro, nossa compreensão da prevalência da diabetes tipo 1 ao longo do tempo é um indicador confiável de quanto o status das doenças autoimunes mudou.

Cerca de uma em cada 250 pessoas no Ocidente tem que desempenhar a função do próprio pâncreas, calculando quanta insulina precisa injetar para armazenar a glicose que consumiu. O extraordinário é que essa alta prevalência é uma novidade: a diabetes tipo 1 quase não existia no século XIX. Os registros do Hospital Geral de Massachusetts nos EUA, mantidos durante 75 anos até 1898, contêm apenas 21 casos de diabetes diagnosticados na infância dentre quase 500 mil pacientes. Tampouco se trata de falha de diagnóstico: o teste do gosto da urina, a rápida perda de peso e o desenlace inevitavelmente fatal tornavam fácil reconhecer a doença mesmo naquela época.

Depois que registros formais foram estabelecidos pouco antes da Segunda Guerra Mundial, a prevalência da diabetes tipo 1 pôde começar a ser rastreada. Cerca de uma ou duas crianças em cada 5 mil eram afetadas nos Estados Unidos, no Reino Unido e na Escandinávia. A própria guerra nada alterou, mas não muito tempo depois algo mudou e os casos começaram a aumentar. Em 1973, a diabetes era seis ou sete vezes mais comum do que havia sido nos anos 1930. Na década de 1980, o número se estabilizou e atingiu a prevalência de hoje: cerca de uma em cada 250 pessoas.

O aumento dos casos de diabetes é acompanhado pelo aumento de outros distúrbios autoimunes. A esclerose múltipla destruiu o sistema nervoso de duas vezes mais pessoas na virada do milênio do que duas décadas antes. A doença celíaca, em que a ingestão de trigo induz o corpo a atacar as células do intestino, é trinta ou quarenta vezes mais comum agora do que na década de 1950. O lúpus, a doença inflamatória intestinal e a artrite reumatoide também vêm crescendo.

Isso não é normal.

E quanto à nossa batalha coletiva contra o excesso de peso? É muito provável que eu esteja certa em supor que você luta contra a balança, já que metade da população no mundo ocidental está acima do peso ou obesa. É espantoso pensar que, hoje, ter um peso saudável o coloca entre uma minoria. Ser gordo se tornou tão típico que existem até programas de televisão fazendo da perda de peso um jogo. Em termos estatísticos, o sobrepeso é a realidade para a maioria das pessoas.

Mas não era assim antigamente. Olhando as fotografias em preto e branco de homens e mulheres magrelas dos anos 1930 ou 1940 curtindo o calor de short e traje de banho, essas pessoas saudáveis até parecem desnutridas, com as costelas proeminentes e a barriga lisinha. Porém não era o caso. Elas simplesmente não tinham que carregar nossa bagagem moderna. No início do século XX, o peso humano era tão uniforme que poucos pensavam em manter registros. No entanto, em decorrência do aumento súbito do peso na década de 1950, no epicentro da epidemia da obesidade – os Estados Unidos –, o governo começou a coletar dados. Na primeira pesquisa nacional, feita no início da década de 1960, 13% dos adultos já eram obesos. Ou seja, seu Índice de Massa Corporal (peso em quilogramas dividido pela altura em metros quadrados) estava acima de 30. Outros 30% estavam com excesso de peso (IMC entre 25 e 30).

Em 1999, a proporção de adultos americanos obesos mais do que dobrara, passando para 30%, e muitos adultos que antes eram saudáveis haviam ganhado alguns quilos, mantendo a categoria daqueles com excesso de peso em rechonchudos 34%. Trata-se de um total de 64% de pessoas com excesso de peso ou obesas. O Reino Unido seguiu o mesmo padrão, com uma pequena defasagem: em 1966, apenas 1,5% da população adulta era obesa e 11% estavam com excesso de peso. Em 1999, 24% eram obesos e 43% estavam com excesso de peso – o que dá 67% de pessoas mais pesadas do que deveriam. A obesidade não envolve somente excesso de peso. Trata-se de uma condição que pode levar à diabetes tipo 2, à doença cardíaca e até a certos tipos de câncer – distúrbios incrivelmente comuns.

Você não precisa que eu lhe diga que isso não é normal.

Problemas no estômago também estão aumentando. Sua prima pode estar constrangida por tentar uma dieta livre de glúten, mas é possível que ela não seja a única à mesa que sofre de síndrome do intestino irritável, que afeta até 15% da população. O nome sugere um nível pequeno de desconforto e esconde o terrível impacto desse distúrbio na qualidade de vida de suas vítimas. A proximidade de um sanitário se torna prioridade para a maioria delas, deixando em segundo lugar atividades mais significativas. Por outro lado, para o resto dos pacientes, a presença de um sanitário é quase dispensável, tornando inútil qualquer ocupação que não a tentativa de alívio do cólon. Doenças intestinais inflamatórias como a doença de Crohn e a colite ulcerativa também estão em alta, deixando os casos mais graves com um intestino tão danificado que precisa ser substituído por uma bolsa de colostomia fora do corpo.

Isso definitivamente não é normal.

E, por fim, chegamos às questões de saúde mental. O filho autista do seu dentista tem mais companhia do que nunca, já que uma em cada 68 crianças (mas um em cada 42 meninos) se encontram em alguma posição no espectro autista. No início da década de 1940, o autismo era tão raro que nem sequer tinha nome. Mesmo na época em que começaram os registros, em 2000, não chegava a atingir metade do número de pessoas que atinge atualmente. É verdade que ao menos alguns desses casos extras se devem à maior consciência sobre o autismo e talvez a alguns casos de diagnóstico exagerado, mas a maioria dos especialistas concorda que o aumento da prevalência do autismo é genuíno – algo mudou. Transtorno de déficit de atenção, síndrome de Tourette e transtorno obsessivo-compulsivo também estão aumentando, junto com distúrbios de depressão e ansiedade...

Esse aumento no sofrimento mental não é normal.

Só que esses distúrbios são agora tão "normais" que você pode nem saber que se trata de doenças *novas*, raramente enfrentadas por nossos bisavôs e seus antepassados. Mesmo os médicos não costumam conhecer a história dos distúrbios que tratam, já que sua formação médica se baseou no contexto das experiências dos médicos atuais. Assim como o aumento dos casos de apendicite – uma mudança esquecida pelos médicos de hoje –, o mais importante para quem está na linha de frente da saúde são os pacientes sob sua responsabilidade e os tratamentos disponíveis. Entender a prevalência da doença não é responsabilidade deles, de modo que essas mudanças não lhes parecem de grande importância.

No século XXI, nossa vida é diferente graças às quatro inovações de saúde pública dos séculos XIX e XX, de modo que as nossas doenças são diferentes também. Mas as doenças de hoje não são simplesmente outra camada de má saúde que estava oculta sob a prevalência das doenças infecciosas, mas um conjunto alternativo de distúrbios, criado pelo modo como levamos a vida agora. A esta altura você deve estar se perguntando como essas doenças poderiam ter algo em comum, já que parecem um grupo tão heterogêneo. Do espirro e coceira das alergias à autodestruição da autoimunidade, a miséria metabólica da obesidade, a humilhação dos transtornos digestivos e o estigma dos distúrbios de saúde mentais: é como se o nosso corpo, na ausência das doenças infecciosas, tivesse se voltado contra ele mesmo.

Poderíamos aceitar nosso novo destino e ficar gratos por, ao menos, estarmos livres da tirania dos patógenos. Ou poderíamos nos perguntar o que mudou. Será que existe algum vínculo entre distúrbios que parecem não ter qualquer relação entre si, como obesidade e alergias, síndrome do intestino irritável e autismo? Será que a passagem das doenças infecciosas para esse novo conjunto de doenças indica que nosso corpo *precisa* de infecções para permanecer em equilíbrio? Ou será que a correlação entre o declínio das doenças infecciosas e o aumento das doenças crônicas apenas aponta para uma causa mais profunda?

Resta-nos uma grande questão: *Por que* essas doenças do século XXI estão ocorrendo?

Atualmente, está na moda procurar na genética a origem das doenças. O Projeto Genoma Humano revelou uma série de genes que, ao sofrerem mutação, podem resultar em patologias. Algumas mutações garantem doenças: uma mudança no código do gene *HTT* do cromossomo 4, por exemplo, sempre resultará na doença de Huntington. Outras mutações só aumentam as chances: erros de grafia nos genes BRCA1 e BRCA2 aumentam o risco de câncer de mama a uma chance de oito em dez na vida de uma mulher, por exemplo.

Apesar de estarmos na era do genoma, não podemos culpar apenas nosso DNA pelo aumento das doenças modernas. Pode haver uma versão de um gene que torna seu possuidor, digamos, mais passível de ficar obeso. No entanto, não é possível que essa variante de gene se tornasse dramaticamente comum na população como um todo no período de um século. A evolução humana não acontece com essa rapidez. Além disso, variantes de genes só se tornam mais comuns através da seleção natural se forem benéficas ou se seus efeitos negativos forem suprimidos. Asma, diabetes, obesidade e autismo trazem poucas vantagens para suas vítimas.

Depois de excluir a genética como a causa desse aumento, nossa próxima pergunta deve ser: será que algo em nosso ambiente mudou? Assim como a altura de uma pessoa resulta não apenas de seus genes, mas do ambiente – nutrição, exercícios físicos, estilo de vida, e assim por diante –, o mesmo ocorre com o risco de doenças. É neste ponto que as coisas se complicam, já que tantos aspectos da nossa vida mudaram nos últimos cem anos que apontar quais são causas e quais são meras correlações exige uma paciente avaliação científica. Para a obesidade e as doenças afins, as mudanças na forma como comemos são evidentes, mas ainda não está claro como isso afeta a prevalência de outras doenças do século XXI.

As doenças em questão oferecem poucas pistas sobre uma mesma origem. Será que as mesmas mudanças que levaram à obesidade poderiam gerar alergias? Existe alguma causa em comum aos distúrbios de saúde mental, como autismo e transtorno obsessivo-compulsivo, e aos distúrbios do intestino, como a síndrome do intestino irritável?

Apesar das disparidades, dois tópicos emergem. O primeiro, claramente associando alergias e doenças autoimunes, é o sistema imunológico. Estamos em busca de um culpado que possa interferir na capacidade do sistema imunológico de avaliar nosso nível de ameaça corporal, tornando comuns as reações exageradas. O segundo tópico, com frequência oculto por trás de sintomas socialmente mais aceitáveis, é a disfunção intestinal. Para algumas doenças modernas, o vínculo está claro: a síndrome do intestino irritável e a doença inflamatória intestinal têm distúrbios intestinais no núcleo de seus sintomas. No entanto, para outras, embora seja menos evidente, a conexão continua existindo. Pacientes autistas têm diarreia crônica; depressão e síndrome do intestino irritável andam juntas; e a obesidade tem sua origem no que passa pelo intestino.

Você também pode achar que esses dois tópicos, o intestino e o sistema imunológico, não estão relacionados, mas um exame mais profundo da anatomia do intestino nos oferece mais uma pista. Quando falamos sobre o sistema imunológico, a maioria das pessoas pensa nos glóbulos brancos e nas glândulas linfáticas. Mas não é só isso. Na verdade, o intestino humano tem mais células imunes do que o resto do corpo inteiro. Cerca de 60% do tecido do sistema imunológico se localizam em torno dos intestinos, particularmente ao longo da seção final do intestino delgado, do ceco e apêndice adentro. Costumamos achar fácil pensar na pele como a barreira entre nós e o mundo exterior, mas para cada centímetro quadrado de pele, você tem dois *metros* quadrados de intestino. Embora esteja "dentro", o intestino tem uma só camada de células entre o que é essencialmente o mundo exterior e o sangue. A vigilância imunológica ao longo dos intestinos, portanto, é essencial: cada molécula e célula que passa por lá precisa ser avaliada e posta em quarentena caso necessário.

Embora a ameaça de doenças infecciosas tenha praticamente desaparecido, nosso sistema imunológico continua sob ataque. Por quê? Vejamos a técnica usada pelo Dr. John Snow durante o surto de cólera no Soho em 1854: a epidemiologia. Desde que Snow aplicou pela primeira vez a lógica e os indícios para desvendar o mistério da origem da cólera, a epidemiologia se tornou uma das bases da pesquisa médica. A coisa não poderia ser mais simples. Fazemos três perguntas: (1) *Onde* essas doenças estão ocorrendo? (2) *Quem* elas estão afetando? E (3) *quando* se tornaram um problema? As respostas oferecem as pistas que podem nos ajudar a responder à nossa pergunta principal: *Por que* as doenças do século XXI estão acontecendo?

O mapa dos casos de cólera que John Snow produziu em resposta à primeira pergunta revelou o epicentro da cólera: a bomba-d'água de Broad Street. Não é preciso ser um grande detetive para ver que a obesidade, o autismo, as alergias e a autoimunidade começaram no mundo ocidental. Stig Bengmark, professor de cirurgia do University College de Londres, situa o epicentro da obesidade e das doenças relacionadas a ela nos estados do Sul dos Estados Unidos. "Estados como Alabama, Louisiana e Mississippi têm a maior incidência de obesidade e doenças crônicas nos Estados Unidos e no mundo", diz ele. "Essas doenças se espalharam pelo mundo num padrão semelhante a um tsunami. Para oeste até a Nova Zelândia e a Austrália, para o norte até o Canadá, para o leste até a Europa Ocidental e o mundo árabe, e para o sul particularmente até o Brasil."

A observação de Bengmark se estende às outras doenças do século XXI – alergias, doenças autoimunes, transtornos mentais, e assim por diante –, todas nascidas no Ocidente. Claro que a geografia por si só não explica o aumento em sua prevalência; simplesmente oferece pistas sobre outros fatores correlacionados e, com sorte, sua causa. A correlação mais clara dessa topografia particular da doença é a riqueza. Muitos indícios apontam para uma relação entre doenças crônicas e abundância, de comparações em grande escala do Produto Nacional Bruto (PNB) de países inteiros a contrastes entre grupos socioeconômicos vivendo numa mesma área.

Em 1990, a população da Alemanha forneceu um experimento natural sobre o impacto da prosperidade sobre a prevalência de alergias. Depois de quatro décadas de separação, as Alemanhas Oriental e Ocidental se reunificaram após a queda do Muro de Berlim. Esses dois Estados tinham muito em comum: compartilhavam a mesma terra e o mesmo clima, e sua população era composta dos mesmos grupos étnicos. Mas enquanto os habitantes Alemanha Ocidental haviam prosperado, acabando por alcançar e acompanhar os progressos econômicos do mundo ocidental, os alemães orientais haviam permanecido num estado de animação suspensa desde a Segunda Guerra Mundial e eram bem mais pobres que seus vizinhos. Essa diferença de riqueza estava de algum modo relacionada com uma diferença em seu estado de saúde. Um estudo de médicos do Hospital Infantil da Universidade de Munique constatou que as crianças da Alemanha Ocidental – mais rica – tinham uma tendência duas vezes maior a alergias, e três vezes maior a sofrerem de febre do feno.

Esse padrão se repete para muitas doenças alérgicas e autoimunes. Crianças americanas que vivem na pobreza são historicamente menos passíveis de sofrerem de alergias alimentares e asma que seus colegas mais abastados. As crianças de famílias "privilegiadas" na Alemanha, segundo a instrução e a profissão dos pais, tendem bem mais a sofrer de irritações de pele do que aquelas de ambientes menos privilegiados. Crianças de lares pobres na Irlanda do Norte não têm a mesma tendência a desenvolver diabetes tipo 1. No Canadá, a doença inflamatória intestinal acompanha com mais frequência pessoas cujo salário é alto. Os estudos continuam, e essa tendência está longe de ser local. Mesmo o PNB de um país pode ser usado para prever a incidência das doenças do século XXI entre sua população.

A ascensão das chamadas doenças ocidentais já não se limita aos países desenvolvidos. Com a riqueza vêm os problemas crônicos de saúde. À medida que os países em desenvolvimento avançam economicamente, as doenças da civilização se espalham. O que começou como um problema de países ricos ameaça engolir o resto do planeta. A obesidade deve abrir caminho, pois já afeta grandes faixas da população, inclusive nos países em desenvolvimento. Seus distúrbios associados, como doença cardíaca e diabetes tipo 2 (a insensibilidade à insulina, em vez de sua falta), não ficam muito atrás. Doenças alérgicas, inclusive asma e irritações na pele, também estão na vanguarda da disseminação, aumentando nos países de renda média na América do Sul, no Leste Europeu e na Ásia. As doenças autoimunes e os distúrbios comportamentais parecem incidir menos, mas agora são particularmente comuns nos países de renda média-alta, entre os quais o Brasil e a China. Enquanto muitas de nossas doenças modernas já se estabilizaram nos países mais ricos, agora elas começam sua ascensão em outras partes.

Quando se trata das doenças do século XXI, o dinheiro é algo perigoso. O tamanho do seu salário, a riqueza do seu bairro e a posição do seu país contribuem para determinar o seu risco. Mas claro que ser rico não deixa ninguém doente. O dinheiro pode não comprar a felicidade, mas compra água limpa, imunização contra doenças infecciosas, alimentos ricos em calorias, educação, um emprego num escritório, uma família pequena, férias em locais distantes e muitos outros luxos. Perguntar *Onde?* mostra não apenas a localização de nossas pestes modernas, mas também que é o dinheiro que está nos trazendo problemas crônicos de saúde.

Por mais intrigante que pareça, essa ligação entre riqueza e um pior estado de saúde desaparece na extremidade mais rica da escala. Os mais abastados nos países mais ricos parecem ser os mais capazes de ficar livres da epidemia de doenças crônicas. O que começa como uma exclusividade dos ricos (pense no tabaco, na comida entregue em domicílio e nas refeições congeladas) acaba sendo comum aos pobres. Enquanto isso, os ricos têm acesso às mais recentes informações sobre saúde, à melhor assistência médica e à liberdade de fazer escolhas que os mantêm bem. Mas, se por um lado, os grupos mais ricos nos países em desenvolvimento ganham peso e começam a ter alergias, por outro, são os *mais pobres* nos países desenvolvidos que têm maior tendência ao excesso de peso e a sofrer de alguma doença crônica.

Depois temos que fazer a segunda pergunta: *Quem é afetado?* A riqueza e o estilo de vida ocidental prejudicam a saúde de todos igualmente ou certos grupos são mais afetados do que outros? Trata-se de uma pergunta pertinente: em 1918, quase 100 milhões de pessoas morreram na pandemia de gripe que varreu o mundo após a Primeira Guerra Mundial. Com os conhecimentos médicos atuais, poderíamos ter reduzido consideravelmente o número de mortes se soubéssemos quais eram os principais afetados. Enquanto a gripe comum costuma matar os membros mais vulneráveis da sociedade – as crianças, os velhos, os já doentes –, a gripe de 1918 matou sobretudo jovens adultos saudáveis. É provável que essas vítimas, no auge da vida, não tenham morrido em decorrência do vírus da gripe, mas da "tempestade de citocina" desencadeada por seu sistema imunológico na tentativa de expulsar o vírus. As citocinas – substâncias químicas mensageiras que aumentam a reação imunológica – podem inadvertidamente levar a uma reação mais perigosa do que a própria infecção. Quanto mais jovens e saudáveis os pacientes, maior a tempestade criada por seu sistema imunológico e maiores eram as chances de morrerem da gripe. Perguntar *Quem?* nos informa o que tornou aquele vírus específico tão perigoso e teria nos permitido voltar os cuidados médicos não apenas a combater o vírus, mas também a acalmar a tempestade.

Precisamos de três respostas. Qual a *idade* de quem é afetado pelas doenças do século XXI? Existem diferenças na prevalência dessas doenças em pessoas de diferentes *etnias*? E os dois *gêneros são igualmente* afetados?

Comecemos pela idade. É fácil supor que doenças associadas aos países desenvolvidos, mais ricos, com melhor assistência médica, sejam consequência inevitável do envelhecimento da população. *Claro que as novas doenças estão aumentando!* você poderia pensar. *Vivemos muito tempo agora!* Com certeza muitos de nós, chegando aos setenta e oitenta anos, precisamos enfrentar toda uma série de novos desafios em termos de saúde. Claro que, ao nos livrarmos do fardo da morte-por-patógenos, inevitavelmente vamos sofrer da morte-por-alguma-outra-coisa, mas muitas das doenças com que temos que lidar hoje não são apenas consequência da velhice e de nossa expectativa de vida maior. Ao contrário do câncer, cujo aumento é ao menos em parte atribuível ao colapso do processo de substituição celular em pessoas mais velhas, nem todas as doenças do século XXI estão relacionadas à velhice. Na verdade, a maioria parece ter preferência por crianças e jovens adultos, embora fossem relativamente raras entre esses grupos etários durante a era das doenças infecciosas.

As alergias alimentares, irritações de pele, asma e alergias dermatológicas costumam aparecer no nascimento ou nos primeiros anos da vida de uma criança. O autismo costuma se apresentar em nenéns que começaram a andar, sendo diagnosticado antes dos 5 anos. As doenças autoimunes podem atacar a qualquer momento, mas muitas se manifestam em uma idade precoce. A diabetes tipo 1, por exemplo, costuma se revelar na infância e no início da adolescência, embora possa também surgir na vida adulta. A esclerose múltipla, a psoríase e as doenças inflamatórias intestinais, como a doença de Crohn e a colite ulcerativa, costumam aparecer na faixa dos 20 anos. O lúpus geralmente afeta pessoas entre os 15 e 45 anos. A obesidade também é uma doença que pode começar cedo, com cerca de 7% dos bebês americanos sendo considerados acima do peso normal ao nascimento, aumentando para 10% quando começam a andar e cerca de 30% ainda na infância. As pessoas mais velhas não estão imunes às doenças do século XXI – qualquer uma delas pode atacar de repente, em qualquer idade –, mas o fato de afetarem com tanta frequência os jovens sugere que o processo de envelhecimento não é o responsável por elas.

Mesmo entre as doenças que matam pessoas na "velhice" no Ocidente – ataques cardíacos, derrames, diabetes, hipertensão e câncer –, a maioria tem suas raízes no ganho de peso que começa na infância ou início da vida adulta. Não podemos atribuir as mortes por essas doenças só ao aumento da nossa longevidade, já que as pessoas em sociedades tradicionais que chegam aos 80 ou 90 anos raramente morrem dessas doenças "ligadas à velhice". As doenças do século XXI não estão limitadas à faixa superior crescente de nossas fileiras demográficas; elas estão nos atingindo, como a gripe de 1918, no que deveria ser o auge da nossa vida.

Agora vejamos a etnia. O mundo ocidental – América do Norte, Europa e Australásia – é predominantemente branco. Assim, será que os novos problemas de saúde presentes nessas regiões se devem a uma predisposição genética de pessoas brancas? Na verdade, dentro desses continentes, os brancos não têm as maiores taxas de obesidade, alergias, doenças autoimunes ou autismo. Negros, hispânicos e sul-asiáticos tendem a ter maiores incidências de obesidade do que brancos. Em algumas áreas, alergias e asma afetam de forma desproporcional negros; em outras os afetados são os brancos. Para as doenças autoimunes, não há padrão claro. Algumas delas, como o lúpus e a esclerodermia, afetam mais os negros, e outras, como a diabetes infantil e a esclerose múltipla, tendem a predominar nos brancos. O autismo não parece afetar as etnias de maneira distinta, embora crianças negras costumem receber o diagnóstico mais tarde.

O que parece se dever a diferenças étnicas poderia na verdade estar em grande parte relacionado a outros fatores, como nível socioeconômico ou local, e não a tendências genéticas. Um estudo estatístico muito bem planejado descobriu que o fato de a prevalência de asma nas crianças negras americanas ser maior que nas brancas não se devia à cor, mas à maior tendência das famílias negras viverem em locais urbanos do centro, onde a asma é mais comum em todas as crianças. As taxas de asma em crianças negras na África são, como na maioria das regiões menos desenvolvidas, baixas.

Um bom jeito de separar os efeitos da etnia dos fatores ambientais como causas das doenças do século XXI é examinar a saúde de imigrantes. Na década de 1990, a guerra civil levou a um grande êxodo de famílias da Somália para a Europa e a América do Norte. Tendo escapado da violência em seu próprio país, a diáspora somaliana teve que enfrentar mais uma batalha. Embora as taxas de autismo sejam baixíssimas na Somália, sua incidência em crianças nascidas de migrantes somalianos rapidamente cresceu até equivaler à de crianças não migrantes. Entre a grande comunidade somaliana em Toronto, no Canadá, o autismo é conhecido como "a doença ocidental" porque muitas famílias de imigrantes são afetadas. Também na Suécia, os filhos de imigrantes da Somália têm uma taxa de autismo três ou quatro vezes superior à das crianças suecas. A etnia, então, parece bem menos importante do que o local.

Como fica o último aspecto: gênero? Mulheres e homens são igualmente afetados? Que as mulheres têm um sistema imunológico mais forte não deve ser nenhuma surpresa. Mas infelizmente, nessa epidemia de problemas crônicos de saúde mediados pelas células imunes, a superioridade imunológica feminina revela-se uma desvantagem. Enquanto os homens parecem sucumbir à gripe mais leve, as mulheres combatem demônios que só o sistema imunológico delas consegue ver.

As doenças autoimunes mostram a maior divergência, pois em geral afetam mais mulheres do que homens – embora diversas atinjam ambos os sexos igualmente e algumas mostrem uma preferência por homens. As alergias, embora mais comuns em meninos do que em meninas, afetam mais mulheres que homens após a puberdade. Distúrbios intestinais também afetam mais mulheres do que homens – ligeiramente no caso de doença inflamatória intestinal, mas duas vezes mais se for síndrome do intestino irritável.

A obesidade também parece afligir mais mulheres do que homens, sobretudo nos países em desenvolvimento. Mas, quando o índice de massa corporal é deixado de lado e outros indicadores são usados, como circunferência abdominal, homens e mulheres aparentam ter igualmente níveis perigosos de excesso de peso. Da mesma forma, embora pareça que certos distúrbios mentais, como depressão, ansiedade e transtorno obsessivo-compulsivo, afetam mais mulheres do que homens, parte dessa diferença talvez se deva à relutância dos homens em admitir que estão tristes. No autismo, os mais prejudicados são os homens, com cinco vezes mais meninos afetados que meninas. Talvez nessa última – assim como nas alergias, que tendem a atacar os jovens, e aquelas doenças autoimunes que começam na infância –, o início pré-puberdade faça toda a diferença. Sem a influência dos hormônios sexuais adultos, essas doenças não estão sujeitas ao mesmo viés feminino.

O forte sistema imunológico feminino parece estar por trás da preponderância de diversas doenças do século XXI entre as mulheres. Para distúrbios que envolvem reações exageradas das células imunes, como alergias e autoimunidade, um ponto de partida mais forte tende a uma reação muito mais intensa. Os hormônios sexuais, a genética e diferenças no estilo de vida poderiam desempenhar algum papel também – ainda não se sabe ao certo por que as mulheres são mais afetadas. Qualquer que seja o motivo, o viés feminino nessas pestes modernas enfatiza o papel subjacente do sistema imunológico em seu desenvolvimento. As doenças do século XXI não estão ligadas à velhice nem são doenças geneticamente herdadas. São doenças dos jovens, dos privilegiados e daqueles com maior força imunológica, sobretudo mulheres.

Chegamos à pergunta final de nosso mistério epidemiológico: *Quando*? Certamente, essa é a pergunta mais importante. Venho me referindo à epidemia moderna das "doenças do *século XXI*". No entanto, suas raízes não estão neste jovem século, mas no anterior. O século XX trouxe algumas das maiores inovações e descobertas da História. Mas, no decorrer de seus cem anos, após a quase eliminação de doenças infecciosas graves no mundo desenvolvido, surgiu um novo grupo de doenças que, antes muito raras, tornaram-se notadamente comuns. Entre os vários acontecimentos do século passado está a mudança – ou o conjunto de mudanças – que causou esse aumento. Apontar o momento exato em que esse aumento começou pode nos oferecer a pista mais valiosa quanto à sua origem.

Você já deve ter uma ideia... Nos Estados Unidos, um forte aumento nos casos de diabetes tipo 1 começou em meados do século. Análises de dados de recrutas na Dinamarca e na Suíça situam-no no início da década de 1950; nos Países Baixos, no final da década de 1950; e na ligeiramente menos desenvolvida Sardenha, na década de 1960. Aumento na prevalência de asma e irritações de pele começaram no fim dos anos 1940 e início dos 1950, e aumentos da doença de Crohn e esclerose múltipla ocorreram nos anos 1950. A tendência à obesidade comecou a ser registrada em larga escala na década de 1960, tornando difícil apontar o início da epidemia como a vemos hoje. No entanto, alguns especialistas apontam o fim da Segunda Guerra Mundial em 1945 como um ponto de virada provável. Um forte aumento nos casos de obesidade ocorreu na década de 1980, mas sua origem certamente foi antes. De forma semelhante, o número de crianças diagnosticadas com autismo a cada ano não era registrado até o final da década de 1990, mas o distúrbio foi descrito pela primeira vez em meados da década de 1940.

Alguma mudança ocorreu na metade do século passado. Talvez mais de uma. E pode ser que esse processo tenha continuado nas décadas subsequentes. Desde então, espalhou-se pelo mundo, envolvendo cada vez mais países conforme os anos foram passando. Para encontrar a causa de nossas doenças do século XXI, precisamos examinar as mudanças que aconteceram em uma década extraordinária: a de 1940.

Ao perguntar *O quê?*, *Onde?*, *Quem?* e *Quando?*, constatamos quatro fatos. Primeiro: as doenças do século XXI costumam surgir no intestino e estão associadas ao sistema imunológico. Segundo: elas atacam os jovens, com frequência crianças, adolescentes e jovens adultos; muitas afetam mais mulheres do que homens. Terceiro: essas doenças ocorrem no Ocidente, mas estão aumentando nos países em desenvolvimento à medida que se modernizam. Quarto: a ascensão começou nos países ricos na década de 1940 – os países em desenvolvimento vieram em seguida.

Assim estamos de volta à grande pergunta: *Por que* as doenças do século XXI se disseminaram? O que em nossa vida abundante, ocidental e moderna está nos deixando cronicamente doentes?

Tanto como indivíduos quanto na sociedade como um todo, passamos do frugal ao exagero; do tradicional ao progressivo; da escassez ao excesso de luxo; da assistência médica precária aos serviços médicos de excelência; de uma incipiente a uma próspera indústria farmacêutica; da vida ativa à sedentária; do provinciano ao globalizado; do fazer-e-consertar para o reformar-e-substituir; do decoro à desinibição.

Em meio a essas mudanças – e para responder ao nosso mistério –,100 trilhões de evidências minúsculas nos aguardam.

DOIS

Todas as doenças começam no intestino

A espécie *Sylvia borin* é o maior desafio de identificação para o observador de pássaros. Sua característica típica é, de fato, a falta absoluta de quaisquer traços distintivos, tornando o reconhecimento desse pequeno pássaro através das lentes de um binóculo trêmulo particularmente difícil. Mas esses pássaros não são nada desinteressantes. Poucos meses após o nascimento, eles partem em uma migração de 6.440 quilômetros, deixando seu lar de verão e atravessando a Europa, para chegar à sua residência de inverno na África Subsaariana. É uma rota que nunca percorreram antes, mas eles a tomam mesmo assim, sem a ajuda de seus pais, mais experientes, nem de um mapa.

Antes de partirem nessa jornada incrível, esses passarinhos minúsculos engordam para se preparar para o esforço do voo e a falta de comida no percurso. Em poucas semanas, eles dobram de peso, passando de esguios 17 gramas para portentosos 37 gramas. Em termos humanos, é como se eles se tornassem morbidamente obesos. A cada dia em seu banquete pré-migração, eles ganham cerca de 10% de seu peso original – o equivalente a um homem de 60 quilos que ganhasse *6 quilos por dia* até atingir 132 quilos. Então, depois de ficarem rechonchudos o suficiente, os pássaros realizam uma façanha de resistência além da imaginação da maioria dos atletas de elite e cruzam milhares de quilômetros com apenas umas poucas refeições pelo caminho.

Claro que, para engordarem assim tão rápido, precisam se empanturrar com a fartura do verão. Praticamente da noite para o dia, os pássaros abandonam sua dieta de insetos e começam a comer frutinhas silvestres e figos.

Embora as frutas já estejam maduras várias semanas antes do início do banquete, eles não tocam nelas até a hora certa. É como se uma chavinha se virasse dentro deles, e de repente passassem a comer sem parar.

Por muito tempo, os pesquisadores supuseram que o ganho de peso dessas e outras aves migratórias resultasse simplesmente da *hiperfagia* – ou comilança excessiva. Mas a rapidez incrível com que esses pássaros deixam de ser magrinhos e se tornam morbidamente obesos sugere que deve haver mais alguma coisa para ajudá-los a armazenar tanta gordura. Algo que tem menos a ver com a quantidade de comida que ingerem do que com a forma como o alimento é armazenado em seu corpo. Ao observarem quantas calorias extras os pássaros ingeriam e quantas calorias saíam em suas fezes, os pesquisadores perceberam que a quantidade adicional de comida que vinham consumindo não era suficiente para explicar seu súbito ganho de peso.

O enigma continua, porque depois os pássaros perdem o excesso de peso. Claro que, durante sua viagem através do mar Mediterrâneo e do deserto do Saara, seus suprimentos de gordura vão diminuindo. No momento em que chegam e se fixam em seu lar africano, já voltaram ao peso normal. Mas eis o fato estranho: não é diferente com os passarinhos da espécie *Sylvia borin* criados em *cativeiro*. Durante o período pré-migratório ao final do verão, esses pássaros, mesmo engaiolados, começam a ganhar peso, tornando-se totalmente obesos em preparação para uma viagem que jamais farão. Mais tarde, na época exata em que seus colegas selvagens chegam ao destino, as aves em cativeiro perdem o excesso de gordura. Apesar de não terem precisado voar 6.440 quilômetros e de terem acesso limitado à comida, os pássaros em cativeiro perdem o peso extra quando o período migratório chega ao fim.

É extraordinário que espécimes privados de pistas sobre mudanças no clima, na duração do dia e nos suprimentos de comida ainda assim consigam ganhar reservas enormes de gordura para o período migratório muito depressa e depois voltem a emagrecer aparentemente sem esforço, numa sincronia perfeita com seus primos selvagens. São aves cujo cérebro é do tamanho de uma ervilha. Não é como se elas ganhassem peso e depois pensassem: "Nossa! Preciso começar uma dieta." Elas não fazem jejum nem malham loucamente. Sua ingestão de comida volta a cair após a orgia alimentar, é claro, mas não o suficiente para explicar uma tamanha perda de peso, tão rápido. Imagine ser capaz de perder 6 quilos todo dia durante sete dias: essa é a taxa de emagrecimento desses pássaros após o período migratório. Mesmo que um ser humano não comesse absolutamente nada, não sofreria uma perda de peso tão significativa.

Embora ainda não saibamos ao certo como essa mudança de peso espantosa é regulada no corpo dos passarinhos da espécie *Sylvia borin*, o fato de ocorrer para além das modificações na ingestão calórica deixa claro que: manter o peso estável nem sempre é uma simples questão de balancear o que entra e o que sai em termos calóricos. Nos seres humanos, a explicação cientificamente aceita para o aumento do peso é: "A causa fundamental da obesidade e do excesso de peso é um desequilíbrio energético entre calorias ingeridas e calorias gastas."

Parece óbvio: se comer de mais e se exercitar de menos, a energia extra vai precisar ser armazenada e você vai ganhar peso. E se quiser perder peso, terá que comer menos e se exercitar mais. Mas esses pássaros são capazes de acumular rapidamente reservas de gordura que parecem ir bem além das calorias que ingerem e depois esgotam essas reservas bem além das calorias que queimam. Parece claro que outros fatores afetam a regulação do peso. Se o equilíbrio entre calorias que entram e saem não se aplica à espécie *Sylvia borin*, talvez também não se aplique aos humanos.

Na tentativa de tratar mais de 10 mil casos de obesidade, o médico indiano Dr. Nikhil Dhurandhar fez essa mesma reflexão. Seus pacientes retornavam repetidas vezes após recuperarem o pouco peso que haviam perdido ou nem conseguiam perder peso algum. Apesar das dificuldades, Dhurandhar e seu pai – que também era um médico especializado em obesidade –, dirigiam uma das clínicas mais bem-sucedidas de tratamento de obesidade em Mumbai no fim dos anos 1980. Mas após passar uma década tentando ajudar as pessoas a comerem menos e se exercitarem mais, ele começou a sentir que seus esforços – e os de seus pacientes – eram inúteis. "Após perder peso, você torna a ganhá-lo: eis o grande problema. E essa tem sido minha frustração." Dhurandhar queria saber mais sobre os mecanismos que estão por trás da obesidade. Se comer menos e se exercitar mais não trazem a cura permanente, talvez comer *mais* e se exercitar *menos* não sejam suas únicas causas.

Trata-se de algo que precisamos desesperadamente descobrir. A nossa espécie está passando por um ganho de peso coletivo parecido com o dos passarinhos. E, como acontece com eles, a quantidade de peso que ganhamos não corresponde exatamente às mudanças na relação entre "calorias ingeridas" e "calorias gastas". Até o maior e mais abrangente estudo sobre o assunto mostra que a maior parte do peso que nossa espécie ganhou não se explica pela comida extra que estamos comendo nem por nossa falta de atividade física. Algumas pesquisas apontam inclusive que estamos comendo *menos* do que costumávamos e nos exercitando tanto quanto. O debate científico para descobrir se a gulodice e a preguiça são suficientes para explicar por completo o aumento exponencial na prevalência da obesidade nos últimos 60 anos prossegue discretamente. Será apenas uma subcorrente científica que está ameaçando os fundamentos da pesquisa vista como mais relevante? Quais dietas funcionam melhor?

Na época em que Dhurandhar estava mais frustrado, uma doença misteriosa começou a se espalhar entre os frangos indianos, matando as aves e prejudicando o ganha-pão dos criadores. Um cientista veterinário envolvido na busca da causa e de uma cura para a doença contou a Dhurandhar que o culpado era um vírus. As aves morriam com o fígado aumentado, a glândula timo encolhida e excesso de gordura. Dhurandhar o interrompeu. "Os frangos mortos estão especialmente gordos?", perguntou. O veterinário confirmou.

Dhurandhar ficou curioso. Animais que morrem em decorrência de alguma infecção viral normalmente ficam magros, não gordos. Seria possível que um vírus induzisse o aumento de peso em galinhas? Seria essa a explicação por trás das dificuldades que seus pacientes enfrentavam para perder peso? Dhurandhar, doido por descobrir mais, realizou um experimento. Inoculou o vírus em um grupo de frangos e deixou outro grupo em paz. Como previra, três semanas depois, constatou que as aves infectadas estavam bem mais gordas do que as saudáveis. Parecia que o vírus tinha feito com que ganhassem peso ao adoecer. Seria possível que os pacientes de Dhurandhar e inúmeras outras pessoas ao redor do mundo também tivessem sido infectados pelo vírus?

O que está acontecendo com a nossa espécie atingiu uma escala tão gigantesca e sem precedente que, no futuro distante, quando a humanidade olhar para o século XX, se lembrará dele não apenas pelas duas guerras mundiais e a invenção da internet, mas como a era da obesidade. Um corpo humano de 50 mil anos atrás e outro da década de 1950 são mais parecidos entre si do que com o corpo humano atual. Em cerca de sessenta anos, nosso físico esguio e musculoso de caçadores-coletores foi encerrado dentro de uma camada de gordura em excesso. Trata-se de algo que nunca aconteceu com os seres humanos numa escala tão expressiva, e nenhuma outra espécie animal – com exceção dos bichos de estimação e do gado que criamos – sucumbiu a essa doença responsável por modificar nossa anatomia.

Um entre cada três adultos no planeta tem excesso de peso. Um em cada nove é obeso. Essa é a média de todos os países juntos, incluindo aqueles onde a subnutrição é mais comum do que o excesso de peso. Se tomarmos só os países mais gordos, os números são ainda mais inacreditáveis. No Pacífico Sul fica a ilha de Nauru, onde cerca de 70% dos adultos são obesos e outros 23% apresentam excesso de peso. Apenas 10 mil pessoas vivem nesse país minúsculo, e somente cerca de setecentas delas têm um peso saudável. Nauru é oficialmente a nação mais gorda do mundo, mas é acompanhada de perto pela maioria das ilhas do Pacífico Sul e por diversos estados do Oriente Médio.

No Ocidente, passamos de tão magros que ninguém comentava nem se preocupava em contar o número de pessoas com excesso de peso, para tão gordos que seria mais rápido contar os que continuaram magros. Cerca de dois em cada três adultos têm excesso de peso, e metade deles são obesos. Os Estados Unidos, apesar de sua reputação, está em 17º lugar no ranking mundial: apenas 71% dos habitantes têm excesso de peso ou estão obesos. Já o Reino Unido fica em 39º lugar, com 62% dos adultos com excesso de peso (incluindo-se aí 25% de obesos): as maiores cifras da Europa Ocidental. Mesmo entre crianças nos países desenvolvidos, ser gordo demais é escandalosamente comum, com até um terço dos menores de 20 anos acima do peso – e metade deles obesos.

A obesidade se desenvolveu entre nós de tal forma que quase a consideramos normal. Sim, existe um fluxo constante de artigos e notícias sobre a "epidemia" de obesidade para nos lembrar de que se trata de um problema, mas nos adaptamos muito rápido a viver em uma sociedade onde a maioria das pessoas tem excesso de peso. Somos rápidos em pressupor que a obesidade é a consequência natural da gula e da preguiça, mas se isso for verdade, a natureza humana está condenada. Só que, ao observar as outras realizações da espécie nos últimos cem anos – a invenção dos celulares, a internet, aviões, medicamentos que salvam vidas, etc. –, parece que não estamos paradões, nos empanturrando de bolo. O fato de as pessoas esguias agora serem minoria no mundo desenvolvido e de essa mudança ter ocorrido nos últimos cinquenta ou sessenta anos, após milhares e milhares de anos de magreza humana, é chocante. O que estamos fazendo conosco?

Em média, o peso dos ocidentais aumentou em cerca de um quinto nos últimos cinquenta anos. Se você estivesse vivendo na década de 1960, em vez da década de 2010, provavelmente seria bem mais leve. Pessoas com 70 quilos em 2015 poderiam pesar menos de 60 em 1965, sem esforço algum. Hoje em dia, para recuperar o peso pré-anos 1960, dezenas de milhões de pessoas estão em perpétua dieta, tentando se privar das comidas que mais desejam. Mas apesar dos bilhões de dólares gastos nas dietas da moda, na academia e em pílulas, os níveis de obesidade não param de crescer.

Esse aumento ocorreu apesar de sessenta anos de pesquisas científicas buscando estratégias eficazes para manutenção e perda de peso. Em 1958, quando estar acima do peso ainda era algo relativamente raro, um dos pioneiros da pesquisa sobre o assunto, o Dr. Albert Stunkard, disse: "A maioria das pessoas obesas não permanecerá no tratamento contra obesidade. Daquelas que permanecerem no tratamento, a maioria não perderá peso. E daquelas que perderem peso, a maioria vai recuperar os quilos que perdeu." Ele estava certo. Mesmo meio século depois, as taxas de sucesso em tentativas de intervenção para perda de peso são extremamente baixas. Com frequência, menos de metade dos participantes consegue perder peso – e para a maioria são apenas uns poucos quilos por um ano ou mais. Mas por que é tão difícil?

Até agora, entre os que buscam explicações – e talvez justificativas – para o peso que têm, a tendência é jogar a culpa na genética. Mas diferenças no DNA humano não se mostraram particularmente esclarecedoras no caso do aumento do peso, já que apenas uma proporção minúscula de nossa suscetibilidade à obesidade pode ser explicada pelos genes. Em 2010, um amplo estudo conduzido por uma equipe de centenas de cientistas vasculhou os genes de 250 mil pessoas na esperança de achar quais estavam associados ao peso. Para seu espanto, descobriram apenas 32 em nosso genoma de quase 20 mil genes que parecem desempenhar algum papel nesse processo.

A diferença média de peso entre as pessoas com uma leve tendência genética à obesidade e aquelas com uma tendência mais alta foi de apenas 8 quilos. Para aqueles que gostariam de culpar os pais, isso equivale a um risco extra de 1% a 10% de ter excesso de peso para os que têm a pior combinação dessas variantes de genes.

Independentemente dos genes envolvidos, a genética jamais poderia ser a explicação completa da epidemia de obesidade, porque, sessenta anos atrás, quase todo mundo era magro, apesar de ter, na prática, as mesmas variantes genéticas da população humana atual. É provável que o que mais importa seja o impacto de um ambiente mutável – nossa dieta e estilo de vida, por exemplo – no funcionamento dos nossos genes.

Nossa outra explicação favorita é a do "metabolismo lento". "Não preciso controlar o que como porque tenho um metabolismo acelerado" deve ser um dos comentários mais irritantes que uma pessoa magra pode fazer. Só que isso não tem qualquer base científica. Um metabolismo lento – ou, em termos mais corretos, uma taxa metabólica basal baixa – significa que a pessoa gasta relativamente pouca energia quando não está fazendo nada: não está se mexendo nem assistindo à TV, nem fazendo contas de cabeça. As taxas metabólicas variam de pessoa para pessoa, mas o metabolismo das que são obesas é mais rápido – e não mais devagar – do que as que são magras. É simples: é necessário gastar mais energia para um corpo grande funcionar do que para um pequeno.

Assim, se a genética e as taxas metabólicas basais não estão por trás da epidemia de obesidade e a quantidade de comida e exercício físico não explica por completo o aumento coletivo de peso, qual a solução? Como muitas pessoas, Nikhil Dhurandhar queria saber se algum fator desconhecido estaria em jogo. A possibilidade de que um vírus pudesse estar causando ou aumentando a obesidade em certas pessoas passou por sua cabeça. Ele submeteu 52 de seus pacientes humanos a exames em busca de anticorpos ao vírus dos frangos – queria encontrar algum sinal de que já tivessem sido infectados. Para sua surpresa, os dez pacientes mais obesos haviam tido contato com o vírus. Dhurandhar então se decidiu: em vez de tratar a obesidade, começaria a pesquisar suas causas.

Alcançamos o ponto na história humana em que consideramos, ao menos no Reino Unido, que remodelar e redirecionar o sistema digestivo que a evolução nos deu é a melhor forma de nos impedir de comer até a morte.

Parece que bandas gástricas e cirurgias de redução do estômago, por impedirem que as pessoas consumam tudo aquilo que seu cérebro e seu corpo pedem, são os meios mais eficazes e baratos para determos a epidemia de obesidade e suas consequências para a saúde coletiva.

Se dietas e exercícios são tão inúteis que a redução de estômago é nossa única esperança para perder peso, o que isso nos diz sobre a aplicação direta das leis da física – ingestão de energia menos energia gasta igual a energia armazenada – a nós, animais governados pelas leis bioquímicas?

De acordo com o que estamos começando a descobrir, a questão não é tão simples. Como mostram os pássaros da espécie *Sylvia borin* e muitos mamíferos hibernantes, administrar o peso envolve mais do que contar calorias. Seguir um sistema simples de "o que entra tem que sair" para atingir o equilíbrio energético do corpo é ignorar as complexidades da nutrição, da regulação do apetite e do armazenamento de energia. Como disse certa vez George Bray, um médico que vem pesquisando a obesidade desde o início da epidemia: "Obesidade não é ciência de foguetes – é algo bem mais complicado."

Dois mil e quinhentos anos atrás, Hipócrates, o pai da medicina moderna, acreditava que todas as doenças começavam no intestino. Pouco sabia ele sobre a anatomia do intestino, quanto mais sobre os 100 trilhões de micróbios que vivem ali, mas, como podemos constatar dois milênios depois, Hipócrates tinha descoberto algo importante. Naquela época, a obesidade era algo relativamente incomum, assim como outra doença do século XXI que tem sua origem no intestino: a síndrome do intestino irritável (SII). É com essa doença das mais desagradáveis que nossos micróbios entram em cena.

Na primeira semana de maio de 2000, uma chuva fora de época inundou a cidade rural de Walkerton, no Canadá. Passadas as tempestades, os moradores do local começaram a adoecer às centenas. Com cada vez mais gente desenvolvendo gastroenterite e diarreia sanguinolenta, as autoridades resolveram examinar o suprimento de água e acabaram descobrindo o que a empresa de abastecimento vinha ocultando havia dias: a água potável da cidade estava contaminada por uma cepa mortal de *E. coli*.

Logo foi descoberto que os dirigentes da empresa sabiam havia semanas que o sistema de cloração de um dos poços da cidade estava quebrado. Durante as chuvas, a negligência deles permitiu que resíduos de esterco das fazendas contaminassem o suprimento de água. Um dia depois de revelada a contaminação, três adultos e um bebê morreram. Nas semanas seguintes, três outras pessoas sucumbiram. No total, metade da população de 5 mil habitantes de Walkerton foi infectada em poucas semanas.

Embora o suprimento de água tenha sido rapidamente saneado, a história não terminou por aí para muitos dos que haviam adoecido. A diarreia e as cólicas continuavam aparecendo. Dois anos depois, um terço dos afetados continuava doente – haviam desenvolvido SII pós-infecciosa – e mais de metade ainda sofria oito anos após o temporal.

Como novas vítimas da SII, esses desafortunados moradores de Walkerton se juntaram à crescente legião de ocidentais cujo intestino governa a vida. Para a maioria dos que têm esse distúrbio, dores abdominais fortes e surtos imprevisíveis de diarreia limitam a liberdade de seus dias. Para outros, ocorre o oposto: a prisão de ventre, e a dor que a acompanha, pode chegar a durar dias e às vezes semanas seguidas. "Ao menos", diz o gastrenterologista britânico Peter Whorwell daqueles com prisão de vente, "esses pacientes podem sair de casa." Para uma minoria, a dupla dificuldade de ter que enfrentar tanto a diarreia quanto a prisão de vente torna sua vida diária particularmente imprevisível.

O problema é que, embora quase um entre cada cinco ocidentais – na maioria mulheres – tenha sua vida prejudicada por essa doença, não sabemos ao certo em que ela consiste. Que não é normal, nós já temos certeza. A palavra "irritável" oculta o impacto da SII no dia a dia de suas vítimas. A redução da qualidade de vida costuma ser considerada ainda mais impactante do que a de pacientes em diálise renal e diabéticos insulino-dependentes. Talvez pelo desespero de não saber o que está errado nem como consertar a situação.

A disseminação da SII é uma pandemia global silenciosa. Uma em cada dez visitas ao médico está ligada à doença, e os gastrenterologistas vivem ocupados pelo fluxo constante de vítimas – que constituem metade de seus pacientes. Nos Estados Unidos, a SII leva a 3 milhões de visitas ao médico, 2,2 milhões de receitas e 100 mil visitas a hospitais todos os anos. Mas nos calamos a respeito disso. Afinal, ninguém quer falar sobre diarreia.

Sua causa, porém, permanece um mistério. Enquanto o cólon de uma vítima de doença inflamatória intestinal estaria coberto de úlceras, o intestino de pessoas com SII é tão rosado e normal quanto o de uma pessoa saudável. Essa carência de sinais físicos fez com que a SII fosse tachada como um transtorno puramente mental. Embora para a maioria das vítimas a doença se agrave quando estão estressadas, é pouco provável que o estresse sozinho seja a única causa de uma doença tão persistente. A proporção espantosa de pessoas com SII merece uma explicação – não passamos por milhões de anos de evolução apenas para termos que estar o tempo todo a 30 segundos de algum banheiro.

Uma pista pode ser encontrada na tragédia de Walkerton. As pessoas que desenvolveram a SII após o incidente de contaminação da água não são as únicas a relacionarem sua doença a algum tipo de infecção gastrointestinal. Cerca de um terço dos pacientes atribui o início de seus problemas intestinais a algum episódio de intoxicação alimentar, ou algo parecido, que aparentemente nunca passava. A diarreia do viajante costuma ser o início – pessoas que contraem alguma bactéria no exterior têm sete vezes mais chances de desenvolver a SII. Mas fazer exames em busca do micro-organismo original costuma se revelar infrutífero – essas pessoas já não estão sofrendo da gastroenterite propriamente dita. É como se a infecção original tivesse desarranjado os moradores normais do intestino.

Para outros, o início de sua SII coincide não com uma infecção, mas com um tratamento à base de antibióticos. A diarreia é um efeito colateral comum da ingestão de certos antibióticos que, para alguns pacientes, continua a acompanhá-los bem depois de encerrada a medicação. Existe aí um paradoxo, porém, já que antibióticos também podem ser usados para tratar a SII, aparentemente adiando o retorno do problema por semanas ou meses.

Então o que está acontecendo? Essas pistas – a gastroenterite e os antibióticos – apontam para um tema comum: que uma perturbação de curto prazo aos micróbios do intestino pode ter efeitos duradouros na composição da microbiota. Imagine uma floresta virgem, verdejante e densa com vida: insetos governam o subterrâneo e primatas saltam das copas das árvores. Observe os lenhadores chegando, derrubando a infraestrutura folhosa da floresta, fixada há milênios, com suas serras-elétricas e terraplenando o resto. Imagine que uma erva invada o local, talvez tendo pegado carona nas rodas das escavadeiras, e depois expulse as plantas nativas *à medida que se estabelece.* Após algum tempo, a floresta voltará a crescer, mas não será mais o mesmo habitat virgem, complexo e intacto de antes.

A diversidade haverá diminuído, as espécies terão morrido. A vegetação invasora terá se consolidado.

Para o ecossistema complexo do intestino, numa escala um milhão de vezes menor, esse princípio continua valendo. As serras elétricas de antibióticos e patógenos invasivos destroem a teia de vida que forjou um equilíbrio por meio de incontáveis interações sutis. Se a destruição for suficientemente extensa, o sistema não será capaz de se recuperar e, em vez disso, entrará em colapso. Na floresta tropical, isso significa a destruição do habitat; no corpo, *disbiose* – um desequilíbrio prejudicial da microbiota.

Antibióticos e infecções não são as únicas causas da disbiose. Uma dieta pouco saudável ou um medicamento muito forte podem ter o mesmo efeito, destruindo o equilíbrio entre as espécies microbianas e reduzindo sua diversidade. A disbiose – sob qualquer forma – está no núcleo das doenças do século XXI, tanto as que começam – e terminam – no intestino como a SII, quanto aquelas que afetam órgãos e sistemas no corpo inteiro.

Na SII, o impacto dos antibióticos e da gastroenterite sugere que a diarreia e a prisão de ventre crônicas podem ter suas raízes na disbiose do intestino. Através do sequenciamento do DNA, você pode descobrir quais espécies vivem no intestino de alguém e qual a prevalência de cada uma. Ao comparar vítimas da SII com pessoas saudáveis, nota-se que a maioria dos portadores de SII possuem uma microbiota bem diferente daquela de quem é saudável. Alguns pacientes com SII, porém, possuem uma microbiota que não difere das outras pessoas. Esses pacientes tendem a relatar que se sentem deprimidos, o que pode indicar que, para um pequeno subgrupo de vítimas da SII, a doença psicológica é sua causa, enquanto, para outras, a disbiose é a causa principal, e o estresse apenas funciona como fator agravante.

Algumas pesquisas encontraram diferenças na composição da microbiota dependendo do tipo de SII que as vítimas com disbiose sofrem. Pacientes que se queixavam de se sentirem inchados e empanturrados rapidamente ao comer possuíam níveis maiores de *Cyanobacteria*, enquanto aqueles que experimentavam muita dor tinham uma quantidade maior de *Proteobacteria*. No intestino de pacientes com prisão de ventre, havia uma comunidade de dezessete grupos bacterianos em quantidade maior do que o normal. Outros estudos descobriram não apenas uma alteração na composição da microbiota, mas também que ela é muito instável se comparada à de pessoas saudáveis, cujos diferentes grupos de bactérias aumentam e diminuem ao longo do tempo.

Em retrospecto, pode parecer previsível que a SII seja uma consequência provável de intestinos "irritados" pelos micróbios "errados". Como um desdobramento lógico, isto é altamente plausível: de um surto rápido de diarreia causada por bactérias na água ou frango mal cozido à disfunção crônica do intestino, tudo porque as bactérias do intestino se desequilibraram. Mas, enquanto uma diarreia comum pode com frequência ser atribuída a uma bactéria patogênica específica – por exemplo, *Campylobacter jejuni* no caso da intoxicação alimentar por frango cru –, a SII não pode ser atribuída a um micro-organismo maligno específico. Pelo contrário, essa condição parece estar ligada à presença relativa das bactérias normalmente "amigáveis". Talvez por números insuficientes de uma variedade ou excesso de outra. Ou mesmo uma espécie que se comporta bem sob circunstâncias normais, mas se torna malévola quando tem a chance de assumir o controle.

Se a comunidade encontrada na flora intestinal de pacientes que sofrem de SII não tem nenhum protagonista abertamente infeccioso, como a disbiose pode causar tamanho tumulto no funcionamento do intestino? Os mesmos grupos de bactérias presentes no intestino de uma pessoa com SII parecem estar presentes no de pessoas saudáveis. Então como meras mudanças em suas quantidades podem ser os responsáveis pela doença? No momento, os cientistas médicos ainda não conseguem responder a essa questão, mas alguns estudos nos deram pistas interessantes. Embora o intestino das vítimas da SII não tenham úlceras em sua superfície, como acontece na doença inflamatória intestinal, eles estão mais inflamados do que deveriam. É provável que o corpo esteja tentando expulsar os micróbios do intestino, abrindo pequenos espaços entre as células que revestem a parede intestinal e permitindo a entrada de água.

É fácil imaginar como o desequilíbrio de micro-organismos no intestino poderia causar a SII. Mas e aquele outro problema intestinal: o aumento da circunferência abdominal? Será que a microbiota poderia ser o elo perdido entre as calorias ingeridas e as calorias gastas?

A Suécia é um país que leva a obesidade muito a sério. Embora seja apenas o 90º país mais gordo do planeta e um dos mais magrinhos da Europa, registra a maior taxa de cirurgias de redução do estômago do mundo. Os suecos cogitaram implementar um "imposto sobre gorduras" para alimentos muito calóricos, e os médicos podem prescrever exercícios físicos para pacientes com excesso de peso. A Suécia também é o lar do homem que trouxe uma das maiores contribuições ao avanço da ciência da obesidade desde o início da epidemia.

Fredrik Bäckhed é um professor de microbiologia na Universidade de Gotemburgo, só que, em seu laboratório, você não vai encontrar placas de Petri e microscópios, mas dezenas de camundongos. Como os humanos, eles abrigam uma coleção impressionante de micro-organismos, sobretudo no intestino. No entanto, os camundongos de Bäckhed são diferentes. Nascidos de cesariana e depois mantidos em câmaras esterilizadas, não possuem quaisquer micróbios dentro deles. Cada um é uma tábula rasa – "livre de germes", o que significa que a equipe de Bäckhed pode colonizá-los com as bactérias que desejar.

Em 2004, Bäckhed foi trabalhar com o maior especialista em microbiota do mundo, Jeffrey Gordon, professor da Washington University em St. Louis, Missouri. Ao observar que seus camundongos livres de germes eram particularmente magros, Gordon e Bäckhed desconfiaram que isso se devesse à falta de micróbios em seu intestino. Juntos, eles perceberam que não havia estudos sobre a ação dos micro-organismos no metabolismo dos animais. Assim, a primeira pergunta de Bäckhed foi simples: será que os micróbios do intestino fazem os camundongos ganharem peso?

Para responder a essa pergunta, Bäckhed criou alguns camundongos livres de germes até a fase adulta e depois salpicou sua pele com o conteúdo do ceco – a parte inicial do intestino grosso – de camundongos que haviam nascido normalmente. Depois que eles lamberam o material cecal em sua pele, seu intestino adquiriu um conjunto de micróbios igual ao de qualquer outro camundongo. Então algo extraordinário aconteceu: eles ganharam peso. Não apenas um pouquinho, mas um aumento de 60% em seu peso corporal no espaço de quatorze dias. E estavam comendo menos.

Parecia que não só os micróbios tinham saído ganhando ao receberem um lar, mas os camundongos também. Todos já sabiam que os micro-organismos que vivem no intestino estavam comendo as partes indigeríveis da dieta, mas ninguém jamais tinha se dado conta de quanto essa segunda rodada de digestão contribuía para a absorção de energia.

Com micróbios os ajudando a ter acesso a mais calorias em sua dieta, os camundongos podiam sobreviver com menos comida. No que diz respeito à nossa compreensão da nutrição, aquilo realmente causou espanto. Se a microbiota determinava quantas calorias os camundongos conseguiam extrair de seu alimento, será que ela estava envolvida na obesidade?

A microbiologista Ruth Ley – que também trabalhava na equipe do laboratório de Jeffrey Gordon – quis então descobrir se os micróbios presentes nos animais obesos e esguios diferiam. Para isso, usou uma cepa geneticamente obesa de camundongos conhecidos como *ob/ob*. Com três vezes o peso de um espécime normal, eles são praticamente redondos e não conseguem parar de comer. Embora pareçam ser de uma espécie diferente, na verdade uma única mutação em seu DNA faz com que se alimentem o tempo todo e se tornem supergordos e insaciáveis.

Ao comparar a microbiota de camundongos obesos com a de esguios, Ley descobriu que dois filos de bactérias eram predominantes em ambos os grupos: Bacteroidetes e Firmicutes. Mas os obesos tinham metade da quantidade de Bacteroidetes dos camundongos esguios e os Firmicutes estavam compensando essa falta.

Entusiasmada com a possibilidade de que essa diferença na proporção entre Firmicutes e Bacteroidetes pudesse estar na origem da obesidade, Ley em seguida analisou a microbiota de humanos magros e obesos e encontrou a mesma relação: as pessoas obesas tinham muito mais Firmicutes, enquanto as pessoas esguias tinham uma proporção maior de Bacteroidetes. Tudo parecia simples demais: será que a obesidade e a composição da microbiota do intestino estariam associadas de forma tão direta? E o mais importante: será que os micróbios presentes em camundongos e seres humanos obesos estariam *causando* a obesidade ou seriam apenas uma consequência dela?

A descoberta ficou a cargo de um terceiro membro da equipe do laboratório de Gordon: um doutorando chamado Peter Turnbaugh. Ele usou os mesmos camundongos geneticamente obesos de Ley, mas transferiu os micro-organismos deles para camundongos livres de germes. Ao mesmo tempo, transferiu os micróbios de espécimes normais para um segundo conjunto de camundongos livres de germes. Ambos os conjuntos de camundongos estéreis receberam exatamente a mesma quantidade de comida, mas, quatorze dias depois, os que tinham sido colonizados pela microbiota dos obesos haviam engordado, enquanto os que haviam recebido a microbiota dos magrinhos, não.

O experimento de Turnbaugh mostrou não apenas que os micróbios do intestino podem fazer os camundongos engordarem, mas também que podiam ser passados de um indivíduo para outro. Poderíamos então transferir micro-organismos de pessoas esguias para pessoas obesas, fazendo com que percam peso sem precisar de dieta. É claro que o potencial terapêutico – e lucrativo – da ideia não passou despercebido a Turnbaugh e seus colaboradores, e eles patentearam a alteração da microbiota como tratamento para a obesidade.

Mas antes de ficarmos empolgados demais com a cura em potencial da obesidade, precisamos descobrir como isso tudo funciona. O que esses micróbios estão fazendo para ficarmos mais gordos? Assim como antes, a microbiota dos camundongos obesos de Turnbaugh continha menos Bacteroidetes e mais Firmicutes – que pareciam lhes permitir extrair mais energia do alimento. Esse detalhe é suficiente para derrubar um dos princípios básicos da equação da obesidade. Contar calorias não se resume a controlar o que uma pessoa come – o que importa é a quantidade de energia que ela *absorve*. Turnbaugh calculou que os camundongos com a microbiota "obesa" eram capazes de absorver 2% mais calorias de sua alimentação. Para cada cem calorias que os camundongos esguios absorviam, os camundongos obesos absorviam 102.

Não parece muito, mas, no decorrer de um ano ou mais, faz diferença. Uma mulher de 1,62 m, que pesa 62 kg e tem um Índice de Massa Corporal de 23,5, consome 2 mil calorias por dia. Só que, com uma microbiota "obesa", a absorção de 2% mais calorias representa quarenta calorias a mais por dia. Sem despender energia extra, essas quarenta calorias adicionais *devem* corresponder, ao menos em teoria, a um aumento de peso de 1,9 kg no decorrer de um ano. Em dez anos, são 19 quilos, elevando seu peso para 81 kg e seu IMC para obesos 30,7. Tudo por causa de um aumento de 2% na absorção de calorias pelas bactérias do intestino.

O experimento de Turnbaugh causou uma revolução em nossa compreensão da nutrição humana. O valor calórico dos alimentos costuma ser calculado por meio de tabelas de conversão padrão. Assim, considera-se que cada grama de carboidrato contém quatro calorias; cada grama de gordura, nove, e assim por diante. Isso nos leva a pensar que as calorias de um alimento têm um valor fixo. "Este iogurte contém 137 calorias", "Uma fatia deste pão contém 69 calorias"... Porém, o trabalho de Peter Turnbaugh mostra que a coisa não é tão simples assim. Aquele iogurte pode muito bem conter 137 calorias para uma pessoa de peso normal, mas poderia também conter 140 calorias para alguém obeso que tenha um conjunto diferente de micro-organismos presentes no intestino. De novo, são números pequenos, mas que fazem diferença.

Se seus micróbios estão atuando a seu favor para extrair a energia do seu alimento, a responsável por determinar quantas calorias você será capaz de absorver a partir do que come é a configuração específica de sua comunidade de micróbios – não uma tabela de conversão padrão. Para todas as pessoas que fizeram dieta sem sucesso, essa pode ser parte da explicação. Uma dieta com um cuidadoso controle de calorias que resultasse em uma perda energética, todos os dias, por um período prolongado, poderia levar à perda de peso. Mas se as calorias ingeridas forem subestimadas, essa dieta poderia não apresentar qualquer resultado ou mesmo ter como consequência um aumento do peso. Essa ideia é respaldada por outro experimento realizado por Reiner Jumpertz, em 2011, no Instituto Nacional de Saúde em Phoenix, Arizona. Jumpertz deu uma dieta de calorias fixas a voluntários e simplesmente mediu as calorias que saíam em suas fezes após a digestão. Voluntários magros postos numa dieta rica em calorias tiveram um aumento na proporção de Firmicutes em relação aos Bacteroidetes. Essa mudança nos micróbios do intestino foi acompanhada por uma redução gradual no número de calorias que saíam em suas fezes. Com a mudança no equilíbrio das bactérias, sua microbiota passou a extrair, da mesma dieta, 150 calorias extras por dia.

O conjunto particular de micróbios que abrigamos determina nossa capacidade de absorver energia da alimentação. Depois que o intestino delgado digeriu e absorveu o máximo de nutrientes do que comemos, o restante passa para o intestino grosso, onde está a maioria dos micro-organismos. Ali, eles funcionam como os operários de uma fábrica, cada um sendo responsável por decompor suas moléculas preferidas e absorver o que pode. O resto é deixado na forma mais simples possível para ser absorvida pela mucosa intestinal. Um grupo de bactérias pode ter os genes necessários para quebrar as moléculas de aminoácido que vêm da carne. Outro grupo talvez seja mais talhado para decompor as moléculas dos carboidratos de cadeia longa que vêm de legumes, frutas e verduras. E um terceiro poderia ser mais eficiente em quebrar as moléculas de açúcar que não foram absorvidas no intestino delgado. A dieta de cada um de nós afeta o tipo de grupos que vamos abrigar. Assim, por exemplo, um vegetariano não deve ter muitos indivíduos especializados em lidar com aminoácidos, já que eles não vão conseguir se proliferar sem um suprimento constante de carne.

Bäckhed sugere que o conteúdo energético que conseguimos extrair da comida depende do que nossa fábrica microbiana foi treinada a esperar. Se o vegetariano se deleitasse com um assado de porco, provavelmente faltariam micróbios apreciadores de aminoácidos em seu intestino para aproveitá-lo ao máximo. Mas um onívoro regular teria uma boa coleção de micro-organismos adequados e extrairia mais calorias do mesmo assado de porco. O mesmo vale para os outros nutrientes. Alguém que comesse pouquíssima gordura teria poucos micróbios especializados em quebrar gorduras, e o docinho ou a barra de chocolate ocasionais poderiam passar pelo intestino grosso sem que o restante de seu valor calórico fosse absorvido. Já uma pessoa que tenha o hábito de comer doces todos os dias na hora do lanche disporia de uma grande população de bactérias especializada em quebrar gorduras, a postos para absorver as calorias do próximo sonho de padaria – proporcionando ao nosso comilão a absorção de sua dose completa de calorias.

Embora o número de calorias que absorvemos da alimentação seja sem dúvida importante, não se trata apenas de quanta energia nossos micróbios extraem para nós, mas do que levam nosso corpo a fazer com ela. Nós a consumimos imediatamente para acionar nossos músculos e órgãos ou a armazenamos para depois, para quando não tivermos nada que comer? Isso depende dos nossos genes. Só que não daqueles que você recebeu dos seus pais, mas de quais genes estão ativados ou não.

Nosso corpo desempenha a tarefa de ativar e desativar os genes usando todos os tipos de mensageiros químicos. Esse controle permite que as células nos olhos realizem tarefas diferentes das células no fígado, por exemplo, ou que células no cérebro funcionem de forma distinta quando estamos trabalhando durante o dia e quando estamos dormindo no meio da noite. Mas o corpo não é o único senhor de nossa informação genética. Nossos micróbios também têm voz ativa, fazendo com que alguns de nossos genes passem a se adaptar às suas necessidades.

Membros da microbiota são capazes de ativar a produção de genes que encorajam o armazenamento de energia em nossas células adiposas. E por que não? Para nossa microbiota, é bom que o ser humano em que ela habita sobreviva a um inverno rigoroso. Uma "microbiota obesa", por sua vez, ativa ainda mais a expressão desses genes, levando ao armazenamento da energia extra de nossa comida na forma de gordura. Por mais incômodo que isso seja para aqueles que têm dificuldade em manter o peso desejado, esse truque do controle dos genes deveria ser algo benéfico, já que nos ajuda a aproveitar ao máximo o que ingerimos e armazenar a energia extra para épocas de menos abundância. No passado, era fundamental ter essa ajuda para atravessar longos períodos de fartura e de escassez.

As "calorias que entram", portanto, não dependem só do que você põe na boca. Trata-se do que seus intestinos são capazes de absorver, incluindo o que seus micróbios oferecem a você. As "calorias que saem" também não se limitam à quantidade de energia que você consome em atividades físicas. O que seu corpo decide fazer com aquela energia também importa: se resolve armazená-la para um dia chuvoso ou queimá-la imediatamente. Embora esses dois mecanismos sejam suficientes para explicar como uma pessoa poderia absorver e armazenar mais energia do que outra – dependendo dos micro-organismos que abriga –, acabam levantando outra questão: então por que as pessoas que absorvem mais energia e armazenam mais gordura simplesmente não se sentem saciadas mais cedo? Por que, se já absorveram calorias bastantes e armazenaram gordura, algumas pessoas continuam comendo?

Nosso apetite é governado por muitos fatores, da sensação física imediata de um estômago cheio a hormônios que informam ao cérebro quanta energia já foi armazenada em forma de gordura. A leptina é um desses hormônios. Produzida diretamente pelo tecido adiposo, quanto mais células adiposas temos, mais leptina é liberada no sangue. É um ótimo sistema: informa ao cérebro que estamos saciados quando já acumulamos uma quantidade saudável de gordura, e em seguida nosso apetite é suprimido.

Então por que as pessoas não perdem o interesse pela comida quando começam a ganhar peso? Quando esse hormônio foi descoberto na década de 1990 – graças aos camundongos *ob/ob*, que são geneticamente incapazes de produzir sua própria leptina –, houve um surto de entusiasmo. A injeção de leptina em camundongos *ob/ob* levou a uma perda de peso bem rápida – eles comiam menos, se exercitavam mais e seu peso corporal caiu para quase metade no período de um mês. Mesmo camundongos normais, magros, perderam peso ao receberem esse hormônio. Se funcionou com os camundongos, será que a leptina poderia ser a cura para a obesidade humana?

A resposta, como fica óbvio pela epidemia de obesidade, foi negativa. Aplicar injeções de leptina em pessoas obesas quase não surtiu efeito. Embora não deixe de ser uma decepção, esse fracasso lançou luz sobre a verdadeira natureza da obesidade. Ao contrário dos camundongos *ob/ob*, não é a falta de leptina que faz as pessoas engordarem. Na verdade, quem tem excesso de peso apresenta níveis particularmente altos de leptina porque tem mais tecido adiposo – responsável por produzi-la. O problema é que seu cérebro se tornou resistente aos efeitos dela. Numa pessoa magra, o aumento de peso leva à produção extra de leptina e à redução do apetite. Por outro lado, o cérebro de uma pessoa obesa não consegue detectar a presença de leptina – apesar de haver quantidade suficiente dessa substância –, de modo que ela nunca se sente saciada.

Essa resistência à leptina indica algo importante. Na obesidade, os mecanismos normais de regulação do apetite e armazenamento de energia foram alterados. A gordura em excesso não é apenas um lugar para armazenar as calorias que não queimamos – é mais um centro de controle do consumo de energia, funcionando como uma espécie de termostato. Quando as células adiposas do corpo estão confortavelmente cheias, o termostato desliga, reduzindo o apetite e impedindo que mais comida ingerida seja armazenada. Então, conforme os depósitos de gordura diminuem, o termostato volta a ligar, aumentando o apetite e armazenando mais comida como gordura. Como acontece com os passarinhos da espécie *Sylvia borin*, o aumento de peso não envolve apenas comer mais, mas também mudanças bioquímicas na forma como o corpo administra a energia. Isso derruba o pressuposto básico de que equilibrar o que comemos com a quantidade de energia que gastamos nos exercitando é o bastante para mantermos um peso estável. Se essa crença está equivocada, talvez a obesidade não seja exatamente uma "doença de estilo de vida", fruto de gula e preguiça, mas uma doença cuja origem orgânica está além do nosso controle.

Essa afirmação parece radical demais? Pense nisto: há algumas poucas décadas, "sabia-se" que as úlceras estomacais eram causadas por estresse e cafeína. Como a obesidade, elas eram consideradas uma doença resultante do estilo de vida dos afetados: mude seus hábitos e o problema desaparecerá. A solução era simples: mantenha a calma e beba água. Mas esse tratamento não funcionava e os pacientes viviam retornando com buracos de queimaduras no estômago. Eles não conseguiam se recuperar por uma causa considerada óbvia: os pacientes simplesmente não estavam aderindo a seu plano de tratamento e deixavam que o estresse os impedisse de melhorar.

Até que, em 1982, os cientistas australianos Robin Warren e Barry Marshall descobriram a verdade. Uma bactéria chamada *Helicobacter pylori*, que às vezes colonizava o estômago, vinha causando úlceras e gastrite. O estresse e a cafeína apenas as tornavam mais dolorosas. A resistência da comunidade científica à ideia dos dois foi tão grande que Marshall chegou a beber uma solução de *H. pylori* – ficando com gastrite no processo – para provar a ligação entre as úlceras e essas bactérias. Foram necessários quinze anos para que a comunidade médica passasse a adotar plenamente essa nova causa.

Hoje, os antibióticos são um meio barato e eficaz para curar úlceras de uma vez por todas. Em 2005, Warren e Marshall ganharam um Prêmio Nobel de Medicina por sua descoberta de que as úlceras estomacais não eram uma "doença de estilo de vida", como se acreditava, mas apenas o resultado de uma infecção.

De forma semelhante, com seu palpite sobre o vírus do frango, Nikhil Dhurandhar estava desafiando o dogma de que a obesidade era uma doença causada pelo estilo de vida – mais especificamente, pelo excesso. Para investigar a possibilidade de que uma infecção viral pudesse causar aumento de peso em seres humanos, ele precisou abandonar a prática da medicina e se dedicar à pesquisa científica. Dhurandhar decidiu se mudar para os Estados Unidos com a família, na esperança de conseguir financiamento e iniciar a pesquisa que encontraria as respostas para suas perguntas. Em face da rígida oposição da comunidade científica, era um tiro no escuro. Mas acabaria valendo a pena.

Dois anos após ter se mudado para lá, Dhurandhar ainda não havia conseguido convencer ninguém a apoiar sua pesquisa sobre aquele vírus. Ele estava prestes a desistir e retornar à Índia quando o professor Richard Atkinson, cientista nutricional da Universidade de Wisconsin, lhe ofereceu um emprego. Enfim Dhurandhar estava pronto para iniciar seus experimentos. Mas restava um grande obstáculo: as autoridades americanas não autorizaram a importação do vírus do frango para os Estados Unidos – afinal, ele poderia causar obesidade.

Juntos, Atkinson e Dhurandhar conceberam um plano novo. Estudariam outro vírus – dessa vez, um vírus comum em americanos – na esperança de que ele pudesse ser responsável pelo aumento de peso também. Seguindo o palpite de que ele era semelhante ao dos frangos, selecionaram um vírus conhecido por causar infecções respiratórias. Seu nome era Adenovirus 36, ou Ad-36.

Mais uma vez, Dhurandhar começou seus experimentos com um grupo de galinhas, infectando metade das aves com Ad-36 e a outra metade com um adenovírus diferente, mais comum em aves. Então ele e Atkinson esperaram. Será que o Ad-36 deixaria as aves gordas, como havia acontecido com o vírus indiano?

Se isso acontecesse, Dhurandhar estaria afirmando algo importante: que o excesso de comida e a falta de atividade física não eram as únicas causas da obesidade humana, que essa epidemia poderia ter outra origem, que poderia ser uma doença infecciosa – não apenas falta de força de vontade. E – o que era ainda mais polêmico – que a obesidade era contagiosa.

O exame de mapas da disseminação da epidemia de obesidade nos Estados Unidos nos últimos 35 anos de fato dá a impressão de se tratar de uma doença infecciosa espalhando-se pela população. A epidemia começa nos estados do Sudeste e começa a se propagar depressa. À medida que cada vez mais pessoas vão ficando com excesso de peso no epicentro da doença, ela avança para o Norte e Oeste, afetando áreas cada vez maiores do país. Áreas críticas afloram nas grandes cidades, deflagrando novas bolhas de obesidade que se expandem com o tempo. Embora alguns estudos científicos tenham notado esse padrão, que lembra muito o de uma doença infecciosa, a obesidade em geral é atribuída à disseminação de um "ambiente obesogênico": mais restaurantes de fast food, supermercados com comidas ricas em calorias e um estilo de vida cada vez mais sedentário.

Um estudo em pessoas descobriu que a obesidade se espalha de uma forma que mimetiza uma doença contagiosa mesmo em um nível individual. Ao analisarem o peso e as relações sociais de mais de 12 mil pessoas ao longo de mais de 32 anos, os pesquisadores constataram que as chances de um indivíduo se tornar obeso estão fortemente associadas ao aumento de peso das pessoas mais próximas a ele. Por exemplo, quando um dos cônjuges se tornou obeso, o risco de o outro também engordar aumentava 37%. Você poderia pensar que isso é óbvio, já que é muito provável que eles tenham a mesma dieta. Mas o mesmo vale para irmãos adultos, que em geral não moram juntos. O mais impressionante é que se um amigo próximo se tornou obeso, o risco de o outro também engordar aumentava 171%. A causa não parecia ser a escolha de amigos de peso semelhante – aquelas pessoas já eram próximas antes de ganharem peso. Vizinhos que não eram considerados amigos estavam livres do maior risco de obesidade, o que faz parecer menos provável que a causa do aumento de peso conjunto entre grupos sociais seja a abertura de mais um restaurante de fast food ou o fechamento de uma academia no bairro.

Claro que existem muitas razões sociais possíveis para esse fenômeno – uma mudança na atitude em relação à obesidade ou o consumo conjunto de comidas pouco saudáveis, por exemplo –, mas uma contribuição instigante à lista de explicações é a transmissão microbiana, viral ou não. Ainda que o vírus de Dhurandhar não seja o principal culpado, há muitos outros micróbios a serem examinados. Talvez o compartilhamento de espécimes "obesogênicos" da microbiota dentro de redes sociais contribua para o ambiente obesogênico que outros pesquisadores percebem e facilite a disseminação da obesidade. Amigos próximos tendem a passar mais tempo na casa uns dos outros, compartilhando superfícies, alimentos, banheiros... e micro-organismos. Isso pode permitir que a obesidade se espalhe um pouco mais facilmente.

O dia final do experimento de Dhurandhar com os frangos chegou. Para ele, os resultados justificavam os sacrifícios que ele e sua família haviam feito, deixando suas vidas e entes queridos para trás, na Índia. Assim como o outro vírus, o Ad-36 fez com que as aves infectadas engordassem, enquanto aquelas que receberam o vírus alternativo permaneceram magras. Dhurandhar enfim conseguiu publicar sua descoberta na literatura científica, mas com ela muitas outras perguntas surgiram. Será que o Ad-36 funcionaria da mesma forma em seres humanos? Será que um vírus estava engordando as pessoas?

Dhurandhar e Atkinson sabiam que não podiam infectar intencionalmente seres humanos com o vírus – se ele fizesse *mesmo* as pessoas ganharem peso, não haveria como curá-las depois. Em vez disso, teriam que seguir um plano B e testar o vírus em outra espécie primata: um mico. Assim como com os frangos, os micos infectados ganharam peso. Isso era uma descoberta importante. Para ver se o vírus estava associado de alguma forma à obesidade nos humanos, ele decidiu examinar o sangue de centenas de voluntários em busca de anticorpos para o Ad-36. Conforme esperava, 30% dos voluntários obesos haviam tido contato com o vírus, em comparação com apenas 11% dos voluntários magros.

O Ad-36 é um bom exemplo do efeito encontrado nos passarinhos da espécie *Sylvia borin*. Ter o vírus não faz as galinhas comerem mais ou se exercitarem menos, mas o corpo delas passa a armazenar mais energia na forma de gordura. Como as bactérias vivendo em uma pessoa obesa, a Ad-36 está se intrometendo no funcionamento normal do sistema de armazenamento de energia. A extensão exata da contribuição desse vírus para a epidemia de obesidade continua desconhecida, mas, assim como a história dos passarinhos, indica algo importante: a obesidade nem sempre é uma doença associada ao estilo de vida cuja causa é o excesso de comida e a falta de atividade física. Pelo contrário, é uma disfunção no sistema de armazenamento de energia do corpo.

Em teoria, é possível calcular *exatamente* quanto peso uma pessoa deve ganhar de acordo com o número de calorias extras em sua dieta. Para cada 3.500 calorias que consumimos além de nossas necessidades de energia, devemos ganhar 450 g de gordura. Poderíamos comer esse excesso num só dia ou no decorrer de um ano, mas o resultado deve ser o mesmo: engordarmos 450 g naquele dia ou no decorrer daquele ano.

Na prática, porém, a coisa não funciona assim. Mesmo em alguns dos primeiros estudos sobre o aumento de peso, os números não batiam. Em um experimento, pesquisadores alimentaram doze pares de homens gêmeos idênticos com mil calorias em excesso por dia, seis dias por semana, durante cem dias. No total, cada homem comeu 84 mil calorias além de suas necessidades físicas. De acordo com a teoria, cada voluntário deveria ter engordado exatamente 10,9 kg. Na realidade, a coisa não foi tão simples assim. Para começo de conversa, até o ganho *médio* de peso foi inferior ao que a matemática diz que deveria ter sido: 8,2 kg. Os ganhos de peso individuais revelam quão inadequado é aplicar uma mera regra matemática à questão do peso. O homem que engordou menos ganhou apenas 4,1 quilos – pouco mais de um terço do valor previsto. E o gêmeo que engordou mais ganhou 13,2 kg – ainda mais que o esperado. Esses valores não podem entrar na média de "mais ou menos 10,9 kg", pois estão tão longe do previsto que usá-los é inútil.

O simples fato de o aumento de peso poder se desviar tanto da marca prevista pela clássica contagem das calorias mostra que o efeito encontrado nos passarinhos da espécie *Sylvia borin* não se limita às aves migratórias e aos mamíferos que hibernam. Em última análise, as leis da termodinâmica não podem ser contrariadas – a energia que entra deve ser *igual* à energia que sai para o peso permanecer estável. Mas o ponto crucial é este: alguns mecanismos do corpo são responsáveis por regular as calorias que absorvemos e – mais importante – a energia que vamos gastar ou armazenar, e isso vai além da mera comparação entre o que comemos e quanto nos exercitamos.

O Ad-36 oferece um bom exemplo de como isso pode ser explicado. O tecido adiposo que fica sob a pele e ao redor dos órgãos consiste em células que ficam vazias, esperando para serem preenchidas com gordura quando chega a hora de ter que armazenar energia. Em frangos infectados com Ad-36, o vírus força essas células a se encherem, mesmo sem ter um excesso de energia grande o suficiente para ser armazenado. As aves não precisaram comer mais para engordar – seu corpo estava simplesmente depositando energia no tecido adiposo, em vez de consumi-la em outro lugar.

Será que algo semelhante ocorre na obesidade humana? Será que pessoas obesas e magras estão armazenando gordura de forma diferente? Patrice Cani, professor de Nutrição e Metabolismo da Universidade Católica de Louvain, na Bélgica, já sabia que as pessoas obesas, além de serem resistentes aos efeitos da leptina, o hormônio da saciedade, também mostravam sinais de doença em seu tecido adiposo. Ao contrário das pessoas magras, suas células adiposas estavam inundadas de células imunes, como se estivessem lutando contra uma infecção.

Cani também sabia que, quando pessoas magras armazenavam energia, elas produziam *mais* células adiposas, preenchendo cada uma com apenas uma pequena quantidade de gordura. Mas em pessoas obesas, esse processo saudável não estava acontecendo. Em vez de produzir mais células adiposas, o corpo delas estava produzindo células adiposas *maiores* e abarrotando-as com cada vez mais gordura. Para Cani, a inflamação e a falta de células adiposas novas eram sinais de que quem apresenta excesso de peso substituiu o processo saudável de armazenamento de energia por um estado insalubre. Aquele não era o tipo de aumento de peso que ajudaria alguém a sobreviver durante um inverno rigoroso. Era, em si, uma espécie de doença, ele pensou.

A suspeita de Cani era de que a microbiota "obesa" estivesse causando a inflamação e a mudança no processo de armazenamento de gordura. Ele sabia que algumas bactérias presentes no intestino são envoltas por uma molécula chamada lipopolissacarídeo ou LPS, que age como uma toxina caso entre na corrente sanguínea. De fato, ele descobriu que pessoas obesas possuíam altos níveis de LPS no sangue, responsáveis por desencadear a inflamação em suas células adiposas. Cani concluiu algo ainda mais revelador: que o LPS estava impedindo a formação de novas células adiposas, fazendo as que já existiam ficarem abarrotadas.

Foi um grande avanço. A gordura das pessoas obesas não consistia em meras camadas de energia armazenada, mas em tecido adiposo com um defeito bioquímico que parecia ser causado pelo LPS. Mas como ele estava passando do intestino para a corrente sanguínea?

Entre os micro-organismos que se encontram em quantidades diferentes no intestino de pessoas magras e obesas, há uma espécie chamada *Akkermansia muciniphila*, cuja presença na flora intestinal tem correlação com o peso de seu hospedeiro: quanto menos *Akkermansia* tiver, maior será seu índice da massa corporal. Cerca de 4% da população microbiana das pessoas magras pertence a essa espécie, mas as obesas quase não têm bactérias desse tipo. Como seu nome sugere, ela vive na superfície da grossa camada de muco que recobre a mucosa intestinal (*muciniphila* significa "amiga do muco"). Esse muco forma uma barreira que impede a microbiota de entrar na corrente sanguínea, onde pode se tornar nociva. E a quantidade de *Akkermansia* não está apenas ligada ao IMC: quanto menor a quantidade dessa bactéria, mais fina será a camada de muco da pessoa e maior será a presença de LPS em seu sangue.

Poderia parecer que a *Akkermansia* é comum nos intestinos das pessoas magras por colherem os benefícios de suas camadas de muco já serem grossas, mas, na verdade, essa bactéria é responsável por "convencer" as células da mucosa intestinal a produzirem mais muco. A *Akkermansia* envia solicitações químicas que ativam os genes humanos produtores de muco. Assim, ela ganha um lar e impede que o LPS passe para o sangue.

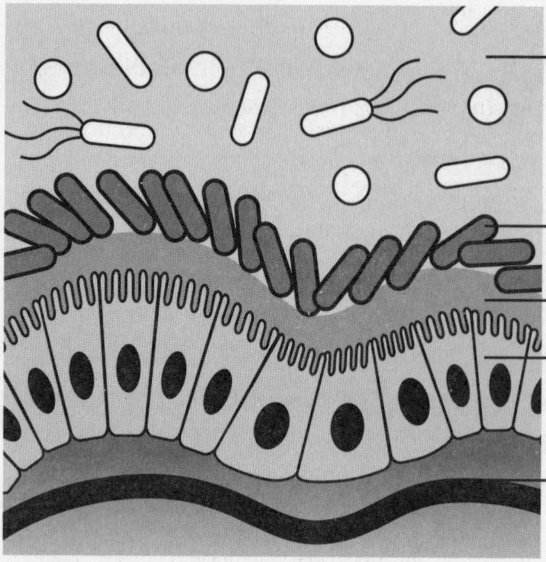

A mucosa intestinal

Se essa bactéria é capaz de aumentar a espessura da camada de muco, Cani pensou que talvez pudesse também reduzir os níveis de LPS e impedir o ganho de peso. Ele suplementou a dieta de um grupo de camundongos com *Akkermansia* e, conforme esperava, os níveis de LPS dos espécimes caíram, o tecido adiposo voltou a criar novas células saudáveis e – o mais importante – eles perderam peso. Os camundongos que receberam *Akkermansia* também se tornaram mais sensíveis à leptina, fazendo com que seu apetite diminuísse. Os camundongos não haviam ganhado peso extra porque comeram demais, mas porque o LPS estava forçando o corpo deles a armazenar energia em vez de consumi-la. Como Dhurandhar suspeitara, essa mudança no processo de armazenamento de energia sugere que as pessoas nem sempre são obesas por comerem demais. Às vezes – talvez na maioria delas – pode ser que elas comam demais porque estão doentes.

A descoberta de Cani de que *Akkermansia* protege os camundongos da obesidade pode se revelar revolucionária. Ele está planejando testar seus efeitos em seres humanos com sobrepeso na esperança de que possa ser oferecida como um suplemento na luta contra a obesidade. Em última análise, precisaremos saber o que está causando a redução na população de *Akkermansia* em pessoas obesas e com excesso de peso. Existem algumas pistas: tornar camundongos obesos colocando-os em uma dieta rica em gorduras reduz os níveis de *Akkermansia*, mas suplementar essa mesma dieta com fibras traz as bactérias de volta aos níveis saudáveis.

A previsão é de que, em 2030, 86% da população americana será obesa ou terá excesso de peso. Em 2048, todos os americanos estarão nesse grupo. Há cinquenta anos tentamos lidar com a obesidade encorajando as pessoas a comerem menos e se exercitarem mais. Não funcionou. Milhões de adultos e crianças ficam obesos ou com excesso de peso a cada ano, apesar de despenderem grandes quantias de dinheiro tentando perder peso. E nós continuamos abordando o tratamento da obesidade como meio século atrás: com quase nenhum progresso.

Agora nosso único tratamento sistematicamente eficaz para a obesidade é a cirurgia de redução do estômago. Pacientes que tentaram sem sucesso perder peso por meio de dieta estão condenados a ter o estômago reduzido ao tamanho de um ovo para pararem de comer em excesso. O pressuposto é que, já que não conseguiram seguir o regime, precisam tomar uma providência drástica para diminuir sua ingestão calórica. Algumas semanas após a cirurgia, os pacientes já perderam vários quilos.

Trata-se de uma intervenção que supostamente funcionaria eliminando a necessidade da força de vontade, ao impedir de uma vez por todas que as pessoas comam mais que uma porção infantil a cada refeição. Mas parece que esse resultado envolve outros fatores. Uma semana após a cirurgia, a flora intestinal muda, deixando de se parecer com a de uma pessoa obesa e passando a se parecer com a de uma pessoa magra. A relação entre Firmicutes e Bacteroidetes se inverte, e a população da boa e velha bactéria *Akkermansia* aumenta cerca de 10 mil vezes. Cirurgias de redução do estômago em camundongos mostram as mesmas mudanças na composição da flora intestinal. Falsas cirurgias, porém, em que incisões são feitas mas o estômago volta a ser costurado em seu tamanho original, não têm o mesmo efeito. Até mesmo transferir a microbiota de um camundongo que tenha passado por uma redução de estômago para um camundongo livre de germes causa neste último uma súbita perda de peso. Parece que o redirecionamento de nutrientes, enzimas e hormônios é que promove essa mudança, levando então à perda de peso. Não são as porções minúsculas a que os pacientes estão limitados que os ajudam a perder peso, mas a alteração na regulação da energia graças à nova microbiota.

Vinte e cinco anos após o surto do vírus do frango em Mumbai, Nikhil Dhurandhar foi nomeado presidente da Obesity Society nos Estados Unidos. Suas pesquisas sobre as causas virais da obesidade vêm ganhando cada vez mais aceitação na comunidade científica e ele continua investigando as razões subjacentes da obesidade.

Os micro-organismos, tanto virais quanto bacterianos, estão nos mostrando que a obesidade envolve mais do que comer de mais e se exercitar de menos. A energia que cada um de nós extrai da alimentação e o modo como essa energia é usada e armazenada são fatores diretamente associados à configuração particular da comunidade de micróbios a que servimos de anfitriões. Se queremos realmente chegar ao cerne da epidemia da obesidade, precisamos olhar para nossa microbiota e indagar o que estamos fazendo de errado para alterar a dinâmica que as bactérias estabeleceram com o corpo humano em sua forma mais esguia e saudável.

TRÊS

Controle da mente

Vez ou outra, nos brejos contaminados por pesticidas dos estados do oeste norte-americano, aparecem sapos com deformidades grotescas. Muitos têm até oito pernas traseiras, saindo dos quadris, e alguns simplesmente não têm nenhuma. Eles se esforçam para nadar e saltar, mas costumam ser capturados por pássaros antes de estarem plenamente crescidos. Essa anormalidade no desenvolvimento não é uma mutação genética, e sim obra de um micróbio: um verme trematódeo parasita. As larvas desse verme, tendo sido expelidas de seu hospedeiro anterior – um tipo de caracol –, procuram os sapos quando ainda são girinos. Enterram-se nos membros em formação e formam cistos que comprometem o desenvolvimento das pernas, às vezes fazendo-as se duplicarem e depois voltarem a se duplicar.

Para os sapos, essa deformação costuma ser fatal, pois eles não são capazes de escapar das garças famintas que os perseguem em busca de uma refeição fácil. Quanto ao trematódeo, o membro extra ajuda na continuação de seu ciclo de vida. Uma garça pode capturar esses sapos deformados com facilidade e digeri-los junto com os trematódeos que moram neles, inadvertidamente se tornando o próximo hospedeiro do parasita – que logo é devolvido à água nas fezes da garça, onde volta a se instalar no caracol. Uma estratégia inteligente, ao que parece – não que a inteligência desempenhe qualquer papel na jornada do trematódeo. É a seleção natural que traz o infortúnio aos sapos, já que os trematódeos capazes de criar espécimes vulneráveis à predação são os que sobrevivem e podem transmitir seus genes deformadores de membros, perpetuando seu ciclo de vida.

Alterar o corpo do hospedeiro é uma forma de melhorar sua aptidão evolutiva – sua chance de se reproduzir –, mas existe outra possibilidade: alterar o *comportamento* do hospedeiro.

Ao revirar as folhas mais ou menos à altura da cabeça nas florestas tropicais de Papua-Nova Guiné, ocasionalmente vemos carapaças de formigas mortas, suas mandíbulas fixadas nos veios centrais, mantendo seus corpos sem vida no lugar. De cada formiga brota uma longa haste, inclinada pelo peso de sua bolsa cheia de esporos. Essas hastes são fungos *Cordyceps*, que mataram as formigas e estão se alimentando de seus corpos e liberando esporos que caem no solo da floresta. Crescer dentro das formigas é uma forma inteligente de conseguir a energia necessária para se reproduzir, mas, para os fungos, elas servem a outro propósito.

Uma vez infectada pelo *Cordyceps*, a formiga vira um zumbi. Ela passa a ignorar suas tarefas do dia a dia em sua colônia no solo da floresta e cede ao impulso de subir em uma árvore. Ali, encontra um veio de folha no lado norte do tronco, uns 150 cm acima do solo, e morde-o com força, ancorando-se no lugar. Pouco depois, o fungo rouba a vida da formiga. Após alguns dias, o fungo germina, faz brotar uma haste e libera seus esporos. Eles caem no solo, cobrindo os detritos folhosos embaixo e infectando uma nova tropa de formigas. O *Cordyceps* muda o comportamento da formiga, controlando-a de uma forma incrivelmente específica para ajudá-lo a dar origem à próxima geração de fungos.

Não se trata do único micro-organismo capaz de modificar o comportamento do hospedeiro. Cães infectados pela raiva, em vez de se enroscarem para morrer, tornam-se extremamente agressivos. Com a boca espumando uma saliva cheia de vírus, eles vão atrás de briga, loucos para morder outro cão. Ratazanas infectadas pelo parasita *Toxoplasma* perdem o medo de espaços abertos e luz e passam a ser atraídas pelo odor da urina do lince – efetivamente indo ao encontro de seu maior predador. Insetos infectados por um nematomorfo parasita parecem cometer suicídio ao saltar na água, onde o parasita consegue emergir do inseto morto.

Todos esses comportamentos controlados por micro-organismos se desenvolveram porque os ajudam a se espalhar para novos hospedeiros. Os vírus da raiva que fazem os cães morderem os outros são transmitidos para mais um ou dois cães, onde continuam se reproduzindo. Os parasitas *Toxoplasma*, capazes de direcionar ratazanas para felinos, podem continuar seu ciclo de vida quando a ratazana é morta e comida. Os nematomorfos precisam encontrar uma fonte de água para achar parceiros e se reproduzir. Conseguir controlar o comportamento do hospedeiro aumenta a capacidade de sobrevivência e reprodução dos micróbios, que são favorecidos, dessa forma, pela evolução. O espantoso é quão preciso esse controle pode ser.

Os efeitos de vírus, bactérias e fungos sobre o comportamento não se limitam à vida selvagem. Os seres humanos também podem ser expostos aos caprichos deles. Tomemos o caso de uma menina belga, Senhorita A, que até os 18 anos havia sido feliz e saudável e estava se preparando para os exames da faculdade. No decorrer de poucos dias, tornou-se agressiva, não quis mais se comunicar e perdeu as inibições sexuais. Foi enviada a um hospital psiquiátrico, onde lhe prescreveram medicação antipsicótica e ela recebeu alta. Três meses depois, Senhorita A retornou ao hospital com um comportamento ainda pior, acompanhado de vômitos e diarreia incontroláveis. Seus médicos decidiram por uma biópsia do cérebro, o que revelou a origem de seu problema psiquiátrico. Ela tinha a doença de Whipple, uma infecção rara causada por uma bactéria que ocasionalmente anuncia sua presença através do comportamento de seu hospedeiro.

É interessante notar que Senhorita A apresentou sintomas gastrointestinais – vômitos e diarreia – junto com os comportamentais que a levaram ao hospital psiquiátrico. Pessoas que sofrem da doença de Whipple normalmente chegam ao médico com rápida perda de peso, dor abdominal e diarreia – todos sinais de infecção gastrointestinal. Na Senhorita A, a infecção havia afetado não apenas o intestino, mas também o cérebro, desviando a atenção dos médicos de sua verdadeira origem. De fato, sintomas gastrointestinais são surpreendentemente comuns em pessoas com distúrbios neurológicos e mentais, embora costumem ser vistos como irrelevantes quando comparados com o comportamento alterado.

Para uma mulher extraordinária, porém, a diarreia de seu filho autista mostrou-se uma pista que valia a pena seguir.

Ellen Bolte já era mãe de três filhos quando o quarto, Andrew, nasceu em fevereiro de 1992, em Bridgeport, Connecticut. Ele era, como sua filha Erin e seus dois outros filhos haviam sido, um bebê feliz e saudável, atingindo todos os marcos de desenvolvimento. Na época de seu check-up de 15 meses no pediatra, Andrew parecia bem, mas, para a surpresa de Ellen, o médico ficou horrorizado com o estado dos ouvidos de Andrew. Estavam cheios de líquido, constatou – Andrew tinha uma infecção grave nos ouvidos e precisava de antibióticos. "Fiquei surpresa, porque ele não tivera nenhuma febre e estava comendo, bebendo e brincando normalmente", disse Ellen. Porém dez dias depois, quando Ellen retornou para uma revisão, o líquido não havia desaparecido. Um segundo tratamento de dez dias foi prescrito, dessa vez com um antibiótico diferente. Por fim, os ouvidos de Andrew sararam.

Mas a cura se mostrou temporária, e a saga continuou. Andrew recebeu um terceiro e depois um quarto tratamento de antibióticos para tentar curar seus ouvidos de uma vez por todas – com medicamentos diferentes para atacar grupos de bactérias distintos. Àquela altura, Ellen passou a questionar a necessidade de mais remédios, já que seu filho não parecia ter nenhum incômodo nem qualquer problema de audição. Mas o médico insistiu: "Se você dá valor à audição do seu filho, é melhor lhe dar esses antibióticos." Ellen cedeu e seguiu a recomendação médica. Foi aí que a diarreia começou. E como esse é um efeito colateral comum de tratamento com antibióticos, o médico, em vez de interrompê-lo, prescreveu mais trinta dias de medicação para manter a infecção longe.

Durante a última sequência de medicamentos, o comportamento de Andrew mudou. De início parecia um pouco bêbado, sorrindo e cambaleando. "Como um bêbado feliz", disse Ellen. "Brinquei com meu marido dizendo que da próxima vez que déssemos uma festa poderíamos batizar o ponche com seus antibióticos, para animar o ambiente. Achamos também que os ouvidos de Andrew deviam lhe estar causando tanta dor que agora ele estava delirando de felicidade por ter se livrado dela." Mas isso durou pouco, e após uma semana Andrew começou a ficar retraído. Tornou-se arredio e mal-humorado, e depois muito irritável, gritando o dia todo. Novos sintomas gastrointestinais surgiram – a diarreia de Andrew piorou e estava cheia de muco e comida não digerida. "Antes dos antibióticos, eu não tinha um filho doente. Agora tenho um filho muito doente."

O comportamento de Andrew piorou. "Ele começou a ter todos aqueles comportamentos estranhos – andar na ponta dos pés e evitar olhar para mim. As poucas palavras que sabia, esqueceu", contou Ellen. "Ele nem sequer respondia quando eu o chamava pelo nome. Foi como se tivesse partido." Os pais então levaram Andrew a um otorrino, que inseriu tubos minúsculos para ajudar na drenagem dos líquidos. O especialista disse que não havia infecção e recomendou que parassem de dar leite de vaca ao filho. Nesse ponto, seus ouvidos estavam curados. Ellen ficou esperançosa: "Pensei, certo, agora que conseguimos curar os ouvidos, seu comportamento voltará ao normal. Mas logo ficou claro que isso não ia acontecer."

Àquela altura os sintomas gastrointestinais de Andrew eram terríveis e, embora ele antes tivesse um peso saudável, tornou-se uma criança esquelética com a barriga inchada. Seu comportamento também ficou mais estranho. Andava na ponta dos pés sem dobrar os joelhos, ficava à porta, acionando o interruptor para acender e apagar a luz durante meia hora, preocupava-se com objetos – como potes com tampas –, mas não se interessava por outras crianças. Acima de tudo, gritava. Àquele ponto, desesperado por ajuda, o casal começou a levá-lo a vários médicos em busca de respostas. Aos 25 meses, foi diagnosticado o autismo.

Para muitas pessoas, inclusive Ellen Bolte na época do diagnóstico de Andrew, o filme *Rain Man*, de 1988, em que Dustin Hoffman representa um personagem autista, era a única referência que tinham sobre autismo. No filme, apesar de graves dificuldades nas interações sociais e sua insistência em manter a rotina diária, o personagem de Hoffman possui uma memória extraordinária, sendo capaz de lembrar anos de dados da liga americana de beisebol. Ele é um autista portador da síndrome de savant, ou seja, tem dificuldades cognitivas, mas é superdotado. Apesar do interesse da mídia, as habilidades musicais, matemáticas e artísticas notáveis do savantismo são raras. Na realidade, o autismo engloba um amplo espectro de sintomas, que vão daqueles com inteligência média ou acima da média – conhecida como síndrome de Asperger – àqueles com autismo grave e incapacidade de aprendizado, como Andrew Bolte.

O que todos os autistas têm em comum, no entanto, são dificuldades no comportamento social. Essa foi a característica que levou o psiquiatra americano Leo Kanner a identificar o autismo como uma síndrome distinta em 1943. Em seu artigo seminal sobre o tema, descreveu os casos de onze crianças que compartilhavam uma "*incapacidade de se relacionarem* de forma normal com pessoas e situações desde o início da vida". Kanner pegou emprestada a palavra *autismo* – que significa "ensimesmamento" – da constelação de sintomas associados à esquizofrenia. "Existe desde o princípio", escreveu ele, "uma *extrema solidão autista* que, sempre que possível, despreza, ignora, bloqueia qualquer coisa que venha de fora". Os portadores podem não conseguir entender entonação, talvez não captando as piadas ou levando sarcasmo e metáforas ao pé da letra. Podem ter dificuldade em mostrar empatia por outras pessoas e compreender as regras sociais implícitas que as outras pessoas aprendem durante a infância. Além disso, podem preferir uma rotina fixa ou tornar-se obcecados por uma ideia ou objeto.

Na década de 1990, quando o autismo de Andrew Bolte foi diagnosticado, acreditava-se que todas as crianças com autismo já nasciam com a doença – como Leo Kanner havia observado. Para Ellen, aquilo significava que o diagnóstico *tinha* que estar errado. "Eu sabia, no fundo da alma, que Andrew não tinha nascido daquele jeito. Eu havia tido quatro filhos – ele estava bem, absolutamente bem." Mas apesar de suas afirmações, os médicos apenas insistiam que ela não devia ter percebido os sinais e que Andrew era autista desde que nasceu. Sua convicção de que isso não era verdade significava que seu filho ainda não tinha recebido o diagnóstico correto. Foi essa convicção que levou Ellen à pesquisa que acabaria levando a uma hipótese revolucionária sobre a causa do autismo.

Antigamente, o autismo era raríssimo, afetando cerca de uma em cada 10 mil pessoas. No momento em que as primeiras pesquisas foram realizadas, no final da década de 1960, cerca de uma em cada 2.500 crianças eram afetadas. No ano 2000, Centros de Controle e Prevenção de Doenças dos Estados Unidos começaram a manter registros – de início indicando que o transtorno do espectro autista afetava uma em cada 150 crianças de 8 anos. Esta cifra aumentou rapidamente nos dez anos seguintes, atingindo uma em 125 em 2004, uma em 110 em 2006 e uma em 88 em 2008. Na época da última contagem, em 2010, os números estavam em uma em cada 68 crianças. A frequência dos casos mais que dobrou nos últimos dez anos.

Representadas num gráfico, essas cifras parecem extremamente preocupantes, já que o aumento mostra poucos sinais de que vai ceder. Se essa tendência persistir no futuro, teremos o quadro de uma sociedade bem diferente. As estimativas conservadoras sugerem que uma em cada 30 crianças poderá ser autista em 2020, e alguns chegaram a sugerir que toda família nos Estados Unidos terá uma criança no espectro autista em 2050. O transtorno do espectro autista tende a afetar mais os meninos do que as meninas, e mais de 2% dos meninos agora se enquadram no espectro autista. Embora alguns digam que o aprimoramento do diagnóstico levou a um falso aumento e que a maior consciência sobre a questão sem dúvida deve ter contribuído para os números atuais, os especialistas concordam que o aumento nos casos de autismo é genuíno. Mas, até recentemente, poucos concordavam sobre sua causa.

Na época em que Ellen Bolte começou sua pesquisa, a teoria predominante para a causa do autismo era genética. Apenas uma década antes, muitos psiquiatras acreditavam na hipótese da "mãe-geladeira", que havia sido inadvertidamente apresentada por Leo Kanner em 1949. Ele escrevera que crianças autistas estavam expostas desde o início da vida à "frieza, obsessão e um tipo de atenção mecânica dos pais, somente às necessidades materiais [...]. Eram deixados de maneira impecável em geladeiras que não degelavam. Seu retraimento parece ser um ato de afastamento de tal situação, em busca de conforto na solidão". Mas Kanner também escrevera que o autismo era uma doença inata, começando antes do nascimento, e desde então disse que nunca acreditou que os pais fossem responsáveis por deixar seus filhos doentes. Na década de 1990, embora a ideia da mãe-geladeira persistisse em algumas regiões do mundo, havia sido em grande parte refutada, e a atenção se voltara, talvez seguindo a moda, ao papel da genética na causa do autismo.

Claro que Ellen não tinha intenção de resolver o enigma da causa do autismo. Pelo contrário, estava apenas em busca da possibilidade de que um acontecimento súbito – uma doença ou exposição de algum tipo – pudesse ter feito seu filho adoecer. Ela começou sua busca por respostas com o equilíbrio perfeito entre mente aberta e ceticismo próprio dos melhores cientistas. Sua carreira como programadora de computadores ajudou, à medida que ela percorria uma série de passos lógicos para chegar a uma hipótese. Começou, embora não tivesse formação em medicina nem em ciência, pelo início: pela observação. "Eu o observei e indaguei o que fazia Andrew se comportar daquele jeito. Ele comia cinzas da lareira e papel higiênico, embora recusasse a comida que eu oferecia. O que o fazia agir assim? Ele reagia como se sentisse dor quando era tocado ou quando havia sons altos. Por quê?"

Começando pela biblioteca pública, Ellen leu tudo o que pudesse oferecer alguma pista. E continuou consultando diferentes médicos em busca de um diagnóstico alternativo ou de alguém que se interessasse o suficiente para não dar as costas a ela e Andrew. Um médico interessou-se pelo caso e disse a ela que, se quisesse realmente fazer a pesquisa, tinha que começar a ler a literatura científica. Por mais que isso a intimidasse, Ellen foi à luta e se familiarizou com o jargão médico. Após vários falsos inícios, ela começou a se perguntar se o antibiótico prescrito para o ouvido de Andrew poderia ter causado todo o problema. Então se deu conta de que cada vez mais pesquisas tratavam de infecções por *Clostridium difficile*, bactéria responsável por causar diarreia grave e incurável após tratamentos com antibióticos. A relação com os sintomas gastrointestinais de Andrew era óbvia, e Ellen quis saber se uma bactéria similar poderia não apenas causar diarreia, mas também liberar uma "toxina" que pudesse ter afetado o cérebro em desenvolvimento de seu filho.

Nesse momento Ellen encontrou sua hipótese: Andrew devia estar infectado com uma bactéria chamada *Clostridium tetani*, que é "parente" da *C. difficile*. Mas em vez de entrar na corrente sanguínea do menino e causar uma infecção de tétano, como costuma fazer, a *C. tetani* pode ter chegado a seu intestino. Seu palpite era de que os antibióticos que Andrew recebera para a infecção no ouvido haviam matado as bactérias protetoras que vivem no intestino, permitindo que a *C. tetani* assumisse o controle. Dali, a neurotoxina produzida pela bactéria devia ter se deslocado de algum modo, chegando ao cérebro de Andrew. Ellen ficou muito empolgada e resolveu apresentar sua conclusão ao médico.

"Ele foi bem receptivo. Disse que testaríamos tudo que pudéssemos." Fizeram um exame de sangue em Andrew em busca de sinais de que o sistema imunológico dele houvesse lidado com uma infecção de *C. tetani*. Como a maioria das crianças pequenas, Andrew havia sido imunizado contra tétano, de modo que era inevitável encontrar em seu sangue algum sinal de contato com a bactéria. Mas o resultado do exame de sangue chocou até a equipe do laboratório: o nível de proteção imunológica de Andrew estava lá em cima, bem diferente da encontrada em crianças após a imunização. Após meses de exames de sangue sem resultado, Ellen Bolte enfim tinha algum sinal de que estava no caminho certo.

Pôs-se a escrever para médicos, pedindo que levassem sua teoria em conta e tratassem Andrew com mais um antibiótico, a vancomicina, para livrá-lo da *C. tetani* em seu intestino. Todos rejeitaram as ideias de Ellen. Por que Andrew não tinha contração muscular extrema, como é típico do tétano? Como a neurotoxina transpusera a barreira sangue-cérebro e penetrara neste último? Como Andrew podia estar infectado por uma bactéria contra a qual tinha sido imunizado? Mas, depois de meses de pesquisa, Ellen estava convencida de que estava certa.

Após cada rejeição, Ellen mergulhava mais fundo na literatura científica, buscando respostas para seus questionamentos. Descobriu que contrações musculares ocorriam após a infecção através de alguma ferida na pele, o que permitia à neurotoxina encontrar nervos que iam até os músculos, mas uma infecção no intestino poderia afetar nervos que chegam até o cérebro. Ela ficou sabendo de experimentos em que o percurso da neurotoxina do tétano havia sido rastreado, indo do intestino ao cérebro via nervo vago – uma ligação importante entre os dois órgãos –, vencendo a barreira sangue-cérebro. Ela também desencavou casos de pacientes que haviam contraído infecções clássicas do tétano depois de terem sido adequadamente imunizados. Com o passar do tempo, Ellen já aceitara o diagnóstico de autismo de Andrew e sua pesquisa deixara de ser uma busca pessoal e trouxe uma nova perspectiva sobre uma doença cuja causa é um mistério.

Na época em que Ellen abordou o 37º médico da lista, já estava minuciosamente familiarizada com cada aspecto de sua hipótese. O Dr. Richard Sandler, gastroenterologista pediátrico do Hospital Infantil Rush, em Chicago, passou duas horas ouvindo-a contar a história de Andrew e expor suas ideias. Quando ela terminou, o doutor pediu duas semanas para pensar sobre sua proposta de tratar Andrew com mais uma leva de antibióticos – desta vez para matar a *C. tetani*. "Por mais absurdo que parecesse", disse ele, "era cientificamente *plausível*. Eu não podia descartar a ideia."

O Dr. Sandler concordou em fazer um teste de oito semanas com antibióticos para Andrew, na época com 4 anos e meio. Antes do tratamento, ele foi submetido a uma bateria de exames de sangue, urina e fezes. Além disso, um psicólogo clínico realizou uma série de observações do comportamento de Andrew, de modo a ser possível avaliar quaisquer mudanças que pudessem ocorrer durante o tratamento. Alguns dias depois de começar a tomar os antibióticos, o menino ficou ainda mais hiperativo do que de hábito. O que aconteceu em seguida surpreenderia o Dr. Sandler, justificaria a batalha de dois anos de Ellen contra a comunidade médica e transformaria o perfil das pesquisas sobre autismo.

Sempre observador, Charles Darwin escreveu em seu livro de 1872, *A expressão das emoções no homem e nos animais*, que: "A maneira como as secreções do canal alimentar [...] são afetadas por emoções fortes é outro excelente exemplo da ação direta do sensório sobre esse órgão, independentemente da vontade." Ele se refere, é claro, à sensação de intestino solto que acompanha a chegada de más notícias, ao estômago revirado quando você percebe que não ouviu o despertador e está atrasado para a prova, ao frio na barriga quando nos apaixonamos. O cérebro e o intestino, apesar de sua distância e de desempenharem funções totalmente diferentes, têm uma ligação íntima – e de mão dupla. Não apenas as emoções afetam o funcionamento do intestino, mas a atividade intestinal pode afetar seu estado de humor e seu comportamento também. Pense na última vez que você esteve mal da barriga – sem dúvida não foi apenas seu sistema digestivo que ficou irritado.

Para as vítimas de distúrbios persistentes como a síndrome do intestino irritável, as emoções têm uma influência apavorante sobre seus sintomas. Quando os níveis de estresse estão altos, a SII pode se manifestar, tornando a situação mais estressante ainda. O nervosismo de um primeiro encontro ou de uma apresentação importante no trabalho é intensificado pelo mal-estar da SII, provocando um círculo vicioso de sintomas e estresse cada vez piores. Sabendo que essa doença está ligada a alterações na flora intestinal, será possível que a ligação intestino-cérebro inclua um terceiro protagonista? Será que deveríamos pensar então em uma ligação intestino-*microbiota*-cérebro?

Os cientistas médicos Nobuyuki Sudo e Yoichi Chida foram os primeiros a fazer essa pergunta já em 2004. Eles conceberam um experimento simples com camundongos para descobrir se a flora intestinal afetava a reação do cérebro ao estresse. Usando camundongos livres de germes e camundongos comuns, colocaram-nos em um tubo. Os dois grupos produziram hormônios do estresse, mas, nos livres de germes, as concentrações eram o dobro. Sem microbiota, os camundongos acharam a situação muito mais estressante.

Sudo e Chida então quiseram saber se podiam reverter essa reação excessiva ao estresse nos camundongos livres de germes, colonizando-os com uma microbiota normal quando atingissem a fase adulta. Ao que se revelou, era tarde demais: sua reação ao estresse já estava consolidada. Eles descobriram que, quanto mais cedo os ratinhos eram colonizados, menos estressados ficavam. Surpreendentemente, colonizar os camundongos livres de germes jovens com apenas uma espécie bacteriana, *Bifidobacterium infantis*, já bastou para impedir que ficassem mais estressados que seus primos de microbiota normal.

Esses experimentos abriram a possibilidade de uma nova forma de pensar. Os micróbios do intestino alteravam não apenas a saúde física, mas a saúde mental também. Além disso, parecia que esses efeitos podiam começar ainda na infância se a flora intestinal fosse perturbada muito cedo. Nosso cérebro passa por um período intensamente concentrado de desenvolvimento quando somos bebês. Ao nascermos, cada um de nós já tem seus 100 bilhões de células nervosas – os neurônios – prontas em nosso cérebro. Mas elas são apenas a matéria-prima, como uma pilha de ripas de madeira. A construção de algo significativo exige um cuidadoso trabalho de marcenaria por meio de conexões – chamadas sinapses – que interligam os neurônios. As experiências de uma criança pequena determinam quais sinapses serão formadas, bem como quais são importantes e devem ser reforçadas, e quais são insignificantes e devem ser descartadas. Um bebê, cuja vida diária está repleta de novos estímulos, forma cerca de 2 milhões de sinapses por segundo, cada uma oferecendo um novo potencial de aprendizado e desenvolvimento. No entanto, cérebros saudáveis precisam de um equilíbrio cuidadoso entre a lembrança e o esquecimento, de modo que a maioria dessas novas sinapses serão descartadas durante a infância. Com as sinapses, nessa idade, é "usar ou perder"– aquelas que não são regularmente reforçadas serão podadas para o cérebro ficar bem arrumadinho.

Se os micróbios do intestino são capazes de influenciar o cérebro nesse período crucial de seu desenvolvimento, no início da vida, será que isso poderia respaldar a ideia de Ellen Bolte de que o autismo de seu filho se deveu a uma infecção intestinal? O autismo regressivo afeta crianças antes dos 3 anos, a época em que ocorre a maior parte do desenvolvimento do cérebro e que coincide com o período de estabelecimento de uma microbiota intestinal estável, como a dos adultos. O tratamento precoce de Andrew com antibióticos para o que parecia uma infecção no ouvido devia ter perturbado o processo, permitindo que a *C. tetani* tomasse o controle. Ellen esperava que um novo tratamento de antibióticos pudesse destruir essa bactéria, detendo o dano que estava causando àquele cérebro tão jovem.

Dois dias de calma profunda vieram após os episódios de hiperatividade de Andrew no início do tratamento. "Foi um milagre", disse Ellen. "Poucas semanas depois do início do tratamento, os resultados começaram a aparecer. Comecei a lhe ensinar a usar o penico – ele já estava com 4 anos! – e em poucas semanas ele já havia aprendido. Pela primeira vez em três anos ele estava entendendo o que eu dizia. Andrew se tornou carinhoso, atento e calmo, e até aprendeu a falar mais do que as poucas palavras que aprendera antes de ficar doente. Deixava que o vestissem e conseguíamos chegar ao fim do dia sem que ele tivesse comido parte da camiseta. O psicólogo até preparou um relatório sobre o comportamento de Andrew durante o tratamento com antibiótico, mas as mudanças foram tão profundas que o Dr. Sandler nem precisou vê-lo.

Por mais espetacular que tenha sido sua melhoria, uma amostra unitária – apenas Andrew – jamais poderia provar sem sombra de dúvida que a fonte do autismo estava no intestino. Felizmente, um microbiologista de grande reputação havia sido atraído pelas ideias de Ellen após o bem-sucedido teste dos antibióticos de Andrew. Dr. Sydney Finegold dedicara sua carreira ao estudo das bactérias anaeróbicas – que sobrevivem sem oxigênio. Ele foi descrito como "possivelmente o pesquisador de microbiologia anaeróbica mais influente do século XX ou talvez de todos os tempos". Era a esse grupo de bactérias que os membros do gênero *Clostridium*, incluindo a *C. tetani*, pertenciam. Com o cacife e o conhecimento científico de Finegold, a hipótese do autismo de Ellen estava em boas mãos.

O Dr. Sandler, junto com Finegold e Ellen, estendeu o teste do antibiótico a onze crianças com autismo de início tardio e diarreia. O objetivo não foi ver se antibióticos seriam um tratamento adequado para o autismo, mas usá-lo como prova de conceito. Se esses medicamentos pudessem fazer com que as crianças melhorassem ainda que parcial ou temporariamente, então os micróbios vivendo no intestino – fosse a *C. tetani* ou algum outro – poderiam ser responsáveis por sua condição. Assim como ocorreu com Andrew, o resultado do teste em outras crianças foi substancial. Elas começaram a fazer contato visual, brincar normalmente e usar a linguagem para se expressar. Ficaram menos obcecadas com um único objeto ou atividade e se tornaram mais amáveis. Infelizmente, essa melhora vista durante o tratamento não foi duradoura nem para Andrew, nem para as outras crianças. Mais ou menos uma semana após o fim dos antibióticos, a maioria das crianças já haviam regredido ao estado anterior. Mas pela primeira vez desde que a doença fora descrita, o mistério do autismo tinha uma nova e promissora pista: os micro-organismos do intestino.

Em 2001, seis anos após Ellen Bolte desenvolver sua hipótese de que a *C. tetani* no intestino era a causa do autismo, ela enfim poderia descobrir se tinha razão. Sydney Finegold organizou um estudo dos micróbios presentes no intestino grosso de treze crianças com autismo e oito crianças saudáveis como grupo de controle para comparação. As técnicas de sequenciamento do DNA ainda eram caras demais para que uma pesquisa completa da microbiota das crianças fosse realizada, mas a habilidade de Finegold em cultivar bactérias em condições livres de oxigênio tornava possível que as espécies pertencentes ao gênero *Clostridium* fossem contadas. Embora a bactéria *C. tetani* propriamente dita não tenha sido encontrada, algo estava errado. Em comparação com as crianças saudáveis, as autistas tinham, em média, dez vezes mais bactérias desse gênero em seus intestinos. Talvez, como a *C. tetani*, aquelas espécies também estivessem produzindo uma neurotoxina capaz de causar danos ao cérebro das crianças. A hipótese de Ellen Bolte não havia acertado na mosca, mas errara por muito pouco.

Será realmente possível que o simples fato de ter uma coleção diferente de bactérias no intestino possa fazer as crianças agitarem as mãos, se balançarem para a frente e para trás e gritarem durante horas, como fazem muitas crianças autistas? A resposta é sim. Acontece que o parasita *Toxoplasma* – o mesmo que faz as ratazanas perderem o medo de espaços abertos e serem atraídas pelo odor da urina de felinos – também muda o comportamento dos humanos. Tendemos a nos infectar devido ao nosso amor pelos gatos – mesmo os domésticos podem portar o parasita, e é fácil pegá-lo de um arranhão ou da caixa de areia. Tão fácil que a enorme cifra de 84% das mulheres parisienses testadas durante a gravidez se mostraram infectadas. Em outros lugares, a cifra tende a ser um pouquinho menor: cerca de 32% das mulheres grávidas na cidade de Nova York e 22% em Londres, por exemplo. Para um bebê em desenvolvimento, uma infecção nova com *Toxoplasma* pode ser muito perigosa, daí o teste nas mulheres grávidas. No entanto, na população adulta, a toxoplasmose raramente causa distúrbios de saúde, só que o parasita deixa sua marca com uma alteração da personalidade.

Por estranho que pareça, a infecção por *Toxoplasma* tem efeitos quase opostos em mulheres e homens. Homens infectados tendem a se tornar menos agradáveis, ignorando as regras sociais e perdendo o senso de moralidade. Relativamente falando, ficam mais desconfiados, ciumentos e inseguros. Já para as mulheres, os efeitos da infecção parecem quase desejáveis, pois elas se tornam mais descontraídas, calorosas e confiantes. Também tendem a ser mais seguras de si e determinadas do que mulheres não infectadas. É intrigante pensar no potencial de promiscuidade aqui, com mulheres reduzindo suas defesas e homens agindo com menos consideração pelos outros, com a moralidade recém-afrouxada. Fundamentalmente, como acontece com as ratazanas, os seres humanos de ambos os sexos parecem ficar mais abertos ao risco: as mulheres por causa do aumento de sua confiança e os homens pela impulsividade social.

Mas mudança de personalidade não é o único efeito da infecção por *Toxoplasma* em humanos. Uma vez infectados, tanto homens quanto mulheres ficam com reações mais lentas e perdem a concentração com mais facilidade. Esses efeitos, apesar de terem sido avaliados como leves em testes de laboratório, podem ter consequências sérias. Comparando a frequência da infecção por *Toxoplasma* em 150 pessoas hospitalizadas em Praga após causarem acidentes de trânsito com a de cidadãos que não causaram nenhum acidente, uma equipe de pesquisadores da Universidade Charles calculou que essa infecção aumenta em três vezes as suas chances de causar um acidente. Um estudo semelhante na Turquia descobriu que motoristas envolvidos em acidentes tinham quatro vezes mais chances de estarem infectados.

Ao contrário das ratazanas, os humanos são os últimos hospedeiros do parasita *Toxoplasma*, já que nossas chances de sermos comidos por um felino selvagem são bem pequenas. Devido a nossa história evolutiva, quando ser morto por uma onça talvez fosse tão provável quanto ser morto em um acidente de carro nos tempos atuais, esse pequeno parasita ainda consegue mudar nossa personalidade e comportamento. Uma explicação alternativa é que o parasita não tinha o objetivo de nos infectar e que o mecanismo que o *Toxoplasma* desenvolveu para passar da ratazana ao felino simplesmente funciona tanto no cérebro humano quanto no do roedor. Qualquer que seja a explicação, é suficiente para deixar você em dúvida se seu corpo hospeda esse pequeno intruso e quais calamidades pessoais você poderia atribuir a ele.

Afora as mudanças um tanto divertidas da personalidade causadas pela toxoplasmose, essa infecção também tem um lado mais sombrio. Já em 1896, a revista *Scientific American* publicou um artigo intitulado “A insanidade deve-se a um micróbio?” Na época, a ideia de que micro-organismos podiam causar doenças era novidade, sendo portanto natural que o conceito pudesse se estender aos distúrbios psiquiátricos. Uma dupla de médicos de um hospital do estado de Nova York fez um teste, injetando o líquido raquidiano de pacientes esquizofrênicos em coelhos, que subsequentemente adoeceram. Isso os fez indagar quais micróbios poderiam estar à espreita em doentes mentais.

Embora carecesse de rigor científico, esse miniexperimento despertou uma onda de interesse pelos micróbios como causadores de problemas mentais. Apesar do grande potencial da ideia, a obra de Sigmund Freud logo levou ao seu súbito abandono, algumas décadas depois, a favor de sua teoria psicanalítica. Em vez de uma causa fisiológica para os distúrbios neurológicos, Freud propôs uma causa emocional, enraizada nas experiências da infância. Sua teoria perdurou até o lítio se mostrar uma cura melhor para o transtorno bipolar do que conversas num consultório.

Na primeira metade do século XX, à medida que se descobria que doença após doença era causada por micro-organismos, os transtornos ligados a apenas um órgão foram considerados livres da influência microbiana: o cérebro. Dada a inutilidade de tentar evitar a insuficiência renal ou uma parada cardíaca na base da conversa, é incrível o esforço dedicado a curar os distúrbios do cérebro por meio do diálogo. Quando qualquer outro órgão entra em colapso, buscamos causas externas para isso, mas quando é o cérebro – a mente! – que se comporta mal, nos apressamos a supor que a culpa seja do indivíduo, de seus pais ou de seu estilo de vida.

Talvez por ocupar lugar especial em nosso senso de individualidade e livre-arbítrio, o cérebro só voltou a ser alvo do escrutínio de microbiologistas nos últimos anos do século XX. Nessa época, muitos micróbios logo foram associados às doenças mentais, mas o parasita *Toxoplasma* se mostrou o maior suspeito de vários transtornos. Ocasionalmente, quando infectadas pela primeira vez com o parasita, as pessoas desenvolvem sintomas psiquiátricos, como alucinações e delírios – que levam a um falso diagnóstico inicial de esquizofrenia. Na verdade, entre aqueles que sofrem de esquizofrenia, a prevalência do *Toxoplasma* é três vezes maior do que na população em geral – uma conexão bem mais reveladora do que quaisquer associações genéticas encontradas até hoje.

O intrigante é que os esquizofrênicos não são os únicos doentes mentais entre os quais a infecção por *Toxoplasma* é comum. Descobriu-se também seu envolvimento no transtorno obsessivo-compulsivo (TOC), no transtorno do déficit de atenção com hiperatividade (TDAH) e na síndrome de Tourette, que se tornaram cada vez mais frequentes nas últimas décadas. A velha ideia de que distúrbios psiquiátricos possam ser causados por micróbios está de volta, mas desta vez com um toque novo, mais sutil. Em vez de inimigos conhecidos, como o *Toxoplasma,* levarem a culpa, e se os micro-organismos que moram em nós forem os responsáveis por causar problemas?

Se membros da nossa microbiota são realmente capazes de influenciar nosso comportamento, será que o transplante de micróbios do intestino poderia causar mudanças na personalidade, como com os camundongos que receberam a microbiota de espécimes obesos e engordaram? Os ratinhos não podem responder a questionários de personalidade, mas raças diferentes podem ter comportamentos característicos. Uma raça de camundongo de laboratório conhecida como BALB destaca-se por ser particularmente tímida e hesitante – o total oposto de outra raça, confiante e gregária, conhecida como suíço. Tão diferentes quanto o gordo e o magro, esses camundongos foram as cobaias perfeitas de um experimento de troca de personalidade em 2011.

Uma equipe de cientistas da Universidade McMaster, em Ontário, no Canadá, descobriu que alterar a flora intestinal de camundongos dando-lhes antibióticos deixava-os menos ansiosos na hora de explorar um ambiente novo. Isso nos levou a questionar: seria possível transferir a ansiedade dos camundongos BALB para o tranquilo camundongo suíço transplantando micróbios do intestino? Eles inocularam as duas raças com os micro-organismos da raça oposta e submeteram todos os animais a um teste simples. Eles foram colocados sobre uma plataforma dentro de uma caixa e o tempo que levaram para ganhar coragem de descer e explorar foi cronometrado. Os camundongos suíços – normalmente corajosos – levaram três vezes mais tempo que o normal para descer após receberem a microbiota dos camundongos ansiosos. De forma semelhante, os BALB, que costumam ser nervosos, ficaram mais corajosos e desceram mais rápido após receberem micróbios do camundongo suíço.

Se a ideia de sua personalidade não ser fruto de sua criação, mas produto de seus genes, deixa você inquieto, que tal a noção de uma personalidade composta pelas bactérias vivendo em seu intestino? Camundongos livres de germes são antissociais, e preferem ficar sozinhos a desfrutar a companhia dos outros. Enquanto um camundongo com uma microbiota normal optará por saudar e ir conhecer qualquer novo animal colocado em sua gaiola, camundongos livres de germes costumam se ater aos companheiros que já conhecem. O simples fato de ter micróbios no intestino parece ser suficiente para torná-los mais amigáveis. E vai mais longe: é possível que sua microbiota tenha influência até sobre quais pessoas lhe despertam atração.

Existe um grupo de morcegos que parece ter um corte aberto no alto de cada asa, perto do ombro. Não são feridas, mas pequenas bolsas que os morcegos machos enchem de secreções corporais: urina, saliva e até sêmen. Eles cuidam dessa poção com cuidado, limpando-a a cada tarde e voltando a preenchê-la para assegurar que tenha exatamente o cheiro que desejam. Depois, na hora certa, voam diante de um grupo de fêmeas penduradas no poleiro e gentilmente voltam seu conteúdo na direção delas. O efeito, como seria de esperar, é sedutor.

O perfume perfeito é, ao que parece, cultivado obtendo-se a mistura bacteriana certa. Cada macho mantém uma ou duas cepas de bactérias nos sacos em suas asas, aparentemente "escolhidas" dentre uma seleção de 25 espécies disponíveis aos morcegos machos. Essas bactérias se alimentam de urina, saliva e sêmen nas bolsas das asas e liberam como refugo uma mistura inebriante de feromônios sexuais, que convencem as fêmeas a se juntarem ao harém do macho.

O tipo específico de feromônios que um animal produz parece importar mesmo naqueles que não têm uma bolsa especial para preparar sua própria poção do amor. As drosófilas, moscas cujo corpo é um pouco maior que a cabeça de um alfinete, são muito exigentes quando se trata de acasalar. Vinte e cinco anos atrás, uma bióloga evolucionista chamada Diane Dodd estava indagando se manter duas populações de uma mesma espécie separadas e interferir em sua capacidade de procriarem entre si as transformaria em duas espécies diferentes. Ela dividiu as drosófilas em dois grupos com duas fontes distintas de comida – maltose e amido – por 25 gerações. Depois as recolocou juntas, mas as moscas dos dois grupos se recusaram a acasalar. As moscas só acasalavam com outras do mesmo grupo alimentar.

Naquela época, a causa não ficou clara, mas, em 2010, Gil Sharon, da Universidade de Tel Aviv, teve uma ideia do que poderia ter causado aquela reação. Ele repetiu o experimento de Dodd e obteve o mesmo resultado: as moscas repeliram umas às outras após apenas duas gerações com alimentação diferente. Sharon suspeitou que a dieta vinha alterando a flora intestinal das drosófilas, modificando o cheiro de seus feromônios sexuais. Ele então lhes ministrou antibióticos e, conforme esperava, elas pararam de se importar com quem se acasalavam. Sem microbiota, as moscas não produziam seu cheiro característico, mas inoculá-las outra vez com a microbiota de um dos dois grupos dietéticos foi suficiente para restaurar o comportamento seletivo de antes.

Antes que você me acuse de ser um exagero comparar moscas e seres humanos, é melhor colocar a questão em perspectiva. A microbiota das moscas (na verdade, composta de uma única espécie: *Lactobacillus plantarum*) havia aparentemente alterado as substâncias químicas que cobrem a superfície de seu corpo – em essência, feromônios sexuais. Os seres humanos também são influenciados por essas substâncias. Em um experimento lendário, alunas da Universidade de Berna receberam camisetas usadas por alunos na cama, e pediu-se que avaliassem os meninos em ordem de atratividade. As mulheres preferiram as camisetas dos homens cujo sistema imunológico era mais diferente de seu próprio. A teoria sustenta que, ao escolherem seu oposto genético, as moças estariam dotando sua prole de um sistema imunológico capaz de enfrentar duas vezes mais desafios. Por meio de seu sentido do olfato, as moças estavam examinando o genoma dos rapazes em busca da melhor opção como pai de seus filhos.

Os odores deixados pelos meninos na camiseta foram produzidos por ninguém menos que a microbiota de sua pele. Vivendo sob as axilas, esses micróbios convertem o suor em cheiros que se soltam no ar – para o bem ou para o mal. É provável que a transpiração das axilas e da virilha, e provavelmente os pelos que brotam nesses locais, não sejam um mecanismo de resfriamento. Pelo contrário, o suor seria o equivalente humano às bolsas de perfume dos morcegos, retendo e preparando a fragrância perfeita. Se aprendemos algo com os camundongos, a comunidade particular de micro-organismos na pele de cada aluno, ao menos em parte, é determinada por seus genes – inclusive aqueles que definem o tipo de seu sistema imunológico. As moças inconscientemente estavam usando a microbiota como um sistema de mensagens, alertando-as para a união genética mais benéfica.

É impressionante pensar nos inúmeros relacionamentos desastrosos que poderiam ter sido causados por desodorantes e antibióticos, sem falar nos hormônios contraceptivos. No experimento da camiseta, as alunas que estavam tomando pílula aparentemente reverteram seu superpoder subliminar, já que preferiram as camisetas dos homens cujo sistema imunológico mais se assemelhava aos delas.

Se os feromônios sexuais influenciados pelos micro-organismos oferecem um primeiro passo no processo de seleção do parceiro, considere o beijo a avaliação química que vem a seguir. Pode parecer uma ideia exclusivamente humana – talvez um fenômeno cultural para exibir a posse aos observadores sem ser animalesco demais –, mas na verdade não somos a única espécie a encostar os lábios uns nos outros. Os chimpanzés, outros primatas e muitos outros animais fazem o mesmo, o que dá ao propósito do beijo uma inclinação mais biológica.

Parece um negócio bem arriscado trocar saliva e germes para se conectar ao outro, especialmente porque o beijo na boca e o toque das línguas ocorre entre pessoas sem parentesco, que poderiam estar sofrendo de sabe-se lá o quê. Mas talvez seja exatamente este o objetivo. É uma boa ideia descobrir quais micróbios o pai potencial de sua prole está portando antes que você e seus futuros filhos se tornem ainda mais vulneráveis a eles. Não apenas isso, mas beijar nos oferece outra amostra, mais profunda, da microbiota de cada um. E com isso vem um gostinho dos genes subjacentes e da capacidade imunológica da outra pessoa. Quando nos beijamos, estamos decidindo em quem depositar nossa confiança em termos emocionais e biológicos.

Por mais estranha que pareça a ideia de seu comportamento ser influenciado por bactérias e fungos, isso levanta a possibilidade do autoaperfeiçoamento por meios biológicos. Para que psiquiatras caros, que esperam que você mergulhe nas profundezas sombrias de suas decepções infantis, se os micróbios podem lhe poupar todo esse dinheiro e sofrimento? Num teste clínico realizado na França, 55 voluntários normais e saudáveis – humanos desta vez – receberam uma barra de cereais contendo duas cepas de bactérias vivas ou uma barra igual, mas sem as bactérias (um placebo). Após um mês comendo uma barra por dia, os voluntários que receberam as bactérias vivas se mostraram mais contentes, menos ansiosos e menos zangados do que antes do teste – e as mudanças foram além do efeito placebo. Em comparação com outros testes, este foi pequeno e curto, mas ofereceu um vislumbre do que as novas pesquisas podem explorar.

Como é que comer bactérias vivas faz você ficar mais feliz? Um dos possíveis mecanismos parece estar ligado a uma substância química notoriamente envolvida na regulação do humor: a serotonina. A maior parte desse neurotransmissor se encontra no intestino, onde mantém tudo funcionando direitinho. Mas cerca de 10% da serotonina fica no cérebro, regulando o humor e até a memória. Seria tão prático se as bactérias ingeridas se estabelecessem no intestino e começassem a produzir serotonina! Mas é claro que a coisa não é tão simples assim. Pelo contrário, a introdução de bactérias vivas aumenta os níveis de outro composto químico no sangue, o triptofano. Essa pequena molécula é da maior importância para a felicidade, já que é convertida diretamente em serotonina. De fato, pacientes deprimidos tendem a apresentar baixos níveis de triptofano no sangue, e países cuja população como um todo tem uma dieta mais pobre nessa substância (encontrada nas proteínas) têm maiores taxas de suicídio. É até possível provocar depressão profunda (embora temporária) através da privação dos suprimentos de triptofano. Menos triptofano significa menos serotonina, e menos serotonina significa menos felicidade.

O fascinante, porém, é que as bactérias novas aumentam os níveis de triptofano não porque o produzam, mas porque impedem o sistema imunológico de destruí-lo. Isso aponta para uma ideia extraordinária, que vem ganhando espaço não só entre os microbiologistas, mas entre profissionais de outros campos também. Está ficando cada vez mais claro que, assim como as alergias e a obesidade, é possível que a depressão seja causada pelo mau funcionamento do sistema imunológico. Mas voltaremos a isso.

Antes gostaria de falar sobre outro mecanismo pelo qual as bactérias podem deixá-lo feliz que envolve o nervo vago – um nervo importante que se origina no cérebro e desce até o intestino, ramificando-se em diferentes órgãos pelo caminho. Os nervos são como fios elétricos – transportam impulsos elétricos minúsculos que carregam instruções ou percebem mudanças. No caso do nervo vago, os impulsos transportam informações sobre o que o intestino está fazendo – o que está sendo digerido, se está ativo, e assim por diante. O que esse nervo tem de especial, porém, é que ele leva ao cérebro nossos sentimentos mais básicos. O frio na barriga, aquela pontada na boca do estômago nos dizendo que algo está errado e o intestino solto em situações de nervosismo de fato têm origem no intestino – o cérebro simplesmente é informado disso pelos impulsos elétricos que sobem pelo nervo vago.

Assim talvez não seja nenhuma surpresa dizer que os impulsos elétricos que sobem pelo nervo vago até o cérebro também possam deixá-lo feliz. Os médicos conseguem até tratar pacientes com depressão profunda – incurável por substâncias químicas ou terapias comportamentais – sequestrando esse sistema. Nesse tratamento, chamado estimulação do nervo vago, um dispositivo minúsculo é implantado no pescoço do paciente. Desse dispositivo estendem-se fios que o cirurgião cuidadosamente enrola ao redor do nervo vago. Um gerador movido a pilha fica no tórax, fornecendo os impulsos elétricos que vão estimular o nervo. Durante semanas, meses e anos, os pacientes se tornam mais alegres, ajudados por seus marca-passos da felicidade.

A ligação desse marca-passo elétrico ao nervo vago pode oferecer o impulso necessário para regular a atividade do nervo e o humor. No entanto, sob circunstâncias normais, esses impulsos elétricos têm uma origem química – como uma pilha comum. Essas substâncias que desencadeiam impulsos nervosos são chamadas de neurotransmissores – e você já deve ter ouvido falar de muitos deles. Substâncias como serotonina, adrenalina, dopamina, epinefrina e oxitocina são na maior parte sintetizadas pelo nosso próprio corpo, capazes de criar uma minúscula centelha elétrica na extremidade do nervo. Mas os neurotransmissores não são produzidos apenas por células humanas. A microbiota desempenha seu papel nesse processo, sintetizando substâncias químicas que agem da mesma forma, estimulando o nervo vago e comunicando-se com o cérebro. Os micro-organismos que produzem essas substâncias agem como um estimulador natural do nervo vago, enviando impulsos elétricos nervo acima e turbinando o humor. Ainda não está clara a exata causa desse efeito no humor, mas não há dúvida de que ele existe.

Uma hipótese é a de que, ao influenciar o humor, nossa microbiota consiga controlar nosso comportamento para se beneficiar dele. Imagine, por exemplo, uma cepa de bactérias que se alimentam de um composto químico específico encontrado na nossa alimentação. Se comemos essa comida, alimentando essas bactérias, e elas conseguem nos "recompensar" com uma dose de felicidade química, melhor para elas. As substâncias químicas que elas sintetizam podem fazer com que as pessoas tenham desejo de comer aquilo que as alimenta, ou mesmo com que se lembrem de onde encontraram esse alimento. Isso nos faria retornar ao mesmo local – talvez uma árvore frutífera em nosso passado evolutivo ou uma confeitaria específica nos dias de hoje – para comer mais e, consequentemente, estimular aquele grupo de bactérias, que, por sua vez, vai produzir mais substâncias químicas e mais desejos.

Agora voltemos ao impacto do sistema imunológico sobre o cérebro. Quando as forças armadas do corpo são colocadas em alerta máximo na iminência de um ataque, mensageiros químicos chamados citocinas voam por todos os lados, às vezes causando danos desnecessários. Essas citocinas deixam os soldados do sistema imunológico agitados e prontos para lutar, mas, se o inimigo não vem, tudo que lhes resta é o fogo amigo. A depressão não parece ser o único resultado neurológico dessa belicosidade imunológica exagerada. Pessoas que sofrem de muitos dos outros distúrbios mentais de que falamos também mostram sinais de hiperatividade imunológica – o que é apenas outro nome para nossa velha conhecida inflamação. O transtorno do déficit de atenção com hiperatividade, o TOC, o transtorno bipolar, a esquizofrenia e até o mal de Parkinson e a demência parecem envolver uma reação imunológica exagerada. E, como ficou demonstrado no estudo francês das barrinhas de cereais, ingerir bactérias benéficas tem um efeito calmante sobre o sistema imunológico. Elas não apenas são capazes de impedir a destruição do triptofano e aumentar os níveis de felicidade, como também podem reduzir a inflamação.

Em pacientes autistas, o sistema imunológico também parece estar ocupado, enviando citocinas para aumentar seu nível de agressividade. Alguma ameaça percebida pela flora intestinal alterada parece ser o catalisador desse processo, mas a pergunta que não quer calar é: *Como?*

Aos estudos de Sydney Finegold sobre as diferenças entre a flora intestinal de crianças autistas e saudáveis, seguiu-se uma série de outras tentativas de atribuir toda a culpa a determinadas espécies. Ele até resolveu nomear o suspeito bacteriano mais comum em crianças autistas com o sobrenome de Ellen Bolte: *Clostridium bolteae*. Com certeza, algo está alterando o equilíbrio entre as diferentes bactérias, e com frequência os espécimes desse gênero afloram entre os culpados. Mas o que essas bactérias estão fazendo para modificar tão profundamente o cérebro dessas crianças?

Na Universidade de Western Ontario, em London, no Canadá, está o homem com a formação e a experiência necessárias para desempenhar um importante papel nesse novo estágio científico em que cérebro e intestino se encontram. O Dr. Derrick MacFabe se formou em neurociência e psiquiatria. Durante o ensino médio, lidara com crianças com deficiência, muitas das quais eram autistas e tinham problemas gastrointestinais. Mais tarde, trabalhando em um hospital, MacFabe deparou com pacientes com problemas gastrointestinais que tinham sido considerados loucos ou neuróticos e enviados à ala psiquiátrica por engano. Ele também tratou de um paciente que, como a Senhorita A na Bélgica, foi admitido devido a uma psicose súbita e considerado esquizofrênico. Mas seus sintomas gastrointestinais revelaram a causa verdadeira de sua doença: doença de Whipple mais uma vez. Como as crianças autistas de quem o Dr. MacFabe cuidara quando adolescente, aquele jovem era extremamente insistente, chamando "Dr. MacFabe! Dr. MacFabe! Dr. MacFabe!" o dia inteiro. Em uma semana, os antibióticos já o haviam curado, devolvendo-o à sua antiga personalidade. Mais tarde, esse paciente contou que o Dr. MacFabe parecia um personagem de sonho que ganhou vida.

Na mente de MacFabe, essas experiências associaram firmemente o intestino e o cérebro. A ideia de que substâncias químicas produzidas por um único micróbio pudessem induzir a loucura num paciente o cativou. Ao ouvir falar da descoberta de Sydney Finegold – de que crianças autistas melhoraram sob tratamento com antibióticos, como aconteceu com o paciente da doença de Whipple –, MacFabe começou a ligar os pontos. Nessa mesma época, ele estava estudando como ocorriam os danos no cérebro durante derrames e pesquisando os efeitos de uma molécula chamada propionato.

Essa molécula faz parte de um grupo de substâncias químicas importantes produzidas pela flora intestinal que resultam da decomposição dos restos não digeríveis de nossas refeições. Conhecidos como ácidos graxos de cadeia curta, os três principais são o acetato, o butirato e o propionato. Todos desempenham vários papéis e são fundamentais para nossa saúde e felicidade. Mas o que impressionou MacFabe foi que, apesar de o propionato ser um composto químico importante do corpo, essa substância também era usada como conservante em produtos de padaria – exatamente o tipo de alimento que muitas crianças autistas desejam. E, ainda por cima, sabe-se que as bactérias do gênero *Clostridium* produzem propionato, que, em si, não é algo "ruim". No entanto, o Dr. MacFabe começou a se perguntar se as crianças autistas estavam com overdose de propionato.

Será que a flora intestinal alterada no autismo estaria produzindo propionato em excesso? E será que essa substância é capaz de afetar o comportamento? MacFabe iniciou uma série de experimentos a fim de descobrir as respostas. Através de uma cânula minúscula posicionada na coluna vertebral de ratos vivos, injetou quantidades ínfimas de propionato no fluido que chega ao cérebro. Após alguns minutos, os ratos começaram a se comportar de forma estranha, girando no mesmo lugar, fixando-se num só objeto e correndo por todo lado. Quando dois ratinhos foram colocados na mesma gaiola e receberam propionato, não pararam para cheirar um ao outro e interagir, como fariam normalmente. Em vez disso, se ignoraram e ficaram correndo em círculos.

Não havia nada de sutil na reação deles, e a semelhança com comportamentos autistas é impressionante – você pode encontrar os vídeos dos ratinhos na internet. Preferência por objetos em vez de pessoas, ações repetitivas, tiques, hiperatividade – tudo isso sintomas do autismo – ficaram evidentes enquanto o propionato agia no cérebro. Dentro de meia hora o efeito passou e os ratos voltaram a seu comportamento normal. Os animais que receberam soro fisiológico como placebo não apresentaram nenhuma mudança no comportamento. Injetar propionato sob a pele ou alimentar os ratinhos com ele produziram o mesmo efeito.

O cérebro daqueles ratos havia sido sequestrado por essa molécula minúscula, forçando os animais a se comportarem de forma anormal. Será que o propionato causou nos roedores o mesmo tipo de dano que se vê no cérebro de pessoas autistas? Comparando o cérebro dos animais que haviam recebido propionato com o de pacientes autistas que haviam morrido e passado por uma autópsia, MacFabe e sua equipe ficaram fascinados ao descobrir que tanto um quanto outro estavam repletos de células imunológicas. Havia inflamação – como acontece na esquizofrenia e no TDAH.

É normal que exista certo nível de inflamação no cérebro, já que sinapses desnecessárias são devoradas pelas mesmas células imunológicas responsáveis por lidar com patógenos. O aprendizado é um equilíbrio delicado entre lembrar e esquecer. Fazer conexões e distinguir padrões é um marco da inteligência, mas se levados longe demais ambos os processos se tornam prejudiciais. Quando MacFabe pôs ratos tratados com propionato num labirinto, descobriu que eles conseguiam descobrir o caminho sem problema. Só que depois não conseguiam "desaprendê-lo" – se o caminho fosse alterado, persistiam com sua lembrança do caminho inicial, batendo com a cabeça nas paredes recém-instaladas.

Isso nos lembra a memória e o amor à rotina de alguns autistas. Flo e Kay Lyman são as únicas autistas *savant* gêmeas no mundo e já apareceram em vários documentários de TV. Apesar das dificuldades nas interações sociais e da incapacidade de cuidarem de si, elas possuem uma memória extraordinária. As duas são capazes de lembrar, para qualquer dia do passado, que tempo fazia, o que comeram e o que o apresentador de seu programa favorito de TV vestia. Elas também sabem o nome e o cantor de todas as músicas que chegaram às paradas de sucesso, assim como sua data de lançamento. Suas lembranças, uma vez formadas, ficam permanentemente fixadas, como se as sinapses que as mantêm nunca pudessem ser descartadas. Enquanto isso, outras sinapses, como aquelas contendo os passos para se preparar uma refeição, não sobrevivem no cérebro delas.

Quando Leo Kanner estava descrevendo o autismo, observou o mesmo fenômeno. Depois de aprender uma definição qualquer, as crianças que participaram de seu estudo pareciam incapazes de adaptá-la. O mais perturbador foi que muitas das crianças referiam-se a si próprias como "você". Ao lhes dizerem "*Você* quer sair para brincar?" e "*Você* quer um café da manhã?", os pais inadvertidamente ensinaram aos filhos que o nome deles era "você". Essa memória era inflexível. Uma criança no estudo de Kanner chegou a chamar os pais de "eu" e a si própria de "você".

Derrick MacFabe descobriu que os ratos tratados com propionato, incapazes de esquecer o caminho original pelo labirinto, apresentaram um aumento nos compostos químicos do cérebro envolvidos na formação da memória. Por mais problemático que pareça, MacFabe acredita que isso tem um propósito evolutivo. Se as bactérias são capazes de liberar um composto químico que faz o cérebro se lembrar, elas podem assegurar que seu hospedeiro – o corpo humano – vai se lembrar de onde encontrar o alimento que permite que elas se reproduzam. Será que no autismo, ele indaga, "a superativação desse caminho pode levar ao 'esquecimento deficiente', a comportamentos obsessivos, interesses alimentares e aumento de lembranças restritivas?" De fato, a microbiota parece crucial para a formação da memória. Camundongos livres de germes colocados num labirinto têm dificuldade para achar o caminho devido a deficiências em sua memória operacional – sua capacidade de reter informações sobre os caminhos que já testaram ao se deslocarem. Se MacFabe estiver certo, alterações simples na composição da microbiota poderiam estar inundando o corpo com propionato, afetando a capacidade do cérebro de formar e romper sinapses durante o desenvolvimento infantil.

Mas como o propionato e outros compostos químicos, capazes de causar danos em grandes concentrações, saem do intestino e chegam ao cérebro? A Dra. Emma Allen-Vercoe é uma microbiologista britânica que trabalha na Universidade de Guelph e foi apresentada à ideia de que a causa do autismo estaria no intestino por Sydney Finegold durante um almoço. Assim como MacFabe, Allen-Vercoe suspeita que a combinação de micro-organismos no intestino da criança é capaz de produzir compostos químicos que afetam a função cerebral, o sistema imunológico e os genes humanos.

Em vez de buscar uma única espécie responsável pelos danos, ela resolveu adotar uma abordagem holística, encarando a flora intestinal como um ecossistema, à semelhança de uma floresta tropical. Retirar qualquer espécie da floresta e estudar seu comportamento isoladamente, em uma gaiola, não revelará muito sobre sua natureza real. Isso se aplica também aos micróbios, que são influenciados pela presença de outros micro-organismos e pelos compostos químicos produzidos por eles. Assim, em vez de estudar cada espécie individualmente, Allen-Vercoe recriou o lar da microbiota, com todos os seus habitantes – só que fora do intestino. Uma massa borbulhante e fedorenta de tubos e garrafas, esse lar artificial dos micróbios é carinhosamente chamado de Robogut, que poderia ser traduzido como intestino-robô.

Usando o Robogut, Allen-Vercoe causou uma reviravolta: dos dias em que cultivar bactérias em laboratório era a única forma de estudá-las, passando pela revolução do sequenciamento do DNA, e de volta à cultura. Ela discorda da ideia de que os micróbios do intestino são impossíveis de cultivar: "É um total absurdo. Você precisa de muito equipamento, de uma grande dose de paciência e de um olho bem apurado. Agora temos pilhas e pilhas dessas espécies 'incultiváveis' guardadas no congelador."

Allen-Vercoe suspeita de que a flora intestinal alterada no autismo está danificando as células que revestem o cólon, mas em vez de perguntar quais *bactérias* são culpadas, ela está perguntando quais *substâncias químicas* produzidas pela microbiota são responsáveis. A microbiota de uma criança com autismo grave é extraída, em forma de fezes, e recebe um novo lar na Robogut. Numa semelhança um tanto grosseira com nosso próprio tubo interior, o robô possui um tubo pelo qual é alimentado e outro pelo qual libera gases nocivos. Um terceiro tubo permite que parte do líquido em que os micróbios vivem seja filtrado. É esse "ouro líquido" que conserva as substâncias químicas – conhecidas como metabólitos – que a microbiota produziu.

A esperança é que, testando o efeito do ouro líquido nas células do intestino em uma placa de Petri, a equipe de pesquisa de Allen-Vercoe seja capaz de descobrir quais metabólitos estão causando danos ao cérebro de crianças autistas e o que fazem exatamente. Uma de suas alunas de pós-graduação, Erin, vem pesquisando a ideia. A moça tem um interesse pessoal em solucionar o enigma do autismo porque um membro de sua família foi afetado: seu irmão, Andrew Bolte.

Em 1998, Ellen Bolte produziu seu primeiro artigo científico. Intitulado "Autismo e *Clostridium tetani*", foi publicado na revista *Medical Hypotheses*. Nele, ela expõe sua teoria de que o autismo resultaria da invasão de *C. tetani* no intestino de uma criança após sua microbiota protetora normal ter sido exterminada por antibióticos. O artigo de Ellen é uma obra-prima de síntese epidemiológica e microbiológica, reunindo indícios de dezenas de estudos para respaldar cada aspecto de sua hipótese. Um grande trabalho de retórica científica, a primeira contribuição de Ellen ao seu novo campo de pesquisa atesta seu passado como programadora na área da computação, em que cada pensamento deve se seguir logicamente do anterior. Ela teve a coragem de abrir a caixa de Pandora das possibilidades médicas – citando inclusive a ideia de que a alteração dos micróbios do corpo humano pode ter consequências comportamentais. Essa realização atesta não apenas a inteligência e a determinação de Ellen, mas também a que ponto pode chegar uma mãe que precisa proteger seu filho.

Mas, como observa Derrick MacFabe – cuja pesquisa foi influenciada pelo pioneirismo de Ellen: "Hipóteses, apesar de essenciais, não são suficientes. Elas precisam ser testadas."

Felizmente, Ellen Bolte transmitiu tanto sua hipótese quanto sua noção inata de lógica científica para sua filha, Erin – que descobriu sua vocação e tenta solucionar o mistério da doença que mudou a vida de seu irmão mais novo, Andrew, cerca de vinte anos atrás. Ela começou sua carreira científica sob a orientação da Dra. Emma Allen-Vercoe, na Universidade de Guelph, em Ontário, no Canadá. Usando o Robogut, seu objetivo é testar a hipótese de sua mãe em seu sentido mais amplo.

Erin quer entender exatamente o que aconteceu no intestino do seu irmão e das onze outras crianças cujo autismo melhorou durante o teste com antibióticos de que participaram. Ela também quer saber por que pais de crianças autistas relatam uma melhora nos sintomas quando retiram certos alimentos da dieta dos filhos. O Robogut lhe permite ver exatamente o que muda na flora intestinal dos autistas quando ela acrescenta antibióticos, glúten e caseína (proteínas do trigo e do leite) à mistura. Já sabemos que os autistas podem melhorar quando tomam certos antibióticos, mas quais metabólitos deixam de ser produzidos quando Erin dá ao Robogut os mesmos medicamentos? E, como os autistas costumam piorar quando comem artigos de padaria e confeitaria, quais metabólitos são produzidos em maior quantidade quando ela alimenta o Robogut com glúten?

Os experimentos de Erin vão lançar uma base não apenas para entendermos o papel desempenhado pela microbiota no autismo, mas também para descobrirmos como ela influencia muitos outros distúrbios neuropsiquiátricos. Sua mãe, Ellen, foi bem além de sua obrigação, aplicando sua lógica detetivesca no exame de uma doença muito complexa e abrindo um caminho extraordinário na área da pesquisa científica quando ninguém queria lhe dar ouvidos. Agora Erin recebeu o bastão e está aplicando sua própria inteligência e determinação para achar respostas às perguntas que cada vez mais pais estão precisando fazer. Para Andrew, cuja janela de desenvolvimento da infância já se fechou, é provável que o autismo continue limitando sua vida. Para Erin, Derrick MacFabe e Emma Allen-Vercoe, a esperança é impedir que essa doença insidiosa afete, conforme o previsto, todas as famílias americanas e outras ao redor do mundo.

Quando se trata de saúde, gostamos de pensar que somos produto de nossos genes e experiências. Muitos de nós atribuímos nossas virtudes aos obstáculos que superamos, às tribulações de que escapamos e aos triunfos pelos quais lutamos. Consideramos nossa personalidade uma entidade fixa – "não sou de correr riscos" ou "gosto das coisas organizadas" –, como se fosse resultado de algo intrínseco a nós. Alcançamos nossas realizações através de nossa determinação, e nossos relacionamentos refletem a força de nosso caráter. Bom, é assim que gostamos de pensar.

Mas o que significa para o livre-arbítrio e nossas conquistas a ideia de que não somos senhores de nós mesmos? O que isso significa para a natureza humana e para nosso senso de individualidade? A ideia de que o *Toxoplasma* – ou qualquer outro micro-organismo que habita o seu corpo – possa influenciar seus sentimentos, suas decisões e suas ações é bem desconcertante. Mas se isso não deixa você perplexo o suficiente, pense no seguinte: micróbios são transmissíveis. Assim como o vírus da gripe ou uma infecção bacteriana na garganta podem ser transmitidos de uma pessoa para outra, a microbiota também pode. A ideia de que a configuração de sua comunidade microbiana possa receber contribuições das pessoas que você encontra e dos lugares aonde vai dá novo sentido à ideia de expansão cultural da mente. O ato de compartilhar comida e toaletes com outras pessoas representa uma oportunidade à troca de micróbios – tanto para o bem quanto para o mal. A possibilidade de que alguém contraia micro-organismos que encorajam o empreendedorismo numa escola de negócios, ou um gosto aventureiro pelo motociclismo numa pista de corrida, não seria surpresa. Mas a ideia de que traços de personalidade possam ser transmitidos de pessoa para pessoa é mesmo capaz de abrir novíssimos horizontes.

QUATRO

O micróbio egoísta

Todos querem saber como melhorar o sistema imunológico. Digite "sistema imunológico" no Google e uma das primeiras frases sugeridas, cheia de otimismo, o combina com a palavra "fortalecer". Num mundo perfeito, a resposta à indagação de "como fortalecer seu sistema imunológico" seria um superalimento docinho, de preferência uma fruta silvestre de algum local secreto nos Andes. O custo exorbitante dessa frutinha só poderia significar uma coisa: deve funcionar! Quase todo mundo quer evitar as rodadas incessantes de resfriados e a gripe ocasional contraída pelo contato com as outras pessoas em ônibus, metrôs, etc. Mas qual o verdadeiro segredo para um sistema imunológico saudável e ativo?

Nossa grande tendência a contrair germes é uma consequência lastimável de nossa supersociabilidade. Várias vezes por ano, passamos por dias desagradáveis, em que não nos sentimos bem o suficiente para trabalhar, mas também não estamos tão doentes assim para precisar passar o dia no sofá. Claro que, ao resistirmos com bravura e nos arrastarmos para o escritório, fungando e espirrando o dia inteiro, estamos fazendo exatamente o que a peste do micróbio "deseja": continuamos sendo sociais e, assim, o espalhamos por aí. Não-estar-doente-o-suficiente-para--ficar-em-casa significa que o patógeno (o micro-organismo causador da doença) conseguiu alcançar o equilíbrio perfeito entre virulência e inocuidade. Eles são nocivos o suficiente para serem transmitidos – tosses e espirros espalham doenças! – e inofensivos o bastante para garantirem que você não morra antes de encontrar outras pessoas, que são potenciais hospedeiras para eles. Uma das pequenas vantagens de doenças infecciosas realmente terríveis, com taxas de mortalidade na casa dos 90%, como o ebola e o antraz, é que são tão virulentas e matam tão rápido que mal têm a chance de infectar outras pessoas. Os esforços terríveis do ebola em sustentar a epidemia que começou na África Ocidental em 2014 devem-se provavelmente ao fato de ter se tornado *menos* nocivo, com uma taxa de mortalidade de cerca de 50% a 70% dos infectados. Essa queda na virulência e na mortalidade significa que as vítimas podem sobreviver um pouco mais, dando ao vírus uma chance melhor de contaminar um novo hospedeiro e perpetuar sua disseminação.

Muitos animais selvagens, por outro lado, não tendem a sofrer dessas doenças incômodas, não porque tenham um sistema imunológico superior, mas porque são necessários contatos entre indivíduos jovens e suscetíveis para que haja um surto da doença. Algumas cabras solitárias dos Alpes franceses nunca se encontram com seus primos nos Pireneus, de modo que infecções são raras. Algo semelhante ocorre com espécies solitárias – leopardos, digamos –, entre as quais as doenças infecciosas não conseguem se estabelecer em sua população.

Combine a supersociabilidade com o amor pelas viagens, e os patógenos fazem a festa: contato constante e um suprimento ilimitado de sangue novo. Não é por acaso que, ao lado dos humanos, os morcegos são um dos mais poderosos transmissores de doenças no mundo inteiro (provavelmente incluindo Ebola). Como nós, muitas espécies de morcegos vivem em grandes colônias, com milhares ou milhões de indivíduos espremidos em espaços densamente povoados. Com isso os patógenos têm ainda mais oportunidades para fixar residência: espalham-se em ondas pelos morcegos, depois sofrem mutação e fazem outra rodada após meses ou anos. Além disso, os morcegos sabem voar! À medida que indivíduos de diferentes tocas se reúnem nos locais de alimentação, o mesmo ocorre com seus micróbios, que assim podem vencer a distância entre populações isoladas. Os seres humanos compartilham essas características – supersociabilidade e hipermobilidade – com os morcegos num grau maior do que seria desejável. Nós nos apinhamos em cidades e viajamos de avião ao redor do mundo, compartilhando e espalhando micro-organismos – tanto os patogênicos quanto os inofensivos.

A realidade para a maioria das pessoas é que, ao invés de ter um sistema imunológico fraco, o delas funciona além da conta. Poderia parecer normal sofrer um acesso de febre do feno a cada primavera e espirrar toda vez que você pega o gato no colo, mas não é. Talvez seja "normal" no sentido de ser comum que muitas pessoas no mundo desenvolvido sofram de alergias. Mas tente pensar: que tipo de processo evolutivo por acaso deixaria 10% das crianças sem fôlego e ofegando para respirar, como é o caso da asma? De que forma a intolerância a algo tão corriqueiro quanto o pólen poderia ser benéfica para 40% das crianças e 30% dos adultos, como no caso da febre do feno? Pessoas que sofrem de alergia raramente se consideram portadoras de uma disfunção imunológica, mas é disso que se trata. Não é de "estímulo" que elas precisam – muito pelo contrário. As alergias são o resultado de um sistema imunológico hiperativo cujo objetivo é destruir substâncias que não representam nenhuma ameaça real ao corpo. Na verdade, o tratamento dessas alergias em geral envolve o uso de esteroides ou anti-histamínicos para diminuir a imunidade do doente.

Nos países desenvolvidos, as alergias já se estabeleceram. Na década de 1990, a proporção da população afetada se estabilizou. Isso poderia indicar apenas que todas as pessoas geneticamente suscetíveis à alergia agora já tenham sido afetados por ela, não que a causa subjacente tenha se estabilizado. Mas longe da multidão frenética, nas zonas rurais, pré-industriais, não ocidentalizadas do mundo, as alergias não causam tantos transtornos. Em todos os outros lugares, o aumento implacável persiste, arrastando cada vez mais pessoas para esse estado de exagero imunológico anormal, à medida que as gerações se sucedem. Desde que o aumento no número dos casos no Ocidente começou lá pela década de 1950, a pergunta sempre foi a mesma: qual é a causa subjacente?

Durante a maior parte do século passado, a teoria tradicionalmente aceita defendia que as alergias seriam desencadeadas em crianças que passaram por muitas infecções. Em 1989, um médico britânico chamado David Strachan colocou essa ideia em xeque. Num artigo breve e objetivo, ele sugeria o exato oposto: que as alergias eram resultado da falta de infecções. Strachan havia analisado um banco de dados nacional que continha informações sociais e de saúde sobre um grupo de mais de 17 mil crianças britânicas nascidas na mesma semana de março de 1958 e cuja situação foi acompanhada até que atingissem 23 anos. De todos os dados coletados – classe social, riqueza, endereço, etc. – dois fatores se destacaram no que diz respeito à chance de ser vítima da febre do feno. O primeiro era o número de irmãos e irmãs da criança: um filho único tinha uma chance muito maior de desenvolver febre do feno do que alguém com três ou quatro irmãos. O segundo era a posição na família: crianças com irmãos mais velhos tinham uma tendência menor a sofrer de febre do feno do que aquelas com irmãos mais novos.

Como quem tem filhos sabe, crianças pequenas podem apresentar um fluxo constante de resfriados. Elas são um viveiro ideal para bactérias e vírus, já que seu sistema imunológico ainda está despreparado para o ataque diário dos patógenos que os seres humanos precisam enfrentar. O hábito de colocar tudo na boca faz com que o bebê espalhe micróbios – tanto bons quanto ruins – aonde quer que vá. Quanto mais crianças, mais micro-organismos vão ficando para trás em trilhas de catarro e saliva. Para Strachan, as crianças em famílias maiores estavam se beneficiando das infecções extras que seus irmãos – particularmente os mais velhos – traziam para casa. De algum modo, pensou ele, essas infecções nos primeiros anos da vida funcionavam como uma proteção contra a febre do feno e outras alergias.

Logo denominada "hipótese higiênica", a ideia de Strachan era respaldada pelo fato de que o aumento na prevalência de alergias vinha acompanhado pela melhoria gradual dos padrões de higiene. O banho semanal antes da igreja em uma banheira morna se transformou numa ducha diária em água quente e fumegante. A comida passou a ser refrigerada ou congelada, em vez de conservada em salmoura e fermentada. O tamanho das famílias estava encolhendo e a vida foi se tornando cada vez mais urbana e refinada. A hipótese higiênica fazia sentido, especialmente porque, nos países em desenvolvimento, que tinham altas taxas de doenças infecciosas, as alergias ainda eram raras. Parecia que na Europa e na América do Norte as pessoas estavam limpas demais, e o sistema imunológico delas, desesperado para ter alguma utilidade, ficava louco para atacar mesmo as partículas mais inofensivas, como o pólen.

Embora a hipótese higiênica representasse um novo paradigma no campo da imunologia, logo ganhou reconhecimento científico. Ela tem um apelo intuitivo: com frequência as células imunológicas são personificadas e retratadas como caçadoras agressivas, ávidas por perseguir e destruir. Nós imaginamos que elas sejam implacáveis quando não se fazem úteis. E, assim, à medida que as doenças infecciosas graves são eliminadas pelas vacinas e a limpeza se encarrega dos germes mais benignos, as células imunológicas ficam nervosas, sem nada para matar. Esse antropomorfismo torna fácil aceitar o resultado sugerido: as células imunológicas voltam sua atenção para partículas inofensivas a fim de continuarem na briga.

Essa ideia logo passou a incluir – além das infecções bacterianas e virais – os parasitas, particularmente vermes, como tênias, oxiúros e ancilostomídeos. Como acontece com os patógenos microscópicos, as chances de abrigar um verme se tornaram quase nulas no mundo desenvolvido. Restou apenas a suspeita entre os cientistas e o público em geral de que os vermes vinham mantendo o sistema imunológico ocupado e que sua ausência o deixou com excesso de pessoal e falta de trabalho.

A associação descoberta por David Strachan entre o tamanho das famílias e a prevalência de alergias resistiu a dezenas de outros estudos. Imagine por um momento que o sistema imunológico possui duas divisões: o exército e a marinha. Suponhamos que o exército lida com ameaças em terra e a marinha com ameaças no mar. Uma diminuição das ameaças marítimas significa que muitos daqueles que ingressariam na marinha agora são recrutados pelo exército – mas a falta de ameaças adicionais em terra acaba deixando o exército com excesso de contingente.

O mesmo aconteceria no corpo: uma divisão de células imunológicas conhecidas como células T auxiliares 1 (Th1) costuma responder a ameaças de bactérias e vírus. Uma segunda divisão – das células T auxiliares 2 (Th2) – geralmente reage a parasitas, inclusive vermes. Se o fardo das doenças infecciosas causadas por bactérias e vírus diminuiu devido a uma melhora geral na higiene, a divisão Th1 fica reduzida. Assim, o pessoal da divisão Th2 vem preencher essa lacuna, mas as células extras acabam ficando com quase nada para fazer. Por isso, além de ficarem atentas para combater parasitas e vermes, começam a atacar também partículas inofensivas, como pólen e células epiteliais, por exemplo. Simples e elegante, não é? Mas será que essa teoria era realista?

O desafio seguinte de Strachan foi procurar uma ligação clara, não apenas entre tamanho da família e alergias, mas entre *infecções* e alergias, para respaldar sua hipótese. Alguns dados pareciam estar de acordo com a teoria: pessoas infectadas com hepatite A ou sarampo não tinham alergias tão frequentes como as não infectadas. Mas a dificuldade de encontrar indícios dessa associação para a maioria das infecções comuns o intrigou. De fato, o próprio Strachan constatou que bebês que passaram por uma infecção no primeiro mês de vida não tinham menos chances de desenvolver alergias do que os outros. Mesmo nas circunstâncias em que mais infecções significavam menos alergias, sempre parecia haver uma explicação melhor para essa ligação.

Infelizmente, assim como minha analogia com exército e marinha, a divisão simplista das tarefas antipatógenos do sistema imunológico entre células Th1 e Th2 não se sustenta. Nenhum patógeno é combatido somente por células Th1 ou apenas por células Th2 – isso sempre envolve células dos dois tipos. Além disso, se o excesso de células Th2 fosse culpado pelo aumento da prevalência de alergias, a ocorrência de diabetes infantil e a esclerose múltipla não deveria estar aumentando também. Essas doenças são autoimunes, em que o corpo ataca suas próprias células, e ambas envolvem um excesso não de células Th2, mas de Th1.

O elemento mais contraditório da hipótese higiênica, porém, é que, na ausência de germes e vermes, resta às células imunológicas um alvo aparentemente legítimo – que elas poderiam perseguir, em vez de se voltarem contra o pólen e as células epiteliais. Embora hoje em dia os verdadeiros patógenos sejam visitantes relativamente raros no mundo ocidental, nosso corpo está passando por uma invasão microbiana cujo tamanho intimidaria o sistema imunológico mais voraz. Pesando uns 2 quilos no total, com seu centro de controle no cólon, esse grupo de "germes" invasores – a microbiota – vive lado a lado com a maior concentração de células imunológicas no corpo humano. No entanto, sobrevive ilesa. Se o sistema imunológico estivesse mesmo tão agitado assim, procurando inimigos para atacar, na certa aproveitaria a chance de atacar esses intrusos, não é?

Mas como o sistema imunológico sabe o que atacar? Você deve achar óbvio: tudo o que não faça parte do corpo. Tudo de não humano nos humanos, de não gato nos gatos, de não rato nos ratos. Ele só precisaria, por um lado, reconhecer o que é humano (ou gato ou rato) – *eu* – e não fazer nada; e, por outro, reconhecer o que não é humano – *não eu* – e atacar. Esse dogma do *eu/não eu* tem servido de base para a imunologia há mais de um século.

Mas pense no que aconteceria se o sistema imunológico realmente aplicasse esse sistema de classificação e atacasse tudo que fosse *não eu*. Moléculas de comida? Pólen? Poeira? Até mesmo a saliva de outra pessoa? Opor resistência a essas coisas não só é inútil como é um completo desperdício de energia –, afinal, são substâncias inofensivas. O fato de algo ser *não eu* não implica que seja perigoso e deva ser eliminado.

Por outro lado, imagine o que aconteceria se o sistema imunológico não destruísse nada que fosse *eu*. Isso é algo um pouco mais obscuro, mas não menos importante, pois mais coisas que você poderia imaginar são indesejáveis mesmo sendo *eu*. Para começo de conversa, não fosse a eliminação do *eu* pelo sistema imunológico, todos teríamos dedos das mãos e pés colados por membranas, como os dos patos. Por volta da nona semana de gravidez, o feto humano começa a ter uma aparência humana, apesar de ser do tamanho de uma uva. Nesse ponto, as células em torno dos dedos das mãos e dos pés "cometem suicídio" – sofrendo uma morte celular programada para permitir que os dedos se separem. A operação de limpeza é regida por fagócitos – um grupo de células imunológicas que engole e desmonta as membranas descartadas.

O mesmo ocorre com as sinapses do cérebro. Para alcançar o equilíbrio perfeito entre lembrar e esquecer precisamos destruir as ligações entre os neurônios que não são mais úteis – tarefa realizada por um tipo especializado de fagócito. O mesmo vale para células em risco de se tornarem cancerosas. Com uma frequência maior do que você imagina (estamos provavelmente falando de dezenas de vezes por dia), erros no processo de cópia do DNA ameaçam dar a alguma célula a chave da imortalidade: câncer. São as células do sistema imunológico, patrulhando o corpo em busca de sinais de erros, que impedem que isso aconteça quase todas as vezes. É tão importante tolerar algumas substâncias *não eu* e atacar algumas que são *eu* quanto destruir patógenos externos.

A microbiota claramente se encaixa na categoria *não eu*. Ela é formada por organismos inteiros, que não apenas pertencem a espécies diferentes de nós, mas a diferentes reinos biológicos. Além disso, são extremamente semelhantes às criaturas que causam tantos problemas ao sistema imunológico – as variedades patogênicas de bactérias, vírus e fungos. Além disso, os membros da microbiota têm, revestindo sua superfície, o mesmo tipo de moléculas que o sistema imunológico usa para detectar patógenos. Mas algo nesses micróbios instrui o sistema imunológico a não atacá-los.

A hipótese higiênica de David Strachan é excelente, mas agora está passando por uma revisão. Ele sugeriu que quanto mais infecções tivermos na infância, menores serão as chances de desenvolvermos alergias. O problema é que os dados não batem e os mecanismos não funcionam bem assim. Em certo sentido a reformulação pela qual a teoria está passando é bem sutil. Embora não cause doenças, a microbiota é, de certa forma, uma grande infecção. Esses micróbios são intrusos, mas se intrometeram há muito tempo e trazem tantos benefícios que o sistema imunológico aprendeu a aceitá-los. No entanto, como os micro-organismos que vivem no nosso corpo escaparam da destruição? E o que acontece com o nosso bem ajustado sistema imunológico em caso de desequilíbrios?

Cheguei a um ponto em minha descoberta dos micróbios que habitam o corpo humano em que parei de me ver como um indivíduo e comecei a me considerar um receptáculo da minha microbiota. Agora meus micro-organismos e eu formamos uma equipe. Mas, como em qualquer relacionamento, é dando que se recebe. Eu sou provedora e protetora deles, que em troca me sustentam e nutrem. Pego-me pensando se as minhas escolhas alimentares os deixariam gratos ou não, e vejo minha saúde mental e física como indicadores que atestam meu valor como sua anfitriã. Eles são minha colônia particular, e sua preservação é tão valiosa para mim quanto o bem-estar das células do meu próprio corpo.

Apesar da habilidade unicamente humana de compreender essa parceria de forma consciente, não se trata de uma aliança exclusivamente humana. Como veremos no capítulo 6, sua colônia particular começa com uma Arca de Noé de espécies que sua mãe lhe transmite no nascimento. Os primeiros micróbios de sua mãe vieram da sua avó, e os dela da sua bisavó, e assim *ad infinitum*. Em algum ponto, 8 mil tataravós atrás, aquele presente microbiano foi sendo transferido de mãe para filho em nossos ancestrais pré-*Homo sapiens*. Essa transferência ocorreu há muito em nossa história evolutiva, está além da humanidade, dos primatas, dos mamíferos, e remonta à alvorada do reino animal.

Um dos truques favoritos dos professores de biologia é pedir que os alunos abram bem os braços e tracem a biografia do planeta ao longo deles. Na ponta do dedo médio da mão direta está a formação da Terra, 4,6 bilhões de anos atrás. A ponta do dedo médio da mão esquerda representa a data de hoje. As rochas da Terra esfriaram e a vida bacteriana começou só no cotovelo do braço direito. Depois disso, demorou até um pouco antes do pulso esquerdo – outros 3 bilhões de anos – para que os animais mais básicos evoluíssem.

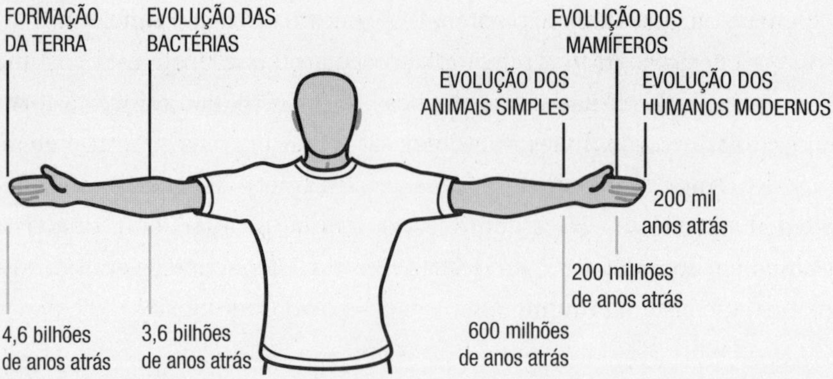

Uma história do planeta Terra

Os mamíferos, em toda a sua glória peluda e ponderada, surgiram apenas no dedo médio da mão esquerda e os seres humanos como nós entraram em cena somente no finalzinho da unha desse mesmo dedo.

Portanto, os animais nunca conheceram a vida sem as bactérias. A existência de cada um deles está tão interligada que, escondidas dentro de (quase) todas as células animais, estão os fantasmas das bactérias mais simples. Envoltas por uma célula maior, vale a pena hospedar essas bactérias, porque cada uma delas se especializou em obter energia de moléculas de alimento. Elas são as mitocôndrias – as usinas de força das células –, que convertem comida em energia através da respiração celular. Tão indispensáveis à vida multicelular agora quanto nos primórdios do reino *Animalia*, essas ex-bactérias se tornaram tão arraigadas que não as consideramos mais micróbios propriamente ditos. As mitocôndrias são uma evidência evolutiva das primeiras alianças entre dois organismos. Desde então, os menores organismos se unem aos maiores.

O padrão dessas alianças pode ser visto na árvore da vida. Uma comparação entre a árvore evolutiva dos relacionamentos entre espécies de mamíferos e a árvore das bactérias que habitam esses mamíferos revela que os dois grupos viajaram juntos ao longo da evolução. As árvores se espelham – nos pontos em que uma espécie de mamífero se divide em duas, os micróbios que ela abriga também se dividem, evoluindo separadamente com seu novo hospedeiro a partir desse ponto. Esse estreito relacionamento entre um hospedeiro e sua microbiota levou a uma ideia nova e revolucionária que toca no ponto central do funcionamento da evolução por seleção natural.

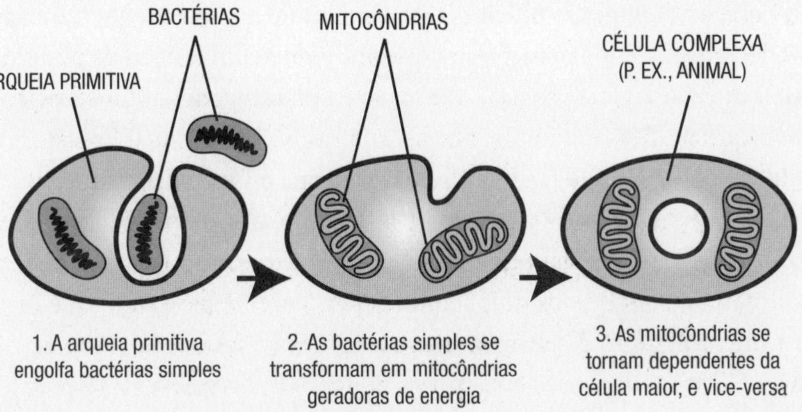
BACTÉRIAS
MITOCÔNDRIAS
ARQUEIA PRIMITIVA
CÉLULA COMPLEXA
(P. EX., ANIMAL)
1. A arqueia primitiva
engolfa bactérias simples
2. As bactérias simples se
transformam em mitocôndrias
geradoras de energia
3. As mitocôndrias se
tornam dependentes da
célula maior, e vice-versa

A evolução da mitocôndria

Assim como Darwin em *A origem das espécies*, começaremos não pela seleção natural, mas pela seleção artificial. Darwin escreveu sobre a criação de pombos, já que esse era o hobby favorito de alguns cavalheiros na época. Ilustrarei meu argumento com cães em vez de pombos. Tanto um dogue alemão quanto um fox terrier descendem dos lobos e, mesmo assim, nenhum dos dois guarda qualquer semelhança com seus ancestrais. Os dogues alemães foram criados para a caça de veados, javalis e até ursos nas florestas da Alemanha. A cada geração, seus criadores escolhiam cães com tamanho, velocidade e potência suficientes para se tornarem os pais da geração seguinte. Gradualmente, esses traços se tornaram mais pronunciados, já que as características mais apropriadas foram selecionadas pelos criadores (de forma artificial, não natural). Os fox terriers, na outra extremidade da escala, foram selecionados por seus criadores segundo a velocidade, a agilidade e a capacidade de se enfiar numa toca de raposa.

A seleção natural funciona da mesma maneira, só que, em vez de um criador escolher quais características selecionar, o ambiente natural cumpre esse papel. Um guepardo precisa ter pernas poderosas o bastante para correr e caçar, coração e pulmões suficientemente grandes para ter mais fôlego que sua presa, uma visão aguçada para distinguir o filhote no meio de um bando de gazelas. Cada um desses traços é selecionado pelo clima, pelo habitat, pelos competidores, pelas presas ou pelos predadores desse organismo.

O que os biólogos evolucionistas discutem é o que *exatamente* está sendo selecionado. Pode parecer óbvio: o *indivíduo* com músculos poderosos é aquele que vai viver e procriar. Ele foi selecionado pelas circunstâncias para se reproduzir. Mas então por que as leoas ajudariam seus filhotes? Por que abelhas operárias ajudariam a rainha? Por que a jovem galinha-d'água ajudaria os pais? E, o que é ainda mais intrigante, por que um morcego vampiro iria regurgitar uma refeição de sangue para outro que não conseguiu se alimentar, sem que os dois sequer sejam parentes? Se tudo que importa para um indivíduo é seu próprio sucesso reprodutivo, por que ajudar os outros? Essas indagações levaram os biólogos a discutirem a seleção acima do nível individual. Se a cooperação ajuda os membros de uma comunidade a se reproduzirem, especialmente quando não têm laços de parentesco, o ambiente não está selecionando apenas indivíduos, mas grupos inteiros.

Richard Dawkins viria nos lembrar de que tanto a ideia de seleção individual quanto a de grupo estão errando o alvo. Em seu livro de 1976, *O gene egoísta*, ele defendeu a perspectiva de vários biólogos evolucionistas proeminentes – de que a seleção natural escolhe *genes*. Os corpos, ele diz, são meros veículos para os genes, permitindo que sejam imortais. Eles, assim como os indivíduos, variam, podem ser replicados e são transmitidos de uma geração para a outra. O fato é que os genes são os responsáveis por determinar as chances reprodutivas de um indivíduo e, portanto, são *eles* – não o indivíduo – que são selecionados. Claro que um gene não consegue agir sozinho. Mesmo o gene mais vivificante e produtor de bebês que a mutação pudesse conceder a um indivíduo é limitado pelas virtudes de seus vizinhos. O que nos traz de volta ao início – o indivíduo –, mas talvez com uma maior compreensão da complexidade da seleção natural.

A evolução conjunta das espécies hospedeiras e sua microbiota acrescenta mais uma camada a esta rede emaranhada de favores evolutivos. Tomemos como exemplo um herbívoro – um bisão –, para imaginar a tarefa da seleção natural na ausência da microbiota. O bisão seria grande o bastante para espantar os lobos, peludo o suficiente para se manter aquecido no inverno e teria força para percorrer longas distâncias em busca de boas pastagens. Mas essas, e muitas outras características vivificantes e produtoras de bebês do bisão, seriam inúteis sem um conjunto satisfatório de micróbios. Sozinho, o bisão não é capaz de digerir a grama. Com a barriga cheia de grama intocada, não conseguiria absorver as moléculas do alimento nem produzir energia. Sem energia, não poderia crescer, se locomover, se reproduzir nem permanecer vivo. Seria inútil.

O bisão e sua microbiota evoluíram juntos. Os dois foram selecionados. O bisão precisa ser grande, peludo e forte, mas também deve ter um processo de digestão eficiente para conseguir o apoio da seleção natural. Precisa ser *microbiano* o suficiente. A combinação do hospedeiro (o bisão, o peixe, o inseto ou o ser humano) e seus micróbios é conhecida como "holobionte". Essa codependência e essa inevitabilidade evolutiva levaram Eugene e Ilana Rosenberg, da Universidade de Tel Aviv, em Israel, a proporem outro nível de ação da seleção natural. Os holobiontes, assim como indivíduos e grupos, também são escolhidos por seus méritos reprodutivos. Como nenhum animal consegue viver de forma independente de sua microbiota e nenhuma microbiota sem seu hospedeiro, selecionar apenas um deles seria impossível. Portanto, a seleção natural age sobre ambos, escolhendo as combinações mais fortes, adequadas e aptas a sobreviverem e se reproduzirem.

Em última análise, como Dawkins deixa claro, é sobre os genes que a seleção atua, sejam animais ou microbianos. Assim, a ideia dos Rosenbergs ficou conhecida como "teoria hologenômica": a seleção atua sobre o genoma do hospedeiro combinado ao do microbioma.

O fato é que o sistema imunológico humano não evoluiu de forma isolada. Nunca se tratou de um conjunto estéril de nodos, tubos e células itinerantes, à espera do ataque de um inimigo desconhecido. Pelo contrário, ele "cresceu" com micróbios de todos os tipos – tanto os que nos deixam claramente doentes quanto os que nos mantêm saudáveis. Devido a essa associação milenar, o sistema imunológico conta com a presença de micro-organismos. Quando eles não estão lá, o equilíbrio desaparece. É como se você tivesse aprendido a dirigir com o freio de mão permanentemente puxado. Depois de ter dominado a pressão exata que deve aplicar ao acelerador para vencer o freio e fazer o carro andar, de repente vem alguém, após décadas de direção segura, e solta o freio, fazendo com que sua direção fique louca e descontrolada enquanto você luta para seguir em frente.

É claro que mesmo as pessoas menos saudáveis não estão totalmente livres de microbiota, de modo que não podemos prever ao certo a confusão que o sistema imunológico poderia causar em sua ausência. Na história da humanidade, apenas uma pessoa viveu sem microbiota – ou quase. Para isso, esse menino passou a vida numa bolha em um hospital de Houston. Conhecido pela mídia como o "Menino da Bolha", David Vetter sofria de Imunodeficiência Combinada Severa (SCID), o que significava que ele era completamente incapaz de se defender de patógenos. Os pais de David haviam perdido o primeiro filho devido a essa doença, que é hereditária, mas os médicos confiavam que a cura logo seria encontrada, de modo que a mãe de David resolveu levar sua gravidez adiante.

David nasceu em 1971 de cesariana, numa bolha de plástico esterilizada. Era manuseado com luvas plásticas e alimentado com fórmula infantil esterilizada. Jamais conheceu o cheiro da pele da mãe ou o toque da mão do pai. Nunca brincou com outra criança sem uma proteção de plástico impedindo o compartilhamento de brinquedos e risadas. Para tirar David da bolha, seria necessário um transplante da medula de sua irmã. Havia a esperança de que isso pudesse ativar seu sistema imunológico e libertá-lo da doença. Mas sua irmã não era compatível e David não teve escolha senão permanecer em sua bolha pelo resto da vida.

Apesar da doença devastadora, David levou a vida em relativa saúde e nunca esteve doente até sua morte aos 12 anos. O intrigante é que, apesar de ter uma memória espacial ruim, ele era hipersensível à passagem do tempo – talvez porque seu cérebro não precisasse se orientar no espaço, apenas no tempo. Durante seu isolamento, muitos estudos da saúde física e mental de David foram realizados, mas os benefícios de uma microbiota saudável ainda não eram conhecidos. Pensava-se que seu papel se limitasse à sua participação na síntese de vitaminas, e o impacto de estar livre de germes nunca foi investigado. No final, na ausência de um doador compatível, decidiu-se que David deveria receber um transplante de medula óssea da irmã, apesar dos riscos. Um mês após a cirurgia, ele morreu de linfoma – um tipo de câncer no sistema imunológico. O câncer foi provocado pelo vírus de Epstein-Barr, que estava escondido na medula da irmã e, sem que os médicos percebessem, foi transferido para David.

Apesar de todos os esforços para manter David livre de germes, desde o nascimento seu intestino já havia sido colonizado por cada vez mais espécies de bactérias. Os médicos sabiam disso e periodicamente faziam cultura dos micróbios nas fezes de David, mas a colônia simples que ele havia adquirido não parecia estar provocando qualquer dano. Se o menino estivesse mesmo livre de germes, o legista em sua autópsia teria encontrado um sistema digestivo muito desproporcional. A primeira porção do intestino grosso que tem o tamanho de uma bola de tênis – o ceco – ao qual o apêndice está ligado poderia estar do tamanho de uma bola de futebol. A superfície dobrada do intestino delgado provavelmente teria uma área bem menor que a normal, sendo suprida por menos vasos sanguíneos. No entanto, o sistema digestivo de David era como o de qualquer outra criança.

Essas diferenças gastrointestinais são típicas de animais livres de germes, embora não esteja claro por quê. Uma pesquisadora me contou que, na primeira vez em que dissecou um camundongo livre de germes, ficou horrorizada com o tamanho do ceco, que ocupava quase todo o abdômen. Mais tarde ela descobriu que todos os camundongos livres de germes têm um ceco superdimensionado. Seu sistema imunológico também é muito diferente do de animais normais; é como se nunca tivesse amadurecido após o nascimento. O intestino delgado de mamíferos colonizados – inclusive os seres humanos – normalmente é salpicado de aglomerados de células chamados Placas de Peyer que agem como postos de patrulha de fronteira. Em cada placa há uma fileira de minicentros de controle, para onde são levadas as partículas *não eu* que estejam passando por ali. Elas então são "entrevistadas" por células imunológicas sobre suas intenções. As que são suspeitas desencadeiam uma caçada a outras partículas similares dentro do intestino e, ocasionalmente, no resto do corpo. Em animais livres de germes, porém, há poucos postos de controle; eles ficam muito espaçados e os "guardas" são mal treinados e lentos na hora de alertar seus colegas de que houve uma violação da fronteira. Com um sistema imunológico assim, as perspectivas de um animal livre de germes fora da segurança de sua bolha de isolamento não são boas. De fato, quando libertados do casulo, os animais livres de germes logo se tornam presa de alguma infecção e morrem.

Dessa forma, fica claro que a microbiota tem uma grande influência sobre o desenvolvimento do sistema imunológico, e isso tem um efeito poderoso sobre sua capacidade de combater doenças. Quando infectados com bactérias do gênero *Shigella* – que causa diarreia grave em seres humanos –, porquinhos-da-índia normais não são afetados, mas os livres de germes invariavelmente morrem. Mesmo acrescentar apenas uma espécie da microbiota normal aos porquinhos-da-índia já é suficiente para protegê-los dos efeitos fatais da *Shigella*. Mas esse efeito não se verifica só em animais sem germes. Antibióticos que alteram o equilíbrio normal da microbiota dos animais também levam a mais infecções. Se inserirmos o vírus da gripe na narina de camundongos tratados com antibióticos, eles não serão capazes de combatê-lo e acabarão ficando doentes, enquanto aqueles que não estão tomando antibióticos não adoecem. As células imunológicas e os anticorpos – que marcam os patógenos que devem ser destruídos – não são produzidos em número suficiente para impedir que a infecção se espalhe e chegue a seus pulmões.

Parece paradoxal, afinal os antibióticos existem para *tratar* infecções, não causá-las. No entanto, apesar de um tratamento com antibióticos poder curar uma infecção, pode também nos deixar expostos a outras. A explicação óbvia é que, sem os micróbios protetores, o corpo fica sujeito ao ataque de seus colegas patogênicos. Mas os antibióticos raramente reduzem o número total de micróbios protetores presentes. Em vez disso, há uma alteração na composição das diferentes espécies. Parece que a verdadeira mudança é no modo como o sistema imunológico se comporta de acordo com quais membros da microbiota estejam presentes.

A primeira linha de defesa do intestino é uma grossa camada de muco. Perto das células da mucosa intestinal, o muco está livre de micróbios, mas muitos membros de sua flora "moram" em sua camada mais externa. O tratamento com o antibiótico metronidazol, por exemplo, mata apenas as bactérias anaeróbicas – aquelas que vivem sem oxigênio. Essa mudança na composição da microbiota altera o comportamento do sistema imunológico, interferindo diretamente em nossos genes humanos e reduzindo a produção de mucina – proteína necessária à formação da camada de muco. Com uma camada de proteção mais fina, micróbios de todos os tipos têm acesso mais fácil à mucosa intestinal. Se eles, ou seus componentes químicos, conseguem chegar à corrente sanguínea do outro lado, o sistema imunológico é mobilizado.

Você pode estar se perguntando: se os antibióticos mudaram o funcionamento do sistema imunológico, será que não ficaríamos ainda mais doentes ao tomá-los? Em um estudo com 85 mil pacientes, os que tomavam antibióticos de longo prazo para o tratamento de acne tinham duas vezes mais chances de contrair resfriados e outras infecções do trato respiratório superior do que pacientes de acne que não tomavam antibióticos. Outro estudo com estudantes universitários descobriu que tomar antibióticos quadruplicava o risco de pegar um resfriado.

Mas e o efeito dos antibióticos sobre as alergias? Em 2013, uma equipe de cientistas da Universidade de Bristol, no Reino Unido, fez a mesma pergunta. Eles tomaram como base um extenso projeto de pesquisa conhecido como Crianças dos Anos Noventa, que coletou uma enorme quantidade de informações de saúde e sociais de crianças nascidas de 14 mil mulheres que engravidaram no início dos anos 1990. Os dados incluíram registros sobre o uso de antibióticos na infância. Descobriu-se que aqueles que receberam antibióticos antes dos 2 anos – com a surpreendente porcentagem de 74% – tiveram em média duas vezes mais chances de desenvolver asma ao chegarem aos 8 anos. Quanto mais tratamentos com antibióticos as crianças receberam, maiores foram as chances de desenvolverem asma, irritações na pele e febre do feno.

Mas correlação nem sempre significa causa. O pesquisador-chefe do estudo dos antibióticos havia descoberto, quatro anos antes, que quanto mais tempo as crianças passavam na frente da televisão, maiores eram as suas chances de desenvolver asma. Claro que, apesar da semelhança dos resultados com o estudo dos antibióticos, ninguém realmente acreditou que ver televisão pudesse desencadear uma disfunção imunológica nos pulmões. Na verdade, o número de horas diante da TV estava sendo usado como um reflexo da quantidade de exercícios que a criança praticava. Mas o argumento continua válido: como podemos nos certificar de que a quantidade de antibióticos que uma criança recebeu não é também um reflexo de alguma outra coisa? Por exemplo, do grau de superproteção dos pais, ou, o que seria mais pertinente, da possibilidade de que os antibióticos tenham sido ministrados para tratar sintomas prematuros da asma para início de conversa. Mas os pesquisadores recalcularam as probabilidades levando em conta esse dado – dessa vez excluindo qualquer criança que tivesse apresentado respiração ofegante antes dos 18 meses – e a correlação se manteve forte.

Claro que o objetivo de qualquer tratamento com antibióticos é livrar o corpo de alguma infecção, de modo que a hipótese higiênica se sustenta à luz do vínculo entre antibióticos e alergias. Mas o paradoxo continua: por que o sistema imunológico iria atacar alergênicos inofensivos, e não a ameaça aparentemente mais alarmante dos micróbios presentes no corpo? E se o aumento nas alergias estivesse mesmo ligado à queda nas infecções, por que as pessoas que tiveram menos infecções não são as que têm mais alergias?

Em 1998, a professora Agnes Wold, da Universidade de Gothenburg, na Suécia, foi a primeira a oferecer uma alternativa à hipótese higiênica. As pesquisas sobre a importância da microbiota estavam começando a ganhar força, e a ausência de correlação entre infecções e alergia havia começado a pôr em xeque a ideia de Strachan. Além da correlação entre uso de antibióticos e alergias, havia uma associação mais direta. A pesquisadora Ingegerd Adlerberth, que era colega de Wold, já havia comparado os micro-organismos de bebês nascidos em hospitais da Suécia e do Paquistão.

Os bebês nascidos na Suécia, onde a prevalência de alergias é alta, tinham uma diversidade de bactérias bem menor que os bebês nascidos no Paquistão, especialmente de um grupo chamado enterobactérias. Claro que o nível de higiene da Suécia excedia em muito o do Paquistão, mas aqueles bebês não estavam ficando doentes – não sofriam de infecções. Eles apenas estavam sendo colonizados por uma maior diversidade de micróbios, sobretudo desse grupo de bactérias encontradas no ambiente em geral e no intestino adulto – portanto, nas fezes da mãe. Os protocolos de obstetrícia na Suécia – que em alguns casos incluíam a limpeza dos genitais da mulher antes do parto – podiam estar alterando completamente quais micro-organismos se instalariam no intestino vazio dos recém-nascidos.

Wold achou que era essa mudança na composição da microbiota – e não a exposição direta às infecções – o que estava causando o aumento nas alergias. Ela organizou um grande estudo com bebês da Suécia, da Grã-Bretanha e da Itália, e rastreou as mudanças em sua microbiota ao longo do tempo. Conforme era esperado, esses bebês ultra-higiênicos haviam sido colonizados por menos espécies – sobretudo de enterobactérias. Em seu lugar havia mais membros de um gênero de bactérias tipicamente encontradas na pele, não no intestino – os estafilococos. Nenhuma espécie isolada ou grupo de micróbios pôde ser associado ao desenvolvimento de alergias mais tarde na vida, mas a *diversidade* geral dos micro-organismos encontrados no intestino dos bebês, sim. Os bebês que desenvolveram alergias tinham uma diversidade bem menor de bactérias no intestino do que os que permaneceram saudáveis.

A reformulação da hipótese higiênica original de Strachan ganhou terreno entre os imunologistas e microbiologistas. Após duas décadas de pesquisas sobre a microbiota humana, nossa compreensão sobre o que faz com o sistema imunológico se desenvolva de forma saudável ganhou mais uma camada de complexidade. Um ambiente superlimpo detém não apenas as doenças infecciosas, mas também a colonização pelos micróbios que às vezes são chamados de "Velhos Amigos". Esses Velhos Amigos evoluíram ao nosso lado, envolvendo-se num diálogo profundo com o sistema imunológico nesse processo. A hipótese higiênica se transformou na hipótese dos Velhos Amigos – um novo ponto de vista sobre uma ideia antiga. O que exatamente a microbiota está informando ao corpo humano – ou ao corpo de qualquer animal? Como o corpo sabe em quais micro-organismos confiar e quais são os verdadeiros impostores?

O sistema imunológico lidera uma equipe de diferentes tipos de células, cada uma com um papel específico na hora de detectar e destruir ameaças. Enquanto os *macrófagos* são soldados de infantaria que rapidamente engolem bactérias ameaçadoras e os *linfócitos B de memória* são franco-atiradores treinados para atacar um alvo específico, as *células auxiliares T* (como Th1 e Th2) são os oficiais de comunicações, encarregados de alertar a tropa em caso de invasão. Essas reações começam pelos antígenos, pequenas moléculas na superfície de um patógeno que o identificam como um inimigo. São como pequenas bandeiras vermelhas que o sistema imunológico automaticamente reconhece como sinais de perigo, quer já tenha deparado com aquele patógeno particular antes, quer não. Como todos os patógenos carregam esses sinais de perigo, eles sempre serão detectados se entrarem no corpo.

Na época em que a imunologia se baseava no conceito de *eu* e *não eu*, pensava-se que eram os antígenos presentes na superfície de suas células que traíam a presença dos patógenos. Mas o que os pesquisadores não reconheciam na época era que os micróbios benéficos também carregam esses sinais de perigo, enviando ao sistema imunológico a mesma mensagem que os patógenos. Os sinais de perigo apenas os identificavam como micro-organismos, mas não informavam ao corpo se eram amigos ou inimigos. A microbiota não estava simplesmente sendo ignorada por um sistema imunológico esclarecido. Pelo contrário, nossos micróbios benéficos devem ter encontrado um meio de persuadir o sistema imunológico a deixá-los ficar.

Você poderia pensar que todas as células imunológicas estão prontas a destruir alvos e sair à caça de ameaças. Mas, como com todos os sistemas do corpo, é preciso que haja um equilíbrio. Mensagens pró-inflamatórias (ataque!) precisam contrabalançar mensagens anti-inflamatórias (retire-se!). O lado anti-inflamatório da equação fica a cargo de uma célula imunológica recém-descoberta, a célula T reguladora, que age como um coordenador das reações imunológicas em geral. Conhecidas como T_{regs}, essas células acalmam os linfócitos agressivos e sedentos de sangue do sistema imunológico. Quanto mais T_{regs}, menos reativo será o sistema; e quanto menos, com mais agressividade ele vai reagir.

Porém, dados novos e surpreendentes indicam que o comandante das T_{regs} anti-inflamatórias não é um tipo superior de célula humana agindo apenas de acordo com os interesses do corpo. Pelo contrário, a microbiota é quem dá as ordens, usando as T_{regs} como peões. Ao manipular os números dessas células "calmantes", ela assegura sua própria sobrevivência, já que um sistema imunológico calmo e tolerante significa uma vida fácil, sem medo de ataque ou eliminação. A ideia de que nossa microbiota evoluiu de forma a suprimir nosso sistema imunológico em seu próprio benefício é um tanto assustadora. Mas não precisamos nos preocupar – nossa longa história de evolução lado a lado com nossa microbiota ajustou perfeitamente o equilíbrio imunológico, e, assim, todos saem ganhando.

Mais preocupante é a perda da diversidade que atingiu a microbiota dos seres humanos que têm um estilo de vida ocidentalizado. Quais são as implicações disso para as T_{regs}? Uma equipe de cientistas que incluía Agnes Wold fez essa mesma pergunta. Para chegar a uma conclusão, resolveram usar o velho favorito dos laboratórios: os camundongos livres de germes. Eles mediram a eficácia das T_{regs} de camundongos livres de germes e a compararam com a de camundongos normais. Nos primeiros, foi necessária uma maior quantidade de T_{regs} em relação às células atacantes para suprimir a reação imunológica agressiva, mostrando que essas células, quando produzidas na ausência de uma microbiota, eram muito menos poderosas que aquelas presentes em um camundongo normal. Em outro experimento, acrescentaram a microbiota de um intestino normal a um camundongo livre de germes, e isso aumentou o número de T_{regs} produzidas pelo animal, acalmando o comportamento agressivo do sistema imunológico.

Então como os membros da microbiota são capazes disso? A superfície de suas células está coberta de sinais de perigo – iguais aos dos micro-organismos patogênicos. No entanto, em vez de irritar o sistema imunológico, eles conseguem acalmá-lo. Parece que, para que isso seja possível, cada espécie benéfica deve ter sua própria senha, conhecida apenas por ela e pelo sistema imunológico. O professor Sarkis Mazmanian, do Instituto de Tecnologia da Califórnia, descobriu a senha de uma bactéria chamada *Bacteroides fragilis*. Essa espécie é uma das mais numerosas em nossa microbiota e com frequência fixa residência no intestino logo após o nascimento. Ela produz uma substância química chamada polissacarídeo A, ou PSA, que é liberada em cápsulas minúsculas. Uma vez engolidas pelas células imunológicas do intestino grosso, essas cápsulas desencadeiam a ativação de T_{regs}, que, por sua vez, enviam mensagens químicas calmantes às outras células imunológicas e as impedem de atacarem a *B. fragilis*.

Usando o PSA como senha, a *B. fragilis* converte a reação pró-inflamatória do sistema imunológico em seu oposto. É provável que o PSA e as outras senhas produzidas por essas bactérias que colonizam o intestino no início da vida sejam importantes para acalmar a reação imunológica e impedir o surgimento de alergias. Muitas variedades dessas senhas devem ter evoluído para serem produzidas por grupos específicos de micróbios que ganharam aceitação como membros do clube exclusivo que é o corpo humano. Animais com alergias são deficientes em T_{regs} e parece que, sem sua influência calmante, o freio de mão fica solto e o sistema imunológico avança em velocidade máxima, atacando até mesmo a mais inócua das substâncias.

Permitam que eu fale agora sobre o cólera – a doença por trás dos litros de diarreia aquosa esbranquiçada que contaminaram o suprimento de água do Soho em 1854 e ainda hoje causa surtos terríveis nos países em desenvolvimento. Ela é provocada por uma bacteriazinha desagradável chamada *Vibrio cholerae* – que coloniza o intestino delgado. Mas esse patógeno não pretende ficar por muito tempo. Enquanto a maioria das bactérias infecciosas tenta enganar o sistema imunológico até estar forte o suficiente para resistir ao ataque e causar uma infecção persistente, a *V. cholerae* anuncia sua presença desde o momento de chegada. Na primeira fase da missão, ela se prende à parede intestinal e se reproduz o mais rápido possível. Só que em vez de querer permanecer ali para causar uma infecção permanente, essa bactéria tem outro objetivo. Ela sai, e faz isso em grandes números, misturada com a diarreia aquosa que drena do corpo de seu hospedeiro.

A diarreia é uma estratégia tanto dessa bactéria quanto do sistema imunológico. A bactéria a emprega como uma oportunidade para sair e infectar novos hospedeiros, enquanto o sistema imunológico se utiliza dela para se livrar de patógenos e suas toxinas. O mecanismo funciona mais ou menos assim: a parede intestinal é parecida com uma parede de tijolos – com várias células juntas, uma ao lado da outra. Mas, em vez de cimento, elas permanecem ligadas por proteínas semelhantes a cadeias. Isso torna a parede um pouco mais flexível. Na maior parte do tempo, tudo que tenta atravessar do intestino para a corrente sanguínea é forçado a passar diretamente por uma célula, onde está sujeito a todo tipo de interrogatório. Mas, às vezes, as cadeias de proteínas podem se afrouxar um pouco, permitindo que substâncias passem do sangue ao intestino e vice-versa. Caso seja necessário, a água do sangue pode passar entre as células da mucosa intestinal, penetrando no intestino e causando diarreia. Algo útil quando o corpo precisa se livrar de um patógeno.

Dois fatos são notáveis sobre a estratégia de saída da *V. cholerae*, um deles está ligado ao impacto de nossas colônias microbianas específicas e ao funcionamento de nosso sistema imunológico. O outro, pelo qual começarei, é apenas interessante.

As bactérias *V. cholerae* conversam umas com as outras antes de partirem. Não estou sendo antropomórfico aqui. Essas, e muitas outras bactérias, realmente conversam. Sua estratégia infecciosa é mais ou menos assim. Fase um: infectar o intestino delgado e se reproduzir feito coelhos. Fase dois: quando a população atingir um determinado tamanho e o hospedeiro estiver à beira da morte, sair em uma torrente de diarreia, pronta para infectar dez novos hospedeiros. A dificuldade dessa lógica é como "saber" que a população atingiu o tamanho suficiente para abandonar o barco. A solução se chama percepção de quorum. Cada indivíduo constantemente libera uma quantidade ínfima de uma substância química. No caso da *V. cholerae*, chama-se Autoindutor 1 do Cólera, ou CAI-1. Quanto mais bactérias na população, maior a concentração de CAI-1 ao seu redor. E então, a certa altura, o "quorum" é alcançado – ou seja, o número mínimo de membros está presente para votar. Com isso, eles sentem que está na hora de partir.

A forma como fazem tudo isso funcionar é igualmente ágil. A concentração de CAI-1, junto com outro autoindutor, o AI2, faz com que a *V. cholerae* mude a expressão de seus genes. Coletivamente, os indivíduos *desligam* os genes que os ajudam a ficarem presos à parede intestinal e depois *ligam* um conjunto de genes que produzem substâncias que forçam a parede intestinal a abrir as comportas. Um desses genes codifica uma toxina chamada *zonula occludens* (Zot), que foi descoberta pelo cientista e gastrenterologista italiano Alessio Fasano, que trabalha no Hospital Geral Infantil de Boston. Essa toxina afrouxa as cadeias que mantêm as células intestinais juntinhas, permitindo que a água entre e a *V. cholerae* saia pelos intestinos, ganhando a liberdade.

A descoberta de Fasano levou-o a pensar: essa toxina é uma chave viral que se encaixa em uma fechadura humana, mas o que essa fechadura está fazendo ali? Será que já existia uma chave *humana*, feita para aquela fechadura, que foi copiada pela *V. cholerae*? Como era de esperar, Fasano descobriu uma nova proteína humana semelhante à Zot, que chamou de "zonulina". Assim como a outra, a zonulina interfere nas cadeias que mantêm as células intestinais coladas umas nas outras, controlando assim a permeabilidade da parede intestinal. Quanto mais zonulina, mais as cadeias se afrouxam e as células se afastam, permitindo que moléculas maiores entrem no sangue e saiam dele.

A descoberta da zonulina nos traz à parte pertinente à imunidade. Na presença de uma microbiota normal e saudável, as cadeias ficam fechadas e as células, rigidamente ligadas. Nada de grande ou perigoso pode alcançar a corrente sanguínea. Mas quando a microbiota entra em desequilíbrio, passa a agir um pouco como uma versão mais branda da *V. cholerae*, irritando o sistema imunológico. Em reação, ele tenta se defender liberando zonulina para soltar as cadeias, separar as células das paredes intestinais e "dar descarga" no sistema. Assim, a mucosa do intestino deixa de ser uma barreira impenetrável que repele tudo exceto minúsculas moléculas de alimento e começa a ter vazamentos. Pelas lacunas entre as células, todo tipo de invasor pode entrar, abrindo caminho para a terra prometida do corpo.

Ora, isso nos leva a um tema polêmico. O intestino poroso é um dos favoritos da indústria da saúde alternativa – que pode ser tão gananciosa e mentirosa quanto sua irmã dominante, a grande indústria farmacêutica. Alegações de que a "síndrome do intestino permeável" seria a raiz de todas as doenças e de muitos outros males são tão velhas quanto o campo dos tratamentos alternativos. Mas só recentemente a compreensão científica de suas causas, mecanismos ou consequências se tornou mais clara. Embora a grande indústria farmacêutica tenha suas próprias falhas, poderíamos dizer que a "medicina alternativa" usa dois tipos de tratamentos: aqueles que não funcionam suficientemente bem para merecerem o título de "remédio" e aqueles ainda não foram respaldados por evidências clínicas e científicas. Talvez uma terceira categoria de tratamento mereça ser mencionada: os que não podem ser patenteados e vendidos, como o repouso e uma dieta saudável.

A comunidade científica e médica desconfia do conceito de intestino permeável – que, no entanto, oferece uma explicação plausível a pacientes cansados de não obter respostas sobre fadiga persistente, dor, problemas no estômago, dores de cabeça, etc. É um diagnóstico que tanto adeptos bem-informados e bem intencionados da saúde alternativa quanto charlatões que entraram na onda podem facilmente dar aos pacientes, e cuja cura conta com um conjunto razoável de recomendações de estilo de vida. Existem até testes que os pacientes podem fazer e que, quando aplicados de maneira correta, medem o grau de "vazamento", permitindo ao adepto da saúde alternativa não apenas dar uma medida do problema, mas buscar melhorias. Porém, para os médicos, poucos indícios passam pelo crivo dos departamentos de saúde e das faculdades de medicina em apoio ao conceito – e sua credibilidade permanece baixa. O site do Serviço Nacional de Saúde do Reino Unido desencoraja os pacientes que pretendem explorar a ideia:

> Os defensores da "síndrome do intestino permeável" – na maior parte nutricionistas e praticantes da medicina complementar e alternativa – acreditam que a mucosa do intestino pode ficar irritada e "porosa" como resultado de um conjunto de fatores bem mais amplo, que incluem o crescimento excessivo de fungos ou bactérias no intestino, uma dieta ruim e o uso exagerado de antibióticos. Eles acreditam que partículas não digeridas dos alimentos, toxinas bacterianas e germes possam atravessar a parede "permeável" do intestino e penetrar na corrente sanguínea, acionando o sistema imunológico e causando uma inflamação persistente pelo corpo. Isso, dizem, estaria associado a uma série bem mais ampla de problemas de saúde e doenças. Esta teoria é vaga e em grande parte ainda não foi comprovada.

No entanto, esse ponto de vista está ficando rapidamente ultrapassado. A relutância em se alinhar com a medicina alternativa e se arriscar a perder a credibilidade talvez venha desencorajando cientistas e médicos envolvidos na pesquisa da permeabilidade intestinal e da inflamação crônica. Por medo de tirar meus leitores mais céticos de sua zona de conforto, hesito em trazer esse tema à tona num livro rigorosamente baseado em pesquisas científicas. Mas a base de pesquisas vem crescendo e os mecanismos de funcionamento vêm sendo revelados. Antes de decidir se isso é charlatanismo ou realidade, permita que eu recapitule as evidências.

Tudo começou com Alessio Fasano e a zonulina. Embora sua intenção fosse aprender mais sobre as táticas de invasão do vibrião do cólera, ele acabou percebendo que tinha encontrado respostas para outro problema, bem mais próximo de casa. Na década de 1990, Fasano tinha acabado de chegar da Itália e era gastrenterologista pediátrico nos Estados Unidos. Entre seus pacientes havia crianças com doença celíaca – relativamente incomum até então. A doença nem sequer fora mencionada num grande relatório de 800 páginas sobre doenças digestivas publicado em 1994. As crianças de que Fasano vinha tratando ficavam muito mal se consumissem mesmo uma quantidade ínfima de uma proteína encontrada nos grãos de trigo, centeio e cevada: o glúten. Na doença celíaca, essa proteína provoca uma reação autoimune. As células imunológicas tratam-na como um invasor, produzindo anticorpos contra ela. Esses anticorpos também atacam as células intestinais, causando danos, dor e diarreia.

A doença celíaca é uma doença autoimune muito especial. É a única cujo responsável por desencadeá-la é conhecido. Essa informação deixou os imunologistas contentes: eles já sabiam o que a estava causando. Os geneticistas também ficaram satisfeitos: vários genes que tornam algumas pessoas mais suscetíveis à doença celíaca do que outras haviam sido identificados. Genes ruins somado a um gatilho ambiental é igual a doença, eles pensaram. Mas Fasano não estava satisfeito. Para o glúten causar a doença, precisava entrar em contato com as células imunológicas. Só que, para isso, teria que atravessar a mucosa do intestino. Pela mesma razão que obriga os diabéticos a injetar insulina, em vez de engoli-la, o glúten não é capaz disso. Simplesmente é uma proteína grande demais para conseguir passar pela parede intestinal.

A descoberta da toxina do cólera, Zot, e de seu equivalente humano, a zonulina, revelou-se a pista de que ele precisava. Mas apenas o glúten e uma série de genes ruins não são suficientes para fazer com que as pessoas desenvolvam a doença celíaca, quer tenham 8 ou 80 anos. Algo tem que deixar o glúten passar. Como sabia que as paredes intestinais ficavam permeáveis na doença celíaca, Fasano teve um palpite. Talvez a zonulina tivesse algo a ver com tudo aquilo. Ao examinar o tecido intestinal de crianças com doença celíaca e sem a doença, suas suspeitas se comprovaram: aquelas com a doença tinham níveis de zonulina bem maiores. Sua parede intestinal estava se abrindo e deixando as proteínas de glúten passarem para a corrente sanguínea, onde desencadeavam uma reação autoimune. Atualmente, cerca de 1% da população ocidental sofre dessa doença.

Os celíacos não são os únicos que têm um intestino permeável e altos níveis de zonulina. Os diabéticos Tipo 1 também têm um intestino particularmente poroso, e Fasano descobriu que a zonulina estava por trás disso mais uma vez. Numa espécie de rato usado para a pesquisa da diabetes, o intestino permeável sempre antecede a doença em várias semanas, indicando que também é um estágio necessário no desenvolvimento dessa doença autoimune. Quando uma droga para bloquear a ação da zonulina foi dada aos ratinhos, isso impediu que dois terços deles ficassem diabéticos. E quanto às outras doenças do século XXI? Será que em alguma delas também se encontram intestinos permeáveis ou níveis elevados de zonulina?

Vamos começar pela obesidade. Como mencionei no capítulo 2, o ganho de peso estava associado a altos níveis de um composto químico chamado lipopolissacarídeo, ou LPS, na corrente sanguínea. É como se fossem células epiteliais das bactérias. Elas mantêm as entranhas da bactéria no lado de dentro, e as ameaças externas do lado de fora. Assim como as células da pele, elas também se soltam, num processo constante de renovação. As moléculas de LPS revestem a superfície das bactérias Gram-negativas. Trata-se de um agrupamento que tem mais a ver com a identificação e a função do micro-organismo do que com dados rígidos de espécie, gênero ou filo. Tanto bactérias Gram-negativas quanto Gram-positivas vivem no intestino, e nenhuma delas é inerentemente "boa" ou "má". Mas os altos níveis de LPS das bactérias Gram-negativas encontrados no sangue de pessoas obesas *são* nocivos e suscitam uma pergunta: como é que eles foram parar lá?

O LPS é uma molécula relativamente grande, que, sob circunstâncias normais, não é capaz de atravessar a mucosa do intestino. Mas quando a permeabilidade aumenta – ou seja, quando o intestino começa a "vazar" – o LPS se esgueira entre as células da parede intestinal, entrando no sangue.

No caminho, acaba acionando receptores – guardas posicionados para assegurar que ninguém rompa a barreira e passe para o outro lado. Sua reação ao deparar com o LPS é alertar o sistema imunológico, que libera mensageiros químicos chamados citocinas para percorrerem o corpo soando o alarme e incitando as tropas.

No processo, o corpo inteiro pode ficar inflamado. Células imunológicas chamadas fagócitos inundam as células adiposas – responsáveis por armazenar a gordura –, forçando-as ficarem cada vez maiores, em vez de se dividirem em duas. Até 50% do conteúdo dessas células em uma pessoa obesa pode não ser formado por gordura, mas por fagócitos. O corpo das pessoas com excesso de peso e obesas se encontra num estado de inflamação leve, mas crônica. Além de encorajar o aumento do peso, o LPS no sangue também interfere com o hormônio insulina, provocando diabetes tipo 2 e doença cardíaca.

O excesso de LPS no sangue também foi associado ao surgimento de doenças mentais. Pacientes deprimidos, crianças autistas e esquizofrênicos costumam ter intestinos permeáveis e inflamação crônica. O intrigante é que acontecimentos traumáticos – como ser separado da mãe quando bebê e perder um ente querido – podem tornar o intestino poroso. Ainda não está claro se esse é o elo biológico perdido entre o estresse e o desenvolvimento de depressão, mas, assim como no caso do eixo intestino-microbiota-cérebro, os indícios estão cada vez mais fortes. A depressão com frequência acompanha problemas de saúde, da obesidade à síndrome do intestino irritável e à acne, mas costuma ser atribuída ao tormento das próprias doenças. A ideia de que um intestino permeável leva à inflamação crônica e desencadeia problemas de saúde físicos e mentais é bastante promissora para a ciência médica.

O intestino permeável pode não ser a causa de todas as doenças – menos ainda dos males políticos e sociais que alguns gostariam de lhe atribuir. Mas o conceito precisa ser repensado e renomeado em face do ceticismo que suscita atualmente. Um trabalho científico de boa qualidade sobre a importância dele na gênese de uma série de distúrbios vem sendo eclipsado por seu passado suspeito. Obesidade, alergias, doenças autoimunes e mentais mostram um aumento significativo na permeabilidade do intestino, seguida por uma inflamação crônica. O sistema imunológico fica hiperativo e reage aos invasores que transpõem a fronteira do intestino corpo adentro: de moléculas de alimentos como o glúten e a lactose até produtos bacterianos como o LPS. Às vezes as células do próprio corpo são pegas no fogo cruzado, e o resultado disso são as doenças autoimunes. Uma microbiota equilibrada e saudável parece agir como uma força de defesa, como guardas que reforçam a integridade do intestino e protegem a inviolabilidade do corpo.

Não apenas os alergênicos e as células do próprio corpo são pegos na linha de fogo, mas também certos membros da microbiota, como parece ocorrer com uma doença quase onipresente no mundo civilizado: a acne. Em nome da pesquisa científica, visitei alguns dos locais mais isolados do planeta. Grande parte de meu tempo longe da fria e úmida metrópole de Londres foi gasta em habitats e culturas totalmente diferentes da minha. Selvas onde as pessoas caçam gambás ou outros roedores para o jantar. Desertos onde o meio de transporte mais rápido é um camelo. Comunidades nômades com aldeias inteiras flutuando em balsas no mar. Em todas elas, o dia a dia é diferente da vida no meu país. A comida é capturada, morta e consumida, sem necessidade de supermercados ou embalagens. O anoitecer traz as trevas, rompidas apenas pelo lampião a óleo ou uma fogueira. Uma doença sempre vem acompanhada da possibilidade bem real de morte iminente. Existem lugares onde uma criança dormindo pode perder um olho para uma galinha, um acidente de trabalho seria cair de uma árvore durante a coleta de mel e a falta de chuva significaria nada de jantar. Ou seja, as refeições são o que você consegue cultivar ou capturar e a assistência médica se limita a alguma erva e uma oração.

O que você não vê nos planaltos de Papua-Nova Guiné, a dezenas de quilômetros da estrada mais próxima, ou nas aldeias do mar de Sulawesi na Indonésia, são pessoas com acne. Nem mesmo adolescentes. No entanto, na Austrália, na Europa, nos Estados Unidos, no Japão, todo mundo tem. Eu digo todo mundo – e isso é quase verdade. Mais de 90% das pessoas no mundo industrializado sofreram com as espinhas em algum ponto da vida. Os adolescentes são os mais atingidos, mas nas últimas décadas parece que a acne se espalhou para além deles. Agora os adultos, principalmente as mulheres, continuam tendo acne quando chegam à casa dos 20 e dos 30 – e às vezes além. Cerca de 40% das mulheres entre 25 e 40 anos ainda têm espinhas, e muitas delas nem sequer sofreram com esse problema quando eram adolescentes. A acne leva mais pessoas ao dermatologista do que qualquer outro problema de pele. Como a febre do feno, espinhas parecem parte da vida, sobretudo na adolescência. Mas, se isso é verdade, por que as pessoas das sociedades pré-industriais não sofrem de acne também?

Um pouco de reflexão denuncia que o fato de tantas pessoas terem acne é absurdo. Ainda mais absurdo é que há poucas pesquisas para desvendar sua causa, apesar do aumento inexorável dos casos, sobretudo entre adultos, que há muito tempo já passaram pela puberdade. Viemos insistindo na mesma velha explicação por mais de meio século: hormônios "masculinos" hiperativos, sebo em excesso, um frenesi de *Propionibacterium acnes* levando a uma reação imunológica feia, com vermelhidão, inchaço e glóbulos brancos (pus). Mas essa explicação não resiste a uma inspeção cuidadosa. As mulheres com níveis mais elevados de andrógenos – os hormônios masculinos considerados responsáveis pela acne – não são os casos mais severos da doença. E os homens, que têm níveis de andrógenos muito mais elevados, não sofrem de acne tanto quanto as mulheres.

Então, o que está acontecendo? Novas pesquisas indicam que estávamos procurando no lugar errado. A ideia de que a *P. acnes* causa a acne já existe há décadas. Parece óbvio. Quer saber o que vem causando espinhas? Então olhe dentro de uma espinha e veja quais micróbios estão por lá. Não importa que essas mesmas bactérias também sejam encontradas na pele saudável de vítimas de acne e na de pessoas sem nenhuma acne. Não importa que algumas espinhas simplesmente não contenham nenhuma *P. acnes*. A densidade de *P. acnes* não está relacionada à gravidade da acne, e níveis de sebo e hormônios masculinos não prognosticam a presença da doença.

O fato de que antibióticos, tanto os aplicados diretamente no rosto quanto os ministrados em comprimidos, costumam melhorar a acne tem reforçado essa teoria. Os antibióticos são o tipo de medicamento mais prescrito para espinhas, e muitas pessoas permanecem em tratamento durante meses ou anos. Mas eles não atingem apenas as bactérias que vivem na pele. As do intestino também são afetadas. Vimos anteriormente que os antibióticos alteram o comportamento do sistema imunológico. Seria esse o verdadeiro motivo de sua ação contra a acne?

O que está ficando claro é que a presença de *P. acnes* não é determinante para o desenvolvimento da acne. Ainda há debates sobre qual seria o verdadeiro papel desempenhado por essa bactéria da pele, mas estão surgindo novas ideias sobre a contribuição do sistema imunológico para essa doença. A pele dos pacientes com acne contém células imunológicas extras, mesmo em áreas aparentemente saudáveis. Parece que a espinha é só mais uma manifestação da inflamação crônica. Alguns chegam a cogitar a hipótese de que o sistema imunológico tenha se tornado hipersensível à *P. acnes* e talvez outros micróbios da pele, deixando de tratá-los como amigos.

O mesmo vale para as doenças inflamatórias intestinais: a doença de Crohn e a colite ulcerativa. Possivelmente devido a uma mudança na composição normal da microbiota, as células imunológicas do intestino parecem perder o respeito que costumam ter pela colônia do intestino. Pode ser porque as células T_{regs}, com sua influência calmante, tenham desistido de controlar os membros mais agressivos do pelotão imunológico. Assim, em vez de tolerarem e encorajarem a presença dos micro-organismos benéficos, elas decidem atacá-los. Trata-se menos de *auto*imunidade – dirigida contra o eu – do que de *co*imunidade – ataques imunológicos contra os micróbios "comensais" que normalmente vivem numa relação de mutualismo benéfica para o nosso corpo.

As vítimas de doença inflamatória intestinal têm uma chance muito maior de desenvolver cânceres colorretais, e isso aponta para uma ligação mais profunda entre disbiose e saúde. Há muito se sabe que certas infecções podem provocar câncer. O papilomavírus humano (HPV), por exemplo, está por trás da maioria dos casos de câncer cervical, e a bactéria *Helicobacter pylori*, que causa úlceras estomacais, pode também provocar câncer no estômago. A disbiose que acompanha a doença inflamatória intestinal parece aumentar ainda mais o risco. A inflamação causada por esse desequilíbrio da flora bacteriana de algum modo danifica o DNA das células humanas que revestem a parede do intestino, permitindo o desenvolvimento de tumores.

O papel desempenhado pela microbiota no câncer não se limita aos tumores do sistema digestivo. Como a disbiose pode aumentar a permeabilidade do intestino e desencadear um processo inflamatório, cânceres em outros órgãos também podem ser causados por uma microbiota em desequilíbrio. O câncer no fígado oferece o melhor exemplo de como isso acontece. Num experimento para descobrir como a obesidade e uma dieta rica em gordura poderiam estar envolvidas no surgimento de tumores, pesquisadores expuseram camundongos magros e obesos a substâncias químicas cancerígenas. A maioria dos camundongos magros resistiram, mas um terço dos camundongos obesos desenvolveram câncer do fígado. Sem entenderem como uma dieta rica em gorduras poderia provocar um câncer fora do intestino, os pesquisadores compararam o sangue dos dois grupos de camundongos. Os camundongos obesos tinham níveis mais altos de um composto químico prejudicial chamado ácido deoxicólico (DCA), que sabidamente causa danos ao DNA.

O DCA é produzido por ácidos da bile – substâncias produzidas para ajudar na digestão de gorduras na dieta. Mas os ácidos da bile se convertem em DCA – que precisa depois ser decomposto no fígado – apenas na presença de um grupo particular de micróbios do gênero *Clostridium*. Os camundongos obesos tinham níveis muito maiores de clostrídios no intestino do que os magros, o que os tornava especialmente suscetíveis a desenvolver câncer no fígado. Atacar os clostrídios nos camundongos obesos com antibióticos reduziu suas chances de contraírem câncer.

Todo mundo sabe que fumar e beber eleva o risco de câncer, mas o que pouca gente sabe é que temos uma chance muito maior de contrair câncer se estivermos com excesso de peso. Nos homens, estima-se que 14% das mortes por câncer estejam ligadas ao excesso de peso. Nas mulheres, essa cifra é ainda maior: 20%. Acredita-se que muitos casos de câncer de mama, do útero, do cólon ou do rim estejam associados ao sobrepeso e que a microbiota "obesa" tenha alguma culpa na história.

O grande paradoxo da saúde no século XXI, agora que o domínio das doenças infecciosas chegou ao fim, é que nossa saúde pode depender de termos *mais* micróbios, não menos. Está na hora de passarmos da hipótese higiênica para a hipótese dos Velhos Amigos: o que está em falta não são as infecções, mas os micro-organismos benéficos que treinam e acalmam nosso sistema imunológico em desenvolvimento.

No capítulo 1, perguntei qual seria a conexão entre as doenças do século XXI, aparentemente tão díspares – obesidade, alergias, doenças autoimunes e mentais. A resposta é o que todas elas têm em comum: a inflamação. Nosso sistema imunológico, longe de ter entrado de férias agora que as doenças infecciosas foram vencidas, está mais ativo do que nunca. Agora ele enfrenta uma guerra incessante, não porque existam mais inimigos, mas porque, por um lado, baixamos a guarda e abrimos as fronteiras para os micro-organismos que deveriam ser nossos aliados e, por outro, perdemos a força pacificadora que esses micróbios treinam.

Portanto, se você quer mesmo fortalecer seu sistema imunológico, desista das frutinhas caras e dos sucos especiais. Em vez disso, ponha sua microbiota em primeiro lugar, e o resto virá naturalmente.

CINCO

A guerra dos germes

Em 2005, Jeremy Nicholson, professor de química biológica do Imperial College de Londres, apresentou uma ideia polêmica: de que os antibióticos estavam por trás da epidemia da obesidade. Os experimentos anteriores de Fredrik Bäckhed, mostrando que a microbiota desempenhava um papel importante na absorção e no armazenamento de energia provinda dos alimentos, abriram a mente dos cientistas para a possibilidade de que o aumento de peso pudesse ser controlado pelos micróbios. Se os micróbios do intestino podiam fazer os camundongos ganharem peso, será que a alteração na composição de sua flora intestinal provocada pelos antibióticos poderia estar ligada à obesidade humana?

Embora apenas na década de 1980 o número de pessoas acima do peso e obesas tenha aumentado de verdade, a tendência rumo à epidemia atual começou na década de 1950. Nicholson se perguntou se a época da introdução dos antibióticos para uso público em 1944 – apenas poucos anos antes do início do aumento inexorável nos casos de obesidade – foi mais do que mera coincidência. Suas suspeitas não se deveram simplesmente à correlação cronológica. Ele já sabia que havia décadas os fazendeiros vinham usando antibióticos para engordar o gado.

No fim da década de 1940, cientistas americanos descobriram por acidente que ministrar antibióticos a frangos aumentava seu crescimento em até 50%. Os tempos eram difíceis, e a crescente população urbana dos Estados Unidos estava farta do alto custo de vida. Eles já haviam sofrido privações demais, e carne mais barata estava no alto de sua lista de desejos do pós-guerra. Os efeitos dos antibióticos nos frangos pareciam nada menos que milagrosos, e os fazendeiros esfregaram as mãos, satisfeitos ao descobrirem que bois, porcos, carneiros e perus apresentavam a mesma reação a pequenas doses diárias desses medicamentos: um enorme aumento de peso.

Embora não tivessem ideia de como os antibióticos promoviam o aumento nem de quais poderiam ser as consequências, a comida estava em falta e os preços andavam altos. Era espetacular alcançar ganhos de produção daquela magnitude pelo custo de ração de frango. Desde então, a chamada dosagem subterapêutica de antibióticos tem sido uma parte essencial da agropecuária. As estimativas são vagas, mas é possível que, nos Estados Unidos, até 70% desses medicamentos sejam usados em animais de fazenda. Além disso, o benefício adicional de mais animais poderem ficar espremidos em um espaço menor sem sucumbirem a infecções apenas aumentou seu uso. Sem esses artifícios, esse país teria que criar 452 milhões de frangos, 23 milhões de bois e 12 milhões de porcos extras a cada ano para produzir o mesmo peso de carne.

A preocupação de Nicholson foi que, se os antibióticos podiam deixar os animais muito mais gordos, que prova tínhamos de que não estavam fazendo o mesmo conosco? O sistema digestivo humano não é tão diferente assim do dos porcos. Tanto porcos quanto seres humanos seguem uma dieta onívora, têm um estômago simples e um grande cólon, cheio de micróbios que se utilizam das sobras do nosso próprio processo digestivo no intestino delgado. Os antibióticos podem aumentar as taxas de crescimento dos leitões em cerca de 10% ao dia. Para os fazendeiros, isso significa que podem abatê-los com dois ou três dias de antecedência – um grande ganho se levarmos em conta criações de milhares de animais. Será possível que os humanos também estejam sendo engordados pelo consumo voraz de antibióticos?

O maior desejo de muitas pessoas que lutam contra o excesso de peso é emagrecer, mas, por mais que tentem, elas não conseguem. Esse desejo é tão poderoso que, em um estudo, pacientes obesos mórbidos que perderam muito peso declararam que preferiam perder uma perna ou ficar cegos a retornar à obesidade. Todos os 47 pacientes disseram que preferiam ser magros a obesos multimilionários.

Se as pessoas estão tão desesperadas para emagrecer, por que é tão fácil ganhar peso e tão difícil perdê-lo e se conservar assim? Mesmo as estimativas mais otimistas indicam que apenas 20% das pessoas com excesso de peso conseguem perdê-lo e mantê-lo assim por mais de um ano a certa altura da vida. Além disso, algumas pessoas que conseguiram perder peso relataram que, para se conservarem magras, passaram a ingerir um quantidade muito menor de calorias do que seria o normal numa dieta típica de manutenção de peso para sua altura. Emagrecer é tão difícil que algumas campanhas do governo desistiram de tentar fazer com que as pessoas percam peso. Elas simplesmente pedem que evitemos engordar ainda mais. A campanha americana "Mantenha, não ganhe" segue esse princípio. Muitos locais de trabalho agora oferecem cursos e orientações para ajudar os funcionários a não engordarem durante épocas tradicionais de comilança, como as férias e o Natal.

Trata-se de uma suspeita que está de acordo com nossa compreensão crescente da obesidade como doença. Se, como expliquei no capítulo 2, o Professor Nikhil Dhurandhar está certo ao pensar que não se trata de uma simples questão de desequilíbrio entre calorias ingeridas e calorias gastas, mas de uma doença complexa com muitas causas possíveis, os antibióticos poderiam se revelar um importante fator que estaria contribuindo para a epidemia. Isso forneceria uma boa explicação para alguns dados extraordinários associados à obesidade. O mero fato de 65% da população de certos países desenvolvidos apresentarem sobrepeso ou obesidade seria suficiente para nos apresentar uma visão desconcertante do comportamento humano. Será que somos mesmo tão preguiçosos, tão gulosos, tão ignorantes e tão desmotivados assim a ponto de existirem mais membros de nossa espécie com excesso de peso do que magros? Ou será que as razões para nosso excesso de peso são mais profundas do que havíamos pensado?

Uma epidemia de obesidade induzida ou facilitada por antibióticos não apenas nos absolveria de parte da responsabilidade por nosso excesso de peso, como também poderia nos oferecer um meio de derrotá-lo sem recorrer a tantas dietas aparentemente inúteis.

Em 1999, Anne Miller, ex-enfermeira nascida em Nova York, morreu aos 90 anos, tendo vivido 57 anos a mais do que deveria. Em 1942, quando tinha 33 anos, Miller sofreu um aborto. Ela então desenvolveu uma infecção estreptocócica que a deixou à beira da morte num leito de hospital em Connecticut. Quando a temperatura de Miller se aproximou dos 42ºC, seu médico pediu à família permissão para uma medida drástica, numa tentativa de salvar sua vida.

O médico queria testar um novo medicamento, nunca testado em paciente algum, que vinha sendo desenvolvido por uma empresa farmacêutica de Nova Jersey: a penicilina. Miller estava delirando de febre havia um mês, quando, às três e meia da tarde de 14 de março, recebeu a injeção de uma colher de chá do remédio – metade de todo o antibiótico que havia no mundo. Às sete e meia da noite sua febre tinha baixado e sua doença se estabilizara. Alguns dias depois, já estava plenamente recuperada. A vida de Anne Miller foi a primeira a ser salva pelos antibióticos.

Desde então, os antibióticos impediram a morte de milhões e milhões de pessoas, começando pelos soldados da Segunda Guerra Mundial feridos nas praias da Normandia no Dia D, em 1944. À medida que os relatos das recuperações milagrosas alcançavam o público, a demanda pelo medicamento cresceu. Em março de 1945, o ritmo da produção da penicilina se acelerara e, nos Estados Unidos, qualquer pessoa podia comprar um tratamento completo na farmácia local. Em 1949, o preço caíra de US$20, por 100 mil unidades de penicilina, para apenas 10 centavos. Nos 65 anos desde então, outras vinte variedades de antibióticos foram desenvolvidas, cada uma combatendo as bactérias de forma diferente. Entre 1954 e 2005, a produção de antibióticos nos Estados Unidos disparou, passando de 900 toneladas anuais para 23 mil toneladas. Essas drogas maravilhosas mudaram o modo como vivemos e morremos. Sua invenção é um dos maiores triunfos da humanidade, impedindo o sofrimento e a morte nas mãos de nosso mais velho e mortal inimigo. É difícil imaginar agora, mas os antibióticos já foram considerados um remédio milagroso. Seu uso estava reservado para os casos mais desesperadores – e literalmente salvava vidas.

Agora, para o bem ou para o mal, seu uso é pandêmico. Eu o desafio a encontrar um único adulto num país desenvolvido que não tenha tomado antibiótico ao menos uma vez na vida. Na Grã-Bretanha, as mulheres fazem, em média, setenta tratamentos com antibióticos no decorrer da vida. Setenta. Isto não está muito longe de um tratamento por ano. O homem médio, talvez por sua relutância em ir ao médico ou devido a diferenças em seu sistema imunológico, passa por cinquenta tratamentos. Na Europa, 40% das pessoas tomaram antibióticos nos últimos doze meses. Na Itália, a cifra é de 57%, equilibrada por proporções menores na Suécia (22%). Os americanos empatam com os italianos: cerca de 2,5% deles estão tomando antibióticos em um dado momento.

Na verdade, encontrar uma criança com menos de 2 anos que já não tenha tomado antibiótico se mostrará uma tarefa difícil. Cerca de um terço das crianças recebem antibióticos aos seis meses, e esse número aumenta para quase metade com 1 ano, e três quartos com 2 anos. Aos 18 anos, as pessoas nos países desenvolvidos já terão feito de dez a vinte tratamentos com antibióticos em média. Cerca de um terço de todos os antibióticos prescritos por médicos são consumidos por crianças. Nos Estados Unidos, há uma taxa anual de novecentos tratamentos com antibiótico para cada mil crianças. As crianças espanholas tomam assustadoras 1.600 séries de antibioticoterapia por cada mil crianças ao ano.

Cerca de metade dessas prescrições infantis são indicadas para infecções do ouvido, às quais as crianças pequenas estão particularmente propensas. O pequeno canal que liga o ouvido à garganta – aquele que entope com a mudança de pressão – é quase horizontal nos bebês e vai se inclinando com a idade. Por isso, nas crianças, o catarro não é tão facilmente drenado para a garganta, e o canal tende a entupir com detritos. Crianças que chupam chupeta têm uma chance duas vezes maior de contrair infecções no ouvido – ou seja, quase todas. Essas infecções são levadas a sério pelos médicos graças a dois riscos, ambos bem pequenos: o primeiro é que crianças com infecções repetidas podem ter dificuldade de audição, numa idade crucial para aprenderem a falar, e o segundo é que essas infecções podem se agravar caso penetrem mais fundo e afetem o osso mastoide atrás do ouvido. Conhecida como mastoidite, essa infecção bacteriana pode causar danos permanentes à audição ou mesmo levar à morte. Embora sejam ínfimos, esses dois riscos são suficientes para persuadirem muitos médicos a adotarem a abordagem que consideram mais segura.

Como seria fácil prever, nem todo esse consumo de remédios é estritamente necessário. O instituto de saúde pública norte-americano – o Centro para o Controle e Prevenção de Doenças – estima que metade dos antibióticos prescritos no país são desnecessários ou inapropriados. Muitas dessas prescrições são feitas para pessoas que estão passando por um resfriado ou gripe, desesperados por uma cura, e concedidas por médicos exaustos demais para lhes negar algo que possa acalmá-los. Isso sem mencionar que tanto resfriados quanto gripes são causados não por bactérias, mas por vírus, que não são afetados por antibióticos, ou que a maioria dos resfriados desaparece sozinho em dias ou semanas, sem grandes consequências.

Com o agravamento gradual do problema da resistência aos antibióticos, a pressão recai sobre os médicos para que se tornem mais sensatos em seus hábitos de prescrição. Há muito que melhorar. Nos Estados Unidos, em 1998, três quartos de todos os antibióticos prescritos pelos clínicos gerais foram indicados para cinco tipos de infecções respiratórias: infecções do ouvido, sinusite, faringite (garganta inflamada), bronquite e infecções do trato respiratório superior (ITRS). Dos 25 milhões de pessoas que procuraram um médico para tratar alguma ITRS, 30% delas receberam antibióticos. Não é tão ruim, você pode pensar, até perceber que apenas 5% dessas infecções são causadas por bactérias. O mesmo vale para gargantas inflamadas. Quatorze milhões de pessoas foram diagnosticadas com faringite, e 62% receberam antibióticos. Somente 10% das infecções eram bacterianas. No todo, cerca de 55% das prescrições de antibióticos naquele ano foram desnecessárias.

Como guardiões dos produtos farmacêuticos, parece que a responsabilidade pelo uso excessivo de antibióticos em última análise acaba recaindo sobre os médicos, mas a ignorância dos pacientes pode representar uma pressão esmagadora. Numa pesquisa realizada em toda a Europa, em 2009, com 27 mil participantes, 53% acreditavam falsamente que os antibióticos matavam vírus, e 47% acreditavam que fossem eficazes contra resfriados e gripe – que são causados por vírus. Para muitos médicos, o medo de mandar um paciente doente embora de mãos abanando, correndo o risco de voltar depois com uma complicação grave de uma infecção bacteriana, é suficiente para persuadi-los a prescrever antibióticos como medida de segurança. Sobretudo os bebês podem ser assustadores para um médico inexperiente: podem estar chorando porque querem carinho ou porque estão com muita dor; podem estar quietos e indiferentes graças a algum remédio que provoca sonolência ou por estarem gravemente doentes. Para um médico jovem, o seguro morreu de velho. Mas será que vale a pena?

Em alguns casos, vale. Infecções do tórax, por exemplo, muitas vezes acabam se transformando em pneumonia, especialmente em pessoas mais velhas. Para cada idoso com sintomas a quem um tratamento com antibióticos vai evitar uma pneumonia, cerca de quarenta pessoas terão sido tratadas sem qualquer benefício. Mas em várias outras doenças os antibióticos são desperdiçados em muitos pacientes para impedir uma complicação grave em apenas um. Mais de 4 mil pessoas com a garganta inflamada e infecções do trato respiratório superior receberão antibióticos sem motivo, para evitar complicações que atingiriam apenas um paciente. O risco é ainda menor para crianças com infecções no ouvido. Estima-se que cerca de 50 mil crianças precisem ser tratadas com antibióticos para impedir um único caso de mastoidite. Mesmo assim, a maioria das crianças que chega a desenvolver mastoidite se recupera sem problemas, e o risco é de cerca de uma morte em 10 milhões. A resistência aos antibióticos que se desenvolve como resultado do tratamento de todas essas crianças é sem dúvida mais perigosa à saúde pública que o risco ínfimo da própria infecção.

Está claro que nos países desenvolvidos tomamos grandes quantidades de antibióticos – na maioria das vezes desnecessários. O contraste com o uso desses medicamentos no mundo em desenvolvimento, onde doenças infecciosas ainda são comuns e eles são capazes de salvar vidas, foi vivamente ilustrado numa entrevista da Rádio 4 da BBC com o professor Chris Butler, médico de família e professor de Atenção Primária à Saúde na Universidade de Cardiff, no País de Gales. Ele diz:

> Antes de vir para o Reino Unido eu trabalhava num grande hospital rural na África do Sul, onde o fardo das doenças infecciosas era pesado e pessoas normalmente aptas e saudáveis chegavam com pneumonia e meningite em grande quantidade. Elas estavam à beira da morte e, se ministrássemos o antibiótico certo em tempo hábil, em poucos dias costumavam se pôr de pé e sair andando. Estávamos fazendo os mortos se levantarem e caminharem com o milagre dos antibióticos. Quando vim para o Reino Unido, comecei a trabalhar como clínico geral. Aqui, estávamos usando os mesmos antibióticos que haviam salvado tantas vidas na África do Sul, mas para tratar o que eram efetivamente apenas crianças com nariz escorrendo.

Então por que não tomar antibióticos assim mesmo? Que dano poderiam causar? A preocupação de Butler com o uso desses remédios para tranquilizar pacientes ligeiramente doentes se baseia sobretudo no desenvolvimento da resistência aos antibióticos. Ele, como muitos outros cientistas e médicos, prevê que logo chegaremos a uma era pós-antibióticos – bem parecida com a era pré-antibióticos, em que as cirurgias representavam um alto risco de vida, e até os menores ferimentos podiam matar. Essa previsão é tão antiga quanto os próprios antibióticos. Sir Alexander Fleming, após descobrir a penicilina, alertou repetidas vezes que usar uma dose pequena demais por um tempo curto demais ou sem um bom motivo iria provocar a resistência aos antibióticos.

Ele estava certo. Vez por outra, as bactérias desenvolvem resistência aos antibióticos. As primeiras resistentes à penicilina foram descobertas poucos anos após seu lançamento. É simples assim: os indivíduos suscetíveis morrem, deixando para trás aqueles que, por acaso, têm uma mutação que os torne resistentes. Então as bactérias resistentes se reproduzem, dando origem a toda uma população imune ao antibiótico. Na década de 1950, a *Staphylococcus aureus* se tornou resistente à penicilina. Alguns membros dessa espécie tinham um gene que produzia uma enzima chamada penicilinase, que quebra a penicilina, tornando-a inócua. Como todas as bactérias sem esse gene eram mortas, aquelas que o possuíam logo se tornaram dominantes.

Em 1959, um antibiótico novo – a meticilina – foi lançado no Reino Unido para tratar as infecções de *Staph. aureus* resistentes à penicilina. Mas apenas três meses depois, uma nova cepa dessa espécie surgiu num hospital em Kettering. Resistente não apenas à penicilina, mas à meticilina também, ela é agora conhecida como *Staphylococcus aureus* resistente à meticilina (SARM). Essa infecção mata dezenas ou centenas de milhares de pessoas por ano, e não é a única bactéria resistente a antibióticos.

As consequências são não apenas sociais, mas também individuais: "Sabemos que o maior fator de risco para contrair uma infecção resistente é ter tomado antibióticos recentemente." Como diz Chris Butler:

> Portanto, se você tomou antibióticos, ao contrair sua próxima infecção as chances de que esteja resistente são bem maiores. E isso é um problema, porque mesmo as infecções comuns como as do trato urinário, se forem causadas por um organismo resistente, se estendem por mais tempo, as pessoas precisam tomar mais antibióticos adicionais, o custo aumenta para o sistema público de saúde e os sintomas dos pacientes ficam muito piores. Dessa forma, o uso desnecessário de antibióticos afeta não apenas a sensibilidade futura das bactérias, mas também a qualidade de vida dos pacientes.

A resistência aos antibióticos, porém, parece não ser o único ponto negativo de nosso uso excessivo desses medicamentos. Chris Butler levanta outra preocupação: os efeitos colaterais nocivos. Ele e sua equipe realizaram um grande teste clínico para avaliar os benefícios dos antibióticos no tratamento de pessoas com tosse de início súbito.

> Descobrimos que tínhamos que tratar trinta pacientes para que um se beneficiasse em termos de evitar um sintoma novo ou pior, mas ao mesmo tempo, para cada 21 pessoas tratadas, uma foi prejudicada. Assim você vê que o número de pessoas tratadas que alcançam benefícios é mais ou menos contrabalançado pelo número daquelas que são prejudicadas pelo mesmo tratamento.

Esses efeitos colaterais desagradáveis costumam assumir a forma de erupções cutâneas e diarreia.

Nos setenta anos desde o desenvolvimento da penicilina, vinte novos tipos de antibióticos já foram sintetizados. Eles estão na lista dos medicamentos mais prescritos, e os esforços para descobrir ainda mais compostos químicos de ação antibiótica para combater a ameaça sempre renovada das bactérias em evolução prossegue. Porém, nosso triunfo sobre nosso maior adversário natural – as bactérias – tem ocorrido à custa dos danos colaterais que os antibióticos vêm causando ao longo do caminho. Pois esses poderosos medicamentos destroem não apenas as bactérias que nos fazem adoecer, mas também aquelas que nos mantêm saudáveis.

Os antibióticos não conseguem mirar em uma única cepa de bactéria. Como a maioria é de "amplo espectro", mata uma grande variedade de espécies, o que é muito útil para os médicos, pois significa que as pessoas podem receber tratamento para todo tipo de infecções sem que se saiba exatamente qual bactéria está causando o problema. Ser mais preciso significaria ter que fazer uma cultura e identificar o culpado, um processo lento, caro e às vezes impossível. Até os antibióticos mais restritos, de "espectro reduzido", não destroem apenas a cepa bacteriana causadora da doença. Quaisquer outras bactérias pertencentes à mesma família sofrerão o mesmo destino. As consequências desse bactericídio em massa são bem mais profundas do que qualquer um previu – inclusive Sir Alexander Fleming.

Essas duas desvantagens do uso de antibióticos – resistência e danos colaterais – combinam suas forças em uma doença terrível: a infecção por *Clostridium difficile*. Essa bactéria, mais conhecida como *C. diff*, se tornou um grave problema na Inglaterra em 1999, quando matou quinhentas pessoas – muitas delas após o tratamento com antibióticos. Em 2007, cerca de 4 mil pacientes morreram pelo mesmo motivo.

Não é uma forma agradável de morrer. A *C. diff* vive no intestino, onde produz uma toxina que causa uma diarreia contínua, fedorenta e aquosa. Com ela vem a desidratação, uma terrível dor abdominal e a rápida perda de peso. Ainda que as vítimas da *C. diff* escapem da insuficiência renal, talvez tenham que sobreviver também ao megacólon tóxico. Um megacólon é isso mesmo que a palavra diz: o excesso de gases produzidos no intestino faz o cólon inchar e atingir proporções muito acima de seu tamanho normal. À semelhança da apendicite, o risco é de que estoure, com consequências ainda mais mortais. Com a matéria fecal e todo tipo de bactérias liberadas para dentro do ambiente estéril da cavidade abdominal, as chances de sobrevivência caem drasticamente.

A incidência crescente da *C. diff* e sua taxa de mortalidade resultam em parte da resistência aos antibióticos. Na década de 1990, essa espécie desenvolveu uma cepa nova e perigosa que se tornou cada vez mais comum em hospitais. Além de mais resistente, era mais tóxica. Mas uma causa subjacente coloca nosso uso excessivo de antibióticos sob uma perspectiva assustadora. A *C. diff* vive no intestino de algumas pessoas, não causando grandes problemas, mas tampouco trazendo benefícios. No entanto, ela se torna nociva quando tem a menor oportunidade – que fica a cargo dos antibióticos. Normalmente, quando a flora intestinal está saudável e em equilíbrio, a *C. diff* é mantida sob controle, ficando restrita a pequenos bolsões onde não pode causar nenhum dano. Com o uso de antibióticos, porém, sobretudo os de amplo espectro, a microbiota normal é perturbada e essa espécie consegue se estabelecer.

Se os antibióticos são capazes de permitir o florescimento da *C. diff*, a pergunta é: será que a ingestão de antibióticos muda a composição de nossa microbiota? E, se muda, quanto tempo esse efeito dura? A maioria das pessoas terá experimentado o inchaço e a diarreia decorrentes de um tratamento com antibióticos. Trata-se do dano colateral mais comum do uso desses medicamentos, a perturbação da microbiota: a disbiose. Em geral, esses sintomas desaparecem alguns dias depois do fim do tratamento. Mas como ficam os micróbios sobreviventes? Será que eles recuperam seu equilíbrio normal?

Uma equipe de pesquisadores na Suécia fez essa mesma pergunta em 2007. Estavam particularmente interessados no que acontece com as espécies do gênero *Bacteroides*, que são especializadas em digerir os carboidratos vegetais e, como vimos no capítulo 2, têm grande impacto sobre o metabolismo humano. Os pesquisadores dividiram alguns voluntários saudáveis em dois grupos, dando à metade deles o antibiótico clindamicina por sete dias e deixando a outra metade sem nenhum tratamento. Os micróbios do intestino dos pacientes que receberam clindamicina foram drasticamente afetados logo após a medicação. A diversidade das *Bacteroides* em particular caiu muito. A microbiota dos dois grupos foi avaliada a intervalos de poucos meses, mas, ao final do estudo, as populações de *Bacteroides* do grupo da clindamicina ainda não haviam retornado à sua composição original. O tratamento havia acabado dois anos antes.

A ingestão de ciprofloxacina – um antibiótico de amplo espectro que pode ser usado para tratar infecções do trato urinário e sinusite – durante apenas cinco dias tem um efeito semelhante. Ele tem um impacto "profundo e rápido" sobre a microbiota, alterando a composição da flora intestinal em apenas três dias. A diversidade bacteriana cai e o tamanho de cerca de um terço das populações presentes muda com o tratamento. Essa mudança persiste por semanas – e algumas espécies jamais se recuperam. As consequências do uso de antibióticos em crianças pequenas podem ser ainda mais drásticas. Num estudo para avaliar as mudanças na microbiota de crianças ao longo do tempo, um tratamento com antibióticos deixou um bebê com tão poucas bactérias que os pesquisadores sequer conseguiram detectar qualquer DNA.

Esse impacto de longo prazo na flora intestinal tem sido observado em ao menos meia dúzia de nossos antibióticos mais comuns, cada um apresentando um efeito diferente. Mesmo o tratamento mais curto e a menor dose podem ter consequências que em muito superam o problema original. Talvez isso não deva ser tão ruim, afinal, uma mudança não necessariamente é para pior. Mas pense na ascensão das doenças do século XXI. Diabetes tipo 1 e esclerose múltipla na década de 1950, alergias e autismo no final da década de 1940. A epidemia de obesidade tem sido atribuída ao advento dos supermercados de autosserviço e aos prazeres sem culpa associados do consumo anônimo. Mas quando foi que esses males começaram a se proliferar? Nos anos 1940 e 1950. Essas datas coincidem com outro acontecimento importante: a recuperação de Anne Miller, ou, mais precisamente, os desembarques do Dia D em 1944, quando os antibióticos se tornaram disponíveis em grandes quantidades.

Seu emprego nesse dia histórico foi logo seguido pela liberação de seu uso público. A sífilis foi o alvo principal, já que afetava 15% dos adultos em algum ponto de suas vidas. Em pouco tempo, a produção de antibióticos ficou barata e esse medicamento passou a ser prescrito com frequência. A penicilina permaneceu um grande favorito, mas cinco outras classes de antibióticos foram lançadas no espaço de uma década, cada uma tendo como alvo um ponto fraco específico de alguma bactéria.

No entanto, houve uma ligeira demora entre 1944 e o início da ascensão das doenças do século XXI, o que pode sugerir um desencontro. Mas esse intervalo é previsível. Levou tempo até que o uso de antibióticos se tornasse generalizado, que novos tipos de antibiótico fossem desenvolvidos, que as crianças crescessem sob a influência desses remédios em seu corpo e que as doenças crônicas se desenvolvessem. Também levou tempo para os efeitos se tornarem evidentes em populações, países e continentes inteiros. Se o lançamento dos antibióticos em 1944 é de algum modo responsável por nosso estado de saúde atual, os anos 1950 são o período exato em que devemos esperar notar o surgimento de seu impacto.

Mas não vamos nos precipitar. Como qualquer cientista se apressaria em observar, correlação nem sempre significa causa. A relação entre o momento da introdução dos antibióticos e o aumento das doenças crônicas pode ser tão irreal quanto a ideia de que os supermercados de autosserviço são responsáveis pelo aumento da obesidade. Associações isoladas, embora funcionem como guias úteis, nem sempre proporcionam um vínculo *causal*.

Para encontrarmos um real vínculo causal, precisamos de duas coisas. A primeira são indícios de que essa ligação seja real. Será verdade que o uso de antibióticos é responsável por um risco maior de desenvolver alguma doença do século XXI? A segunda é a criação de um mecanismo que explique como o primeiro fato poderia causar o segundo. *Como* tomar antibióticos provoca alergias, autoimunidade ou obesidade? A ideia de que antibióticos são capazes de alterar a microbiota, mudar o metabolismo (obesidade), atrapalhar o desenvolvimento do cérebro (autismo) e afetar o sistema imunológico (alergias e doenças autoimunes) precisa ser respaldada por mais do que a mera coincidência temporal.

Desde a década de 1950 sabemos que, além do impacto na engorda do gado, os antibióticos também podem causar aumento de peso *em seres humanos*. Naquela época – antes do início da epidemia da obesidade –, os antibióticos eram intencionalmente usados em seres humanos por suas propriedades de promoção do crescimento. Alguns médicos pioneiros, conhecedores do impacto recém-descoberto dos antibióticos no crescimento dos animais, experimentaram tratar bebês prematuros e desnutridos. Para os recém-nascidos, os resultados foram espetaculares – eles se beneficiaram com um aumento no peso que os resgatou das garras da morte. Mas da perspectiva das massas atuais de pessoas obesas, esses experimentos deveriam ter soado como um alerta.

Os resultados não se limitavam aos bebês. Em 1953, um tratamento experimental com antibiótico conduzido pela Marinha americana começou como um teste para descobrir se a aureomicina profilática era capaz de reduzir a ocorrência de infecções por estreptococos. Com a meticulosidade militar típica, a altura e o peso dos recrutas que iriam participar foram registrados, o que levou a equipe de pesquisadores a uma observação surpreendente. Aqueles que receberam antibióticos estavam ganhando bem mais peso do que os que ingeriram um placebo com a mesma embalagem. Como no caso dos bebês, o resultado inesperado do tratamento foi visto em termos do valor nutricional que poderia oferecer, não como um indicador alarmante dos tempos modernos.

Com a epidemia da obesidade a pleno vapor e nossa nova compreensão do banquete microbiano oferecido em nosso intestino, aqueles experimentos pioneiros apresentam uma visão alternativa do papel dos antibióticos no ganho de peso. É chocante que um efeito tão conhecido sobre animais e até seres humanos tenha sido negligenciado como uma via de pesquisa dadas as proporções dessa epidemia hoje. Sabíamos que os antibióticos causavam aumento de peso porque fizemos uso deles para engordar o gado e melhorar a nutrição das pessoas que mais precisavam, mas ignoramos esse efeito colateral no contexto de uma catástrofe de saúde global.

Com certeza a nossa população de micro-organismos desempenha um papel importante no aumento de peso, mas será que os antibióticos são capazes de transformar uma microbiota "magra" em "obesa"?

Essa é uma pergunta difícil: dar antibióticos a grandes números de pessoas saudáveis para ver se elas engordam é algo que passa longe da ética, de modo que os cientistas precisam depender de suas observações e de um ou outro camundongo. No entanto, alguns pesquisadores em Marselha, na França, reconheceram a oportunidade de testar a teoria de que os antibióticos estão engordando as pessoas, usando adultos que vinham sofrendo de uma perigosa infecção nas válvulas cardíacas. Esses pacientes precisavam desesperadamente de grandes quantidades de antibióticos para melhorarem, o que proporcionava uma ótima chance para os cientistas examinarem o ganho de peso associado. Os pesquisadores compararam mudanças em seu Índice de Massa Corporal (IMC) no ano seguinte com as de um conjunto de pessoas saudáveis que não receberam antibióticos. Os pacientes ganharam bem mais peso do que as pessoas saudáveis, mas apenas aqueles com uma combinação específica de antibióticos – vancomicina + gentamicina – foram afetados. Os que tomaram outras variedades de antibióticos foram poupados, não ganhando mais peso do que o grupo de controle.

Examinando a flora intestinal dos dois grupos, os pesquisadores teriam a chance de ver se alguma espécie particular poderia ser responsável pelo aumento de peso. Descobriram que uma bactéria, chamada *Lactobacillus reuteri* (um membro do filo Firmicutes), era bem mais abundante no intestino dos pacientes que haviam recebido vancomicina. Como é resistente a esse antibiótico, ela podia se espalhar feito erva daninha, enquanto outras espécies eram dizimadas pelas drogas. Através da guerra biológica, os antibióticos tinham dado uma vantagem injusta ao inimigo. Além disso, a própria *L. reuteri* produz algumas substâncias químicas antibacterianas. Conhecidos como bacteriocinas, esses compostos podem impedir que outras bactérias voltem a crescer, assegurando o domínio da *L. reuteri* no intestino. Espécies semelhantes de lactobacilos vêm sendo dadas ao gado há décadas: elas também fazem os animais ganharem peso.

Outro estudo aproveitou o tesouro de informações da Coorte Nacional de Nascimentos da Dinamarca. Os pesquisadores analisaram dados de saúde de quase 30 mil pares de mãe-filho e descobriram que os antibióticos tinham diferentes efeitos nos bebês, dependendo do peso da mãe. Os filhos de mães esguias se tornavam *mais* passíveis de ficarem com excesso de peso, enquanto as crianças de mães obesas ou com sobrepeso tiveram o efeito inverso: um risco reduzido de desenvolver excesso de peso. É difícil saber ao certo por que os antibióticos estão tendo o resultado contrário nesses bebês, mas é intrigante pensar que talvez estejam, por um lado, "corrigindo" uma microbiota obesa e, por outro, destruindo uma microbiota magra. Em outro estudo, descobriu-se que 40% das crianças com excesso de peso receberam antibióticos em seus primeiros seis meses – número que, nas crianças cujo peso é normal, cai para apenas 13%.

Por mais persuasivos que pareçam, esses experimentos não provam que os antibióticos podem causar aumento de peso nem que isso seja consequência de uma microbiota alterada, não um efeito direto do próprio medicamento. Uma equipe da Universidade de Nova York liderada por Martin Blaser – médico infectologista e diretor do Projeto Microbioma Humano – resolveu descobrir precisamente o que os antibióticos podiam causar à microbiota e ao metabolismo. Em 2012, a equipe havia demonstrado que doses baixas de antibiótico perturbavam a composição da microbiota de camundongos jovens, modificavam seus hormônios metabólicos e aumentavam sua massa de gordura, embora não afetasse o ganho de peso em geral. Uma de suas suspeitas era de que a idade fosse fundamental e de que quanto mais cedo dessem antibióticos aos camundongos, mais substancial seria o efeito encontrado. Estudos epidemiológicos já haviam mostrado que bebês humanos que receberam antibióticos nos primeiros seis meses eram mais passíveis de desenvolver excesso de peso do que os que chegavam ao primeiro aniversário sem terem sido expostos ao medicamento. O mesmo vale para animais de fazenda: para obter o melhor efeito de aumento do peso, é importante começar a ministrar os antibióticos o mais cedo possível.

Num segundo conjunto de experimentos, o grupo de Blaser ministrou doses baixas de penicilina em ratinhas grávidas pouco antes de darem à luz e continuou com os medicamentos durante a amamentação. Como era de esperar, durante o tempo em que eram amamentados, os camundongos machos que ingeriram penicilina cresceram bem mais rápido que os do grupo de controle. Quando chegaram à fase adulta, tanto machos quanto fêmeas ficaram mais pesados, com um percentual de gordura maior que os camundongos que não receberam remédio algum.

A equipe ficou curiosa em saber o que aconteceria se, além da penicilina, os camundongos fossem submetidos a uma dieta rica em gorduras. As fêmeas com uma dieta normal desenvolveram cerca de 3 gramas de gordura dentro de seus corpinhos até atingirem trinta semanas, independentemente de terem recebido ou não o antibiótico. A massa gorda de um conjunto idêntico de fêmeas que recebeu uma dieta rica em gorduras aumentou em cerca de 5 gramas – elas não ficaram mais pesadas, mas tinham menos massa magra e mais massa gorda. Mas incluir uma dose baixa de penicilina à dieta rica em gorduras fez com que outro grupo de ratinhas desenvolvesse 10 gramas adicionais de massa gorda. De algum modo, a penicilina havia amplificado os efeitos de uma dieta rica em gorduras, fazendo as camundongas armazenarem uma parcela ainda maior das calorias a mais que vinham ingerindo.

Para os camundongos machos, a dieta rica em gorduras teve um efeito maior, elevando sua massa gorda de 5 gramas com uma dieta saudável (com ou sem penicilina) para 13 gramas. Mais uma vez, a combinação de uma dieta rica em gorduras com uma baixa dose de penicilina aumentou o ganho de gordura, levando a uma massa gorda de 17 gramas. Fica claro que apenas a dieta rica em gorduras já vinha causando obesidade nos camundongos, mas os antibióticos estavam tornando uma situação ruim ainda pior.

O transplante da comunidade alterada de micróbios produzida pela baixa dose de antibióticos em camundongos livres de germes induziu as mesmas mudanças no peso e no percentual de gordura, indicando que a composição microbiana era a responsável pelo aumento de peso nos camundongos, não os próprios remédios. O preocupante foi que, embora a interrupção do tratamento permitisse a recuperação da microbiota, seus efeitos metabólicos perduraram. A penicilina é a classe de antibiótico mais receitada a crianças e, se podemos nos basear nos camundongos, o tratamento muito precoce com esses medicamentos poderia causar alterações permanentes em seu metabolismo.

Está cedo demais para sabermos ao certo se os antibióticos causam obesidade ou quais variedades poderiam ser as responsáveis, mas dada a escala grande e crescente da epidemia de obesidade, esses sinais tentadores de uma causa mais profunda do que a gula e a preguiça deveriam nos deixar vigilantes contra o abuso desses complexos e preciosos remédios. Martin Blaser alerta que entre 30% e 50% das mulheres americanas recebem antibióticos como procedimento de rotina durante a gravidez ou no parto, na maior parte penicilina – como os camundongos. Embora muitos deles sejam sem dúvida necessários, é importante avaliarmos os custos e benefícios dessa prática à medida que novos dados vão surgindo.

Quanto ao gado, evidências de que a resistência aos antibióticos dados aos animais passavam para os seres humanos colocaram fim ao seu uso para promover o crescimento – ao menos na Europa. Desde 2006, os fazendeiros na União Europeia estão proibidos de usar antibióticos exclusivamente para engordar o gado, embora continuem sendo permitidos para curar doenças, é claro. Nos Estados Unidos e em muitos outros países, antibióticos promotores do crescimento continuam sendo usados. Portanto, é normal que você se pergunte: ainda que consiga evitar tomar antibióticos por conta própria, será que não está sendo inadvertidamente drogado quando devora um bife ou bebe leite no café da manhã? Afinal, muitos antibióticos são absorvidos pelo sangue, pelos músculos e pelo leite de um animal, e alguns podem resistir ao processo de cozimento e chegar ao seu intestino depois de ingeri-los. A boa notícia para quem vive nos países desenvolvidos é que existem regras rigorosas proibindo as fazendas de abaterem ou ordenharem animais recentemente tratados. Por outro lado, em muitos lugares menos rigorosos, testes revelam alimentos contaminados por resíduos de antibióticos que ultrapassaram os níveis seguros. Dependendo de onde você mora e para onde viajou, há grandes chances de ter absorvido ao menos alguns antibióticos por meio da alimentação.

Os veganos podem estar se considerando sortudos após lerem isto, mas, apesar das virtudes de seu estilo de vida, não estão livres dessa ameaça específica. Apesar de legumes, frutas e verduras não receberem doses diretas de antibióticos, muitas vezes esses produtos crescem em solo fertilizado com esterco animal – que não é apenas uma fonte rica de nutrientes, mas também de drogas: cerca de 75% dos antibióticos dados aos animais passam direto e saem nas fezes. Para alguns tipos de antibióticos, pode haver até uma dose do medicamento para cada litro de esterco. Isso equivale a borrifar o conteúdo de uma ou duas cápsulas de antibióticos a cada 10 metros quadrados de terra cultivada.

Alguns desses antibióticos permanecem "ativos" quando penetram no solo – mantendo a mesma capacidade de matar bactérias que teriam se estivessem na embalagem. Isso significa que a concentração pode aumentar ainda mais a cada aplicação de esterco. Tudo isso não importaria se os antibióticos permanecessem no solo, mas não é o que acontece. Legumes, frutas e verduras, do aipo ao coentro e ao milho, contêm resíduos de antibiótico – quantidades ínfimas em cada planta, mas que vão se acumulando no decorrer de semanas e anos. Existem regras para ministrar antibióticos aos animais antes de serem mortos e levados para a mesa de jantar, mas nenhuma regra determina a aplicação de esterco à terra cultivada.

Apesar de sua forte ligação, ainda não se sabe ao certo se resíduos de antibióticos na comida podem ser a causa subjacente da epidemia de obesidade, mas essa questão suscita muitos debates científicos. Nossa cintura começou a crescer na década de 1950, pouco depois que os antibióticos se tornaram disponíveis para o público em geral. No entanto, a década de 1980 testemunhou um grande aumento no número de pessoas com excesso de peso – a mesma época em que as operações agropecuárias passaram a ser superintensivas. Existem cerca de 19 bilhões de frangos vivos na Terra a qualquer dado momento (são cerca de três por pessoa!), muitos deles espremidos em gaiolas de vários andares. Muitos antibióticos são necessários para manter os frangos nessas condições sem que adoeçam. O Dr. Lee Riley, especialista em saúde pública, observa que, nos anos 1980 e 1990, o maior aumento dessas granjas modernas ocorreu na região sudeste dos Estados Unidos – o epicentro exato da epidemia da obesidade, onde a população americana é mais gorda.

Se os antibióticos podem nos engordar, por quais outros danos poderiam ser responsáveis? Diversas outras doenças que parecem estar associadas à disbiose no intestino já foram mencionadas aqui: alergias, autoimunidade e transtornos mentais. Como os antibióticos são capazes de destruir a microbiota, em teoria, todas essas doenças poderiam ser provocadas pelo tratamento com esses medicamentos.

Você se lembra de Ellen Bolte, do capítulo 3, cujo filho Andrew desenvolveu autismo quando bebê? Ellen atribuiu a regressão súbita de Andrew aos repetidos tratamentos com antibióticos prescritos para o que parecia ser uma infecção do ouvido da criança. Como a obesidade, o autismo também já foi raro, e sua incidência vem aumentando desde os anos 1950, afetando hoje uma em cada 68 crianças. Os meninos são os mais atingidos, e cerca de 2% deles se encaixam em algum ponto do espectro autista aos 8 anos. A culpa já foi atribuída a vários fatores – entre os quais o mais polêmico foi a vacina combinada para sarampo, caxumba e rubéola (MMR). Porém nunca foram encontradas evidências que indiquem a validade desse vínculo causal, e a atenção das pesquisas se voltou para a flora intestinal.

Crianças com autismo parecem abrigar uma comunidade desequilibrada de micro-organismos. Essa disbiose afeta o cérebro em desenvolvimento dos nenéns, tornando-os irritáveis, retraídos e repetitivos. Será que Ellen Bolte tem razão sobre a causa do autismo de Andrew? Os antibióticos são claramente capazes de alterar a microbiota, mas será que eles foram mesmo responsáveis por deixar Andrew tão mal? Seu diagnóstico constante de infecções no ouvido nos oferece uma pista. Acontece que 93% das crianças com autismo sofreram de infecções no ouvido antes de completarem 2 anos, em comparação com 57% das crianças saudáveis. Como mencionei, nenhum médico está disposto a deixar uma infecção de ouvido infantil sem tratamento, com medo de que o bebê não aprenda a falar ou seu quadro piore e se torne algo perigoso como febre reumática. Assim, acaba recorrendo aos antibióticos – o seguro morreu de velho.

A associação entre infecções no ouvido e antibióticos resiste. Um estudo epidemiológico mostrou que crianças com autismo normalmente receberam três vezes mais antibióticos do que aquelas sem o distúrbio. As que recebem antibióticos antes dos 18 meses parecem correr o maior risco. Além disso, esta é uma conexão real. Não podemos culpar um estado precário da saúde em geral, que tenha levado a mais doenças, entre as quais o autismo, porque antes desse diagnóstico, as crianças autistas nesse estudo não haviam visitado o médico nem tomado mais medicamentos do que as que apresentaram desenvolvimento normal. Ainda são necessários novos estudos com mais crianças para termos certeza dessa ligação, além de ser crucial decifrarmos um mecanismo claro que explique seu funcionamento. Mas, como já estamos sendo alertados para reduzir o consumo de antibióticos, a ameaça de que esse medicamento aumenta o risco de autismo só torna essas advertências mais pertinentes.

Um vínculo bem mais claro, e talvez mais intuitivo, é o que pode ser visto entre antibióticos e alergias. Já vimos no capítulo anterior que crianças tratadas com antibióticos antes dos 2 anos têm o dobro de chance de desenvolver asma, irritações de pele e febre do feno. Quanto mais medicamentos receberam, maiores são as chances de se tornarem alérgicas. Quatro ou mais tratamentos significam o triplo de chance.

A trama se complica quando levamos em conta as doenças autoimunes. Elas também aumentaram ao mesmo tempo que o uso de antibióticos, mas até recentemente as infecções levavam a culpa por essas doenças. A diabetes tipo 1 é um clássico. Por décadas, os médicos têm visto um padrão: um adolescente vai a uma consulta com um resfriado ou gripe, para voltar semanas depois com uma sede desesperadora e um cansaço insuportável. As células beta de seu pâncreas começaram a falhar, recusando-se a continuar liberando insulina. Sem esse hormônio crucial para convertê-la e armazená-la, a glicose no sangue aumenta. Dentro de dias ou semanas, as coisas podem ficar graves, levando ao coma ou à morte na falta de tratamento. Mas o intrigante é a associação entre um resfriado ou uma gripe e a diabetes. Uma infecção viral costuma ser vista como o desencadeador – não apenas da diabetes, mas de muitas outras doenças autoimunes.

Mas um exame das estatísticas revela um quadro diferente. O risco de contrair diabetes tipo 1 não é maior nas crianças que tiveram infecções. Além disso, enquanto os casos de diabetes tipo 1 têm aumentado na ordem de 5% ao ano nos Estados Unidos, a prevalência de doenças infecciosas diminuiu. Então por que o vínculo aparente? Por que os médicos sistematicamente veem os adolescentes desenvolverem diabetes depois de uma infecção?

Este é o ponto onde termina a ciência e começa a especulação. Já sabemos que os médicos prescrevem antibióticos em excesso, mesmo para doenças que provavelmente são causadas por vírus, não por bactérias. Seria possível que a diabetes começasse não devido a uma infecção, mas como consequência do tratamento para aquela infecção – antibióticos? Para as famílias e os médicos, pareceria que um resfriado, uma gripe ou um surto de gastroenterite desencadeou a diabetes. O antibiótico pareceria um personagem inocente, mas seria possível que o próprio remédio – ou uma combinação das duas coisas – tenha desencadeado a diabetes.

Infelizmente, por enquanto a resposta não está clara. Em um estudo dinamarquês sobre antibióticos ministrados a crianças, não foi encontrado qualquer vínculo com o risco de desenvolver diabetes depois. Mas, em outro estudo que contou com a participação de mais de 3 mil crianças, houve uma tendência de associação do uso de antibiótico com a diabetes. Além dessa, outras doenças autoimunes mostram ligações mais claras com os antibióticos. Entre adolescentes e adultos usando um antibiótico chamado minociclina por meses ou anos a fio como tratamento da acne, o risco de desenvolver lúpus foi 2,5 vezes maior do que para aqueles que não tomavam o remédio. Essa doença autoimune, que afeta muitas partes do corpo, atinge sobretudo as mulheres, mas aquela cifra incluía os homens, que não têm tendência a desenvolver lúpus. Examinando apenas as mulheres, o risco de contrair lúpus após tomar minociclina (mas não outros antibióticos do grupo das tetraciclinas) torna-se cinco vezes maior do que para aquelas que não tomam antibióticos. O mesmo ocorre com a esclerose múltipla – uma doença autoimune que causa danos aos nervos –, que tende mais a atingir aqueles que tomaram antibióticos recentemente. Mais uma vez, é difícil saber se os antibióticos, as infecções ou uma combinação dessas duas coisas estão na raiz dessas doenças.

Embora os problemas da resistência aos antibióticos e dos efeitos colaterais nocivos à microbiota sejam graves, esses medicamentos não são de todo ruins. Não podemos esquecer as incontáveis vidas que eles salvaram e o sofrimento que impediram. Reconhecendo que têm tanto custos quanto benefícios, podemos avaliar melhor seu valor em certas situações. Cabe a cada um de nós – médicos e pacientes – reduzir nosso uso de antibióticos *desnecessários*, para o bem de nosso ecossistema interno e de nosso próprio corpo.

Embora a ideia por trás da hipótese higiênica – que as infecções nos protegem de alergias – tenha se revelado falsa, um elemento dela persiste. Somos uma sociedade obcecada por *higiene*, e, como isso tem um impacto sobre os micróbios benéficos que abrigamos, estamos nos prejudicando. A maioria das pessoas nos países desenvolvidos lava o corpo inteiro ao menos uma vez por dia, cobrindo a pele com sabão e água quente. Costuma-se dizer que a pele é a primeira linha de defesa contra patógenos, mas não é bem assim. A microbiota da pele, seja uma comunidade de *Propionibacterium* no nariz, seja uma de *Corynebacterium* nas axilas, forma uma camada adicional de proteção na epiderme. Como no intestino, essa camada benéfica expulsa patógenos potenciais e regula as reações do sistema imunológico a possíveis invasores.

Se os antibióticos conseguem alterar drasticamente a composição da flora intestinal, qual o efeito dos sabonetes sobre a microbiota da pele? Olhando as estantes dos supermercados hoje em dia, é difícil achar um sabonete líquido ou produto de limpeza que não contenha bactericidas. Somos assolados por propagandas que dão a entender que germes mortais estão à solta em nossa casa e recomendam que mantenhamos nossas famílias seguras usando sabonetes e limpadores de superfícies contendo agentes antibacterianos – que matam 99,9% das bactérias e vírus. O que esses anúncios não contam é que o sabonete normal faz um serviço igualmente bom, sem prejudicar você nem o meio ambiente no processo.

Quando você lava as mãos de maneira correta, com água quente e sabonete normal, não está matando os micróbios potencialmente nocivos. Você os está removendo. O sabão e o calor da água não os exterminam – apenas facilitam a remoção das substâncias a que os micro-organismos estão agarrados: suco da carne, gorduras, sujeira ou o próprio acúmulo de óleos e células mortas da pele. O mesmo vale para limpadores de superfícies – limpar a bancada da cozinha remove os restos de alimentos que podem atrair bactérias nocivas. Não chega a matar os micróbios nem precisa disso. Acrescentar bactericidas não faz diferença alguma.

Quando produtos antibacterianos alegam matar 99,9% das bactérias, não estão se referindo a testes nas mãos das pessoas nem em superfícies da cozinha, mas em tubos de ensaio. Os examinadores põem um grande número de bactérias direto no sabão líquido e, após um período de tempo – bem mais do que o sabão ficaria em contato com a pele –, veem quantos continuam vivos. Alegar uma taxa de morte de 100% é impossível, porque é impossível provar uma ausência completa de algo com uma amostra tão pequena. Como dizem os cientistas: ausência de evidências não é evidência de ausência. Ninguém nunca declara exatamente quais *cepas* de bactérias esses sabonetes matam. Os 99,9% se referem à proporção de indivíduos mortos, não que 99,9% das espécies bacterianas do mundo possam ser eliminadas. Vale a pena lembrar que muitas bactérias patogênicas conseguem formar esporos e hibernar até o perigo passar, independentemente das substâncias químicas usadas.

Os produtos antibacterianos são um triunfo da publicidade e da pseudociência. Como muitas substâncias químicas em nosso cotidiano, sua segurança nunca foi examinada de verdade. As agências reguladoras, em vez de exigirem que se prove a segurança e a eficiência dessas substâncias *antes* de começarem a ser vendidas, como ocorre com os medicamentos, precisam provar, *depois* de terem sido colocadas à disposição do público, que são perigosas para que aí então sejam proibidas. Das 50 mil ou mais substâncias químicas que usamos no Ocidente, apenas umas trezentas tiveram sua segurança testada. Cinco tiveram seu uso restrito. Isso é 1,7% das que foram testadas. Supondo-se que apenas 1% das outras 50 mil são nocivas, isto dá quinhentas outras que não deveriam estar em nossa casa.

É fácil ficar indiferente – afinal, se essas substâncias fossem mesmo perigosas, as pessoas não iriam adoecer? – mas a natureza traiçoeira da acumulação química e os efeitos sutis e graduais que essas substâncias possam causar não são necessariamente tão fáceis de captar. Além disso, as pessoas *estão* adoecendo. Como a nossa memória é fraca e a rede de fatores potenciais, suficientemente confusa, temos dificuldade em decifrar o que é perigoso ou não. Tomemos o amianto, por exemplo. Essa substância química que existe na natureza era usada na área da construção civil no mundo inteiro antes de ser proibida. Centenas de milhares de pessoas morreram em razão da exposição a essa substância química, antes corriqueira, e continuam morrendo.

Não estou querendo dizer que os bactericidas sejam tão perigosos quanto o amianto, mas que o fato de estarem em milhares de produtos – de produtos de limpeza a tábuas de corte, de toalhas a roupas, de recipientes de plástico a sabonetes líquidos – não garante que sejam seguros. Um composto químico antibacteriano particularmente comum, conhecido como triclosan, entrou na mira dos pesquisadores nos últimos anos. Seus efeitos são preocupantes o suficiente para que o governador de Minnesota assinasse uma lei proibindo seu uso em produtos de consumo a partir de 2017. Tenho quase certeza de que você possui ao menos um produto em casa que contenha triclosan, se não dezenas. Mas seria melhor não ter.

Para começo de conversa, não há nenhuma prova de que o triclosan seja mais eficaz em reduzir a contaminação bacteriana em casa do que os sabonetes comuns. Mas, enquanto as pessoas continuam a usá-lo, essa substância vem contaminando nosso suprimento de água, onde, *aí sim,* consegue matar bactérias e acabar com o equilíbrio dos ecossistemas de água doce. Como se isso não fosse preocupante, o triclosan também impregna nosso corpo e pode ser encontrado em tecido adiposo humano, no sangue do cordão umbilical de bebês recém-nascidos, no leite materno e em quantidades significativas na urina de 75% das pessoas.

A literatura científica ainda não foi capaz de chegar a uma conclusão sobre o potencial nocivo do triclosan, mas o que sabemos até agora é que existe uma correlação clara entre os níveis dessa substância na urina de uma pessoa e a gravidade de suas reações alérgicas. Quanto mais triclosan no corpo, maiores as nossas chances de termos febre do feno e outras alergias. Se esse é um efeito direto do dano à microbiota, uma forma de toxicidade ou um reflexo da redução da exposição aos micro-organismos benéficos, não se sabe.

Há até indícios de que o triclosan *aumenta* suas chances de contrair uma infecção. Estamos literalmente impregnados dele: é encontrado até nas "secreções nasais" – no catarro – dos adultos. Mas essa impregnação nasal com antibacterianos não ajuda a combater as infecções. Descobriu-se que, quanto maior a concentração dessa substância no catarro, *maior* a colonização pelo patógeno oportunista *Staphylococcus aureus*. Ao usarmos esse bactericida, na verdade estamos reduzindo a capacidade de nosso corpo de resistir à colonização e facilitando a permanência dessa bactéria, que mata dezenas de milhares de pessoas a cada ano (sob a forma do SARM).

Como se tudo isso não bastasse, descobriu-se também que o triclosan interfere na ação dos hormônios da tireoide e bloqueia a ação do estrogênio e da testosterona em células humanas em placas de Petri. Por enquanto, a Food and Drug Administration (FDA), a agência reguladora norte-americana, simplesmente desafiou os fabricantes a provarem a segurança da substância ou enfrentarem sua proibição. Como mencionei, o governador de Minnesota tomou a iniciativa, proibindo o uso do triclosan em produtos de consumo a partir de 2017, mas não por esses motivos que acabei de mencionar. Sua preocupação, bem como a de muitos microbiologistas, é que expor bactérias a esse bactericida permite que elas desenvolvam resistência. Embora ninguém queira remover todas as bactérias benéficas vulneráveis de suas mãos, deixando apenas as nocivas e resistentes, a preocupação se concentra na resistência aos antibióticos. Pegue um nariz humano, soltando meleca embebida em triclosan – que possivelmente propicia o desenvolvimento de resistência aos antibióticos –, acrescente alguns *Staphylococcus aureus*, espere alguns dias, e o que você obtém? Uma fábrica móvel de SARM completa, que já tem até um mecanismo de dispersão eficaz.

E tem mais... Quando o triclosan se combina com a água clorada da torneira, se converte no agente incapacitante favorito dos escritores de romances policiais, que além de tudo é um composto cancerígeno: o clorofórmio. Espere pela proibição se quiser ou, se preferir, leia sempre o rótulo.

Porém é importante lavar as mãos – com sabonete normal e água morna por quinze segundos. Essa é a base da saúde pública e comprovadamente faz toda a diferença quando se trata de impedir a transmissão de infecções, sobretudo as gastrointestinais. Mas além de remover micróbios "temporários" – os não residentes com que você entra em contato no ambiente –, esse hábito de higiene também acaba com a microbiota das suas mãos. O intrigante é que diferentes espécies têm uma capacidade diferente de resistir à lavagem ou se recuperar logo depois. Membros dos gêneros estafilococos ou estreptococos, por exemplo, estão em maioria imediatamente após a lavagem das mãos, mas gradualmente se tornam menos dominantes entre as lavagens.

Digo que isso é intrigante porque traz à lembrança o transtorno obsessivo-compulsivo. Em uma das manifestações desse distúrbio de ansiedade, as vítimas se sentem contaminadas por germes e desenvolvem "obsessões" com limpeza e a "compulsão" por lavar as mãos. As causas dessa afecção estranha, que ameaça a qualidade de vida das pessoas afetadas, são difíceis de detectar, apesar das diversas teorias. Um conjunto de pistas aponta para uma origem microbiana.

Quando a Primeira Guerra Mundial chegou ao fim, uma doença misteriosa se espalhou pela Europa. No inverno de 1918, já havia alcançado os Estados Unidos e, no ano seguinte, o Canadá. Nos anos seguintes, a doença varreu o globo, atingindo Índia, Rússia, Austrália e América do Sul. A pandemia persistiu por uma década inteira. Conhecida como encefalite letárgica, seus sintomas incluíam letargia extrema, dores de cabeça e movimentos involuntários, um pouco como no mal de Parkinson. Com frequência, a doença se manifestava como um distúrbio psiquiátrico – muitas vítimas se tornavam psicóticas, deprimidas ou hipersexualizadas. Entre 20% e 40% das vítimas morreram.

Muitos sobreviventes da pandemia de encefalite letárgica não se recuperaram por completo, ficando com transtorno obsessivo-compulsivo (TOC) como sequela. De repente, um distúrbio comportamental raro estava se espalhando como se fosse uma infecção. Os médicos da época discutiam se a doença tinha uma origem freudiana ou "orgânica", mas seriam necessários setenta anos até que a verdadeira causa fosse descoberta.

Na década de 2000, dois neurologistas britânicos se interessaram pela causa da encefalite letárgica. O Dr. Andrew Church e o Dr. Russell Dale haviam tratado um grupo de pacientes cujos sintomas se enquadravam no perfil dessa estranha doença. A notícia se espalhou pela comunidade médica, e seus colegas passaram a encaminhar casos semelhantes para Dale, até que ele tivesse vinte pacientes diagnosticados com uma doença que supostamente havia desaparecido décadas antes. Junto com Church, ele se pôs a buscar semelhanças entre os pacientes, esperando encontrar pistas que os levassem a uma causa e, com sorte, a algum tratamento. Felizmente, havia um padrão: muitos desses pacientes haviam sofrido de infecção na garganta na fase aguda da doença.

Inflamações de garganta com frequência são causadas por bactérias do gênero *Streptococcus*. Church e Dale acharam que essa espécie podia ser a culpada. Ao examinarem os pacientes, descobriram que todos os vinte haviam sido infectados por estreptococos, conforme esperavam. Em vez de se aquietarem após algumas semanas, os estreptococos tinham desencadeado uma reação autoimune que atacou um grupo de células no cérebro conhecidas como gânglios basais. Como resultado, o que normalmente seria uma infecção respiratória se transformou em distúrbio neuropsiquiátrico.

Os gânglios basais estão envolvidos na "seleção da ação". Essa parte do cérebro nos ajuda a decidir qual ação dentre várias possíveis devemos escolher realizar. Eles parecem ser capazes de subconscientemente aprender quais ações nos trarão uma recompensa: você deve frear ou acelerar? Deve pegar a xícara de chá ou coçar a cabeça? Continuar apostando ou desistir? Quanto maior sua prática nessas coisas, de mais informações seus gânglios basais dispõem para selecionar entre as alternativas que ocorrem à sua mente consciente.

Mas se essas células cerebrais são atacadas, o processo de seleção da ação se complica. Os músculos, que deveriam seguir as instruções do cérebro de imediato, parecem receber várias ordens diferentes, e, em vez de ações decisivas e tranquilas, produzem tremores como o sintoma do Parkinson. As rotinas também ficam prejudicadas: acender a luz, trancar a porta, lavar as mãos. Isso leva a uma possibilidade intrigante para as vítimas de TOC que compulsivamente lavam as mãos. Eu já mencionei que alguns grupos de bactérias se tornam *mais* abundantes após a lavagem das mãos, talvez porque aproveitem a oportunidade de florescer na ausência de seus colegas mais vulneráveis. Entre eles estão os estreptococos. Não há nenhuma explicação definitiva, mas talvez esses patógenos oportunistas ganhem terreno nas mãos e no intestino de tal forma que, após uma boa lavagem das mãos, conseguem persuadir o hospedeiro – por meio dos gânglios basais que reforçam hábitos e oferecem recompensas – a não pararem de lavá-las.

Talvez não seja nenhuma surpresa que uma série de "distúrbios mentais" – mais apropriadamente denominados distúrbios neuropsiquiátricos – estejam ligados à disfunção dos gânglios basais e à presença de estreptococos. Pense nos tiques vocais e físicos da síndrome de Tourette, que podem ser o resultado da incapacidade dos gânglios basais de suprimir a ideia de uma travessura da mente consciente. A infecção por estreptococos desempenha um papel nessa síndrome. Crianças que sofreram várias infecções de uma cepa particularmente desagradável de estreptococo no último ano têm uma chance quatorze vezes maior de desenvolverem esse distúrbio. O mal de Parkinson, o TDAH e transtornos de ansiedade também estão ligados aos estreptococos e a danos aos gânglios basais.

Não estou sugerindo que, para evitar o domínio do estreptococo, não devamos lavar as mãos. Um resultado bem pior seria transmitir micróbios comuns dos lugares a que pertencem (as fezes, por exemplo) para lugares a que não pertencem (boca ou olhos). Não se sabe se o sabonete antibacteriano piora o domínio temporário de estreptococos nas mãos, mas, como um oportunista tenaz acostumado a resistir ao ataque de outros micro-organismos, é bem possível que tenha sido mais rápido em desenvolver resistência aos antibacterianos do que os micróbios benéficos da pele. Existe, porém, uma ocasião em que usar substâncias químicas para matar bactérias parece válido e eficaz – que é esfregar álcool nas mãos. O álcool destrói os micro-organismos num nível tão fundamental que eles parecem não conseguir desenvolver resistência. Além disso, pode ser eficaz contra cepas resistentes aos antibióticos, como o SARM, e ser aplicado de maneira rápida e fácil tanto por profissionais de saúde quanto por pessoas comuns.

Enquanto está ocupado conferindo todos os rótulos de seus produtos de higiene pessoal, talvez você se impressione com o número de substâncias químicas de que nunca ouviu falar que parecem necessárias para fazê-lo se sentir limpo e cheiroso. Claro que sua pele cuidaria de si, mesmo sem gel para banho, hidratantes e desodorantes. Se perambular por florestas tropicais ensina algo, é que quem cheira mal são os forasteiros, que se lavam uma vez por dia e se cobrem de antitranspirantes – não as pessoas locais. Embora não se lavem com frequência e nunca usem desodorantes nem loções de limpeza, os povos tribais que moram nos lugares mais rudimentares não sofrem de mau odor corporal.

Gita Kasthala, antropóloga e zoóloga que trabalha em áreas remotas de Papua Ocidental e da África Oriental, observou que os habitantes de sociedades tribais podem ser divididos em três grupos quando se trata da higiene pessoal. No primeiro grupo estão aqueles que tiveram pouquíssimo contato com a cultura ocidental. "Essas pessoas costumam incorporar a higiene pessoal a outras atividades, digamos, quando vão pescar. Mas não usam sabonete, e muitos dos tecidos que usam para se cobrir são naturais", diz ela. O segundo grupo é formado por pessoas de aldeias remotas que foram expostas à cultura ocidental até certo ponto – muitas vezes por missionários religiosos – e tendem a usar trajes ocidentais, em geral tecidos sintéticos de segunda mão dos anos 1980. "Este grupo costuma ter um odor incrivelmente forte. Eles se lavam de vez em quando, e usam sabonete, mas têm pouca compreensão de por que se lavar e usar roupas. Apenas sabem que em certo momento isso deve ser feito, seja uma vez por semana, por mês ou mais raramente." O grupo final mergulhou na cultura ocidental, talvez trabalhando numa base petrolífera ou para alguma madeireira, e se lava diariamente com cosméticos. "Esse grupo não costuma ter cheiro, a não ser que faça um trabalho pesado ou o dia esteja muito quente", Kasthala explica. "Mas o primeiro grupo, que nunca usa sabão, nunca fede, nem mesmo quando faz um trabalho pesado."

Então por que a maioria das pessoas nas sociedades urbanas fica malcheirosa e sebenta após um ou dois dias sem se lavar, a ponto de se tornar socialmente inaceitável, enquanto aquelas que vivem sem sabão nem água quente nos trópicos conseguem permanecer limpas?

De acordo com a recém-criada empresa chamada AOBiome, a resposta está num grupo bem sensível de micróbios. Seu fundador, David Whitlock, era engenheiro químico e estudava os micro-organismos encontrados no solo. Ao coletar amostras de solo de um estábulo em 2001, alguém lhe perguntou por que os cavalos adoravam rolar na terra. Ele não sabia a resposta, mas a questão o intrigou. Whitlock sabia que o solo e as fontes de água natural continham muitas bactérias oxidantes de amônia (BOAs). Ele também sabia que o suor contém amônia, e se perguntou se os cavalos e outros animais usavam as BOAs do solo para controlar o nível de amônia na pele.

A maior parte do cheiro do suor humano não vem dos líquidos ricos em amônia liberados por nossas glândulas écrinas, mas das glândulas apócrinas – ou glândulas do odor. Confinadas às axilas e à virilha, elas são de natureza sexual e só se tornam ativas na puberdade. Os cheiros que passam a produzir agem como feromônios, informando ao sexo oposto sobre nosso estado de saúde e fertilidade. Mas o suor liberado pelas glândulas apócrinas também não tem cheiro – que só aparece quando os micróbios da pele entram em ação e o convertem em toda uma série de compostos químicos voláteis fedorentos. Os exatos odores produzidos dependem da composição da comunidade de micro-organismos que você abriga.

Ao nos lavarmos e aplicarmos desodorantes, que tendem a funcionar removendo ou mascarando as bactérias produtoras de odor, alteramos a microbiota da pele. As BOAs são um grupo de bactérias particularmente sensível, além de serem lentas na hora de restabelecer sua população, sendo portanto as mais afetadas pelo furacão de substâncias químicas com que as bombardeamos todos os dias. De acordo com Whitlock, o problema é que, sem BOAs, a amônia que liberamos no suor não é convertida em nitrito e óxido nítrico, substâncias que desempenham um papel fundamental não apenas na regulação do funcionamento das células humanas, mas também no controle dos micróbios da pele. Sem óxido nítrico, a população de corinebactérias e estafilococos que se alimentam de nosso suor pode crescer descontroladamente. Mudanças na quantidade de corinebactérias em particular parecem ser responsáveis pelo mau cheiro corporal que tanto nos esforçamos por evitar.

O paradoxo é que, ao nos lavarmos com substâncias químicas e usarmos desodorantes para garantir um cheiro agradável, desencadeamos um círculo vicioso. O sabonete e o desodorante matam nossas BOAs. A ausência de BOAs significa desequilíbrio de nossas outras bactérias da pele. A composição alterada da microbiota faz com que nosso suor fique com mau cheiro. Assim, precisamos usar sabonete para limpar essa bagunça e desodorante para mascarar o odor. O que a AOBiome sugere é que repor nossas BOAs poderia romper esse ciclo sem fim.

Claro que você poderia conseguir isso rolando na lama ou nadando diariamente em alguma fonte de água não tratada nem poluída (se conseguir achá-la), mas o que Whitlock e o resto de sua equipe na AOBiome propõem é que você se borrife diariamente com a Névoa Cosmética Refrescante AO+. A aparência, o cheiro e o sabor são de água, mas esse produto contém *Nitrosomonas eutropha* vivas – BOAs cultivadas do solo. No momento, o AO+ é vendido como cosmético – portanto a AOBiome não tem obrigação de provar sua eficácia, apesar de esse ser seu próximo objetivo. Mas no teste piloto, a aparência, a maciez e a firmeza da pele de voluntários melhoraram em comparação com aqueles que usaram um placebo.

Embora as pessoas que não se lavam não tenham o cheirinho de flores ou sabonete que passamos a apreciar em nossa pele, muitos dos voluntários no teste do AO+ acharam seu cheiro natural igualmente bom – até para as outras pessoas. David Whitlock, fundador da AOBiome, deixou de se lavar doze anos atrás e nos assegura de que não fede. Muitos outros membros da equipe da AOBiome também reduziram o uso de sabonetes e desodorantes, e a maioria se lava poucas vezes por semana ou mesmo poucas vezes ao ano.

A ideia de não se lavar com sabonete – ou ao menos de fazê-lo com menos frequência – provavelmente parecerá repugnante à maioria das pessoas. Na verdade, parece surreal que, por ser um hábito tão entranhado em nossa cultura, seja quase um tabu admitir não usar sabonete todos os dias. É provável que seja bem mais surreal que, após não nos lavarmos com sabonete por 250 mil anos da história da nossa espécie, agora tenhamos que depender tanto de uma ducha e um sabonete a ponto de não conseguir imaginar a vida sem eles.

Assim como os antibióticos, os bactericidas têm seu lugar. Mas esse lugar não é o seu corpo. Já dispomos de um sistema de defesa contra micro-organismos: chama-se sistema imunológico. Talvez seja bom tentar usá-lo.

SEIS

Você é o que eles comem

Enquanto me sento com a Dra. Rachel Carmody para uma xícara de chá na Universidade Harvard, ela me fala sobre o momento em que se deu conta de que estávamos encarando a dieta humana de uma forma completamente errada. Ela havia concluído sua dissertação de mestrado sobre o efeito do cozimento no valor nutritivo dos alimentos e estava apresentando sua defesa. Ao final do encontro, o examinador sentado na extremidade mais afastada da mesa levantou-se e lhe entregou uma pilha de periódicos com artigos científicos recém-publicados. Ao serem espalhados na frente dela, Carmody percebeu os termos "microbioma" e "microbiota intestinal" em quase todos os títulos. "Seria bom você pensar um pouco em como tudo isto afetaria suas conclusões", ele disse.

"A quantidade de energia que podemos extrair da alimentação determina toda a biologia", explica Carmody. "É provável que a aparência de um organismo e a forma como ele se comporta tenham a ver com o modo como obtém seu alimento. O problema foi que, examinando como os seres humanos digerem sua comida a partir da perspectiva da biologia evolucionista, eu estava estudando apenas metade do problema."

Carmody vinha se concentrando nos processos digestivos que ocorrem no intestino delgado, mas à medida que revistas prestigiosas como *Nature* e *Science* começaram a publicar edições especiais sobre o papel da flora bacteriana intestinal na nutrição e no metabolismo, ela percebeu que sua pesquisa – bem como a de todos os outros estudiosos da nutrição humana – não seria capaz de abarcar todas as respostas. "O que tínhamos", Carmody me conta, "era uma maneira totalmente incompleta de pensar sobre a dieta".

Toda a nossa perspectiva sobre a nutrição mudou. Até recentemente, tudo que importava era o que ocorria no intestino delgado. Esse tubo comprido e fino que sai do estômago – que funcionaria como um liquidificador – é onde tudo acontece no tocante à digestão "humana". Enzimas bombeadas do estômago, do pâncreas e do próprio intestino delgado decompõem as moléculas maiores da comida em outras menores, capazes de atravessar as células da mucosa intestinal e chegar à corrente sanguínea. Proteínas, como colares de pérolas retorcidos e dobrados, são reduzidas a pérolas individuais, chamadas aminoácidos, e cadeias mais curtas desses blocos de construção. Carboidratos complexos são fatiados em porções mais controláveis, chamadas açúcares simples, como a glicose e a frutose. E as gorduras são reduzidas às suas partes constitutivas: gliceróis e ácidos graxos. Essas unidades menores realizam sua atividade no corpo, criando energia, construindo carne e sendo readaptadas para nosso próprio uso.

Segundo o dogma, a nutrição humana essencialmente termina ao final do tubo de 7 metros que compõe o intestino delgado – que é seguido pelo outro, bem mais curto, porém mais largo: o intestino grosso. Mas esta seção relativamente suja do intestino tem sido deixada de lado até agora – como se não passasse de um enorme tubo de esgoto. Na escola, muitos de nós aprendemos que, enquanto o intestino delgado servia para absorver os nutrientes, a função do intestino grosso era absorver água e coletar as sobras de comida, deixando-as prontas para serem excretadas. Assim como ocorreu com o apêndice – que de inútil não tem nada –, a importância do intestino grosso tem sido negligenciada. O biólogo e microbiologista russo vencedor do Prêmio Nobel, Ilya Mechnikov, fez grandes descobertas de células imunológicas na última década do século XIX e achava que todos viveríamos melhor sem um intestino grosso. Ele escreveu: "Muitas investigações feitas no caso do homem parecem ter constatado a ausência de poder digestivo no intestino grosso."

Felizmente, já percorremos um longo caminho desde as reflexões de Mechnikov sobre o intestino grosso. Reconhecemos décadas atrás que esse órgão no mínimo também absorvia vitaminas cruciais, sintetizadas por sua colônia de micro-organismos. Sem eles, nossa saúde ficaria prejudicada. David Vetter, o "Menino da Bolha", mantido quase livre de germes e em isolamento na década de 1970, tinha sua dieta suplementada por diversas vitaminas para compensar sua falta de micróbios. Mas a contribuição da microbiota para a nutrição vai muito além das vitaminas. De fato, para algumas espécies, comer seria quase inútil sem os serviços de extração de nutrientes prestados por seus micro-organismos.

As sanguessugas e os morcegos vampiros, que se alimentam de sangue, dependem ao extremo da microbiota para sua nutrição. Apesar das propriedades vivificantes, o sangue não é o mais nutritivo dos alimentos. É rico em ferro, é claro, daí o gosto metálico, e também em proteína, mas fornece muito pouco em termos de carboidratos, gorduras, vitaminas e outros minerais. Sem seus micróbios do intestino para sintetizar esses elementos que ficariam faltando, essas espécies hematófagas teriam dificuldades para sobreviver.

O panda-gigante é outro clássico. Embora seja um Carnívoro com C maiúsculo na árvore da vida, pois se inclui entre seus colegas ursos – o urso-cinzento, o polar e outros –, assim como entre os leões, lobos e outros primos ferozes, não é carnívoro com letra minúscula: comedor de carne. Tendo trocado a carne pela delícia dietética que é o bambu, o panda-gigante voltou as costas ao seu passado evolutivo. Seu sistema digestivo simples carece do grande comprimento que apresenta o dos herbívoros mais perfeitos como vacas e carneiros. Com isso, o intestino grosso e seus habitantes microbianos ficam com muito trabalho por fazer.

Além disso, os pandas têm o genoma de um carnívoro: montes de genes que sintetizam enzimas capazes de decompor as proteínas da carne, mas nenhum que codifique enzimas para decompor polissacarídeos de plantas duras (carboidratos). Por dia, o panda mastiga 12 quilos de talos de bambu secos e fibrosos, mas somente 2 quilos são digeridos. Sem sua microbiota, essa cifra se reduziria a quase nada. Mas o microbioma do panda-gigante – ou seja, os genes contidos em sua microbiota – conta com um conjunto de genes especializados em quebrar moléculas de celulose – que costumamos encontrar no microbioma de herbívoros como vacas, cangurus e cupins. Com esses genes – e os micróbios que os possuem – do seu lado, o panda-gigante escapou das limitações de seu passado carnívoro.

Portanto, como você pode ver, a microbiota não deve ser ignorada quando se trata da nutrição. Em certo sentido, os seres humanos não diferem tanto assim das sanguessugas, dos morcegos e dos pandas. Alguns dos alimentos que ingerimos são digeridos pelas enzimas codificadas por nosso próprio genoma e depois absorvidas no intestino delgado. Mas muitas moléculas de comida – na maior parte as "indigeríveis" – acabam sobrando. Elas seguem seu caminho até o intestino grosso, onde encontram uma grande e ávida multidão de micróbios prontos para decompô-las usando suas próprias enzimas. Após se alimentar, a microbiota libera novas sobras. Essas moléculas, junto com a água de que nos falaram na escola, são absorvidas pelo sangue. Elas são, como veremos adiante, mais importantes do que imaginávamos.

Infelizmente a solução da obesidade não é tão simples como contei no último capítulo. As consequências do uso de antibióticos e de ingeri-los com a nossa comida com certeza merecem nossa atenção, sobretudo em crianças. Mas ainda não estamos fora de perigo. Como indica o trabalho de Martin Blaser sobre baixas doses de penicilina e uma dieta rica em gorduras em camundongos, dificilmente esses medicamentos são a *única* causa do aumento de peso e das outras doenças do século XXI. A dieta também tem seu papel – só não é o que você esperava.

A forma como comemos mudou. Percorra os corredores de um supermercado. Apesar de saber que os alimentos podem ter duas origens – vegetal ou animal –, você ficará perplexo em se dar conta de que a aparência da comida que eles vendem em nada lembra plantas ou animais. Para começo de conversa, metade dos corredores estão cheios de comida dentro de embalagens de papelão, sacolas de plástico e garrafas. Quantas plantas e animais vêm em caixas de papelão? Brócolis? Frango? Maçãs? Tudo bem, às vezes os ingredientes brutos são embalados deste jeito, mas estou me referindo aos biscoitos, chips de batatas, refrigerantes, refeições prontas e cereais matinais.

Fora do supermercado a mudança continua. Fast-food e refeições prontas para quem não tem tempo de cozinhar. Latas de refrigerantes e garrafas de suco para quando achamos a água muito sem gosto, comida para viagem para as noites de sexta, sanduíches prontos para o escritório. A maioria de nós já não tem pleno controle do que come. Cozinhamos nossas próprias refeições menos que em qualquer outra época e é *muito raro* nós mesmos as cultivarmos. Quase toda a comida – de plantas a animais – é produzida por meios intensivos, quimicamente reforçada e restrita em termos espaciais. É provável que mesmo aqueles entre nós que pensam ter uma dieta saudável a estão comparando com a média: um padrão bem baixo.

Mas o que *é* uma dieta saudável? Os conselhos a respeito do assunto parecem mudar com a mesma frequência com que as pessoas trocam de roupa, mas um fato está claro: algo na alimentação moderna não está funcionando bem. O número de pessoas obesas e com excesso de peso mundo afora alcançou proporções tais que o termo pandemia seria mais apropriado que epidemia. Além da questão do peso, uma dieta ruim também agrava uma série de doenças, de artrite a diabetes, sendo responsável pela maioria das mortes no mundo desenvolvido – de doença cardíaca, derrame, diabetes ou câncer. Muitos dos distúrbios acarretados ou agravados por uma alimentação ruim são considerados doenças do século XXI, inclusive síndrome do intestino irritável, doença celíaca e uma série de distúrbios ligados ao excesso de peso.

O problema é que ninguém parece ser capaz de concordar sobre o que constitui a melhor dieta. Defensores de diferentes dietas populares adoram falar sobre os benefícios de sua estratégia escolhida, ainda que as abordagens mais comuns adotem posturas muito divergentes sobre quais grupos de alimentos são "bons" e quais são "maus". Parece haver uma explicação lógica em termos evolutivos por trás de cada regime popular, bem como alegações de perda de peso e melhoria da saúde para respaldar todas elas. Talvez o simples ato de assumir o controle de sua dieta já seja suficiente para gerar uma melhoria, não importando se você está adotando uma abordagem com poucos carboidratos, poucas gorduras ou baixo índice glicêmico.

A teologia das dietas mais populares atualmente se reduz a um princípio básico: é assim que os seres humanos *deveriam* se alimentar. Tendo perdido de vista o que constitui uma dieta humana normal, voltamo-nos aos nossos ancestrais – pré-agricultores, caçadores-coletores, homens das cavernas e até pré-humanos comedores de alimentos crus, que mais lembram nossos primos entre os grandes primatas do que nossos indivíduos modernos. Mas talvez não precisemos retroceder tanto assim. Afinal, nossos bisavós não sofriam das doenças de que nos queixamos hoje, e eles nasceram apenas uns 100 anos atrás. Com certeza, em comparação com os supermercados cheios de caixas de papelão e dos restaurantes de fast-food dos dias atuais, a abordagem deles em relação à comida era drasticamente diferente da nossa.

Uma forma de termos uma boa ideia do que os seres humanos "deveriam" comer é examinando populações cuja vida ainda não foi impregnada pela agropecuária intensiva, pela alimentação globalizada e por escolhas dietéticas baseadas na conveniência. A população da aldeia rural de Boulpon, em Burkina Faso, por exemplo. Uma equipe de cientistas e médicos italianos decidiu comparar as crianças dessa aldeia africana com um grupo de crianças urbanas de Florença, na Itália. Seu objetivo era aprender mais sobre o efeito da dieta na flora intestinal de cada um desses grupos. As pessoas de Boulpon levam a vida de um modo não muito diferente dos agricultores de subsistência que viviam no planeta há cerca de 10 mil anos, logo após a Revolução Neolítica.

Esse foi um período decisivo de nossa evolução. A humanidade havia deparado com duas ideias importantes: domesticar animais e cultivar alimentos vegetais. Além dos benefícios óbvios de um suprimento estável de comida, a Revolução Neolítica permitiu que grupos de seres humanos abandonassem o estilo de vida nômade e se fixassem em um só lugar. Com isso veio a oportunidade de desenvolvermos estruturas permanentes, vivermos em grupos maiores e, infelizmente, sofrermos com as doenças infecciosas que se desenvolvem em grandes populações. Isso marcou o início de nossa cultura e de nossa dieta moderna.

Para a alimentação de nossos ancestrais, a agricultura e a criação de gado significavam um suprimento constante de cereais, leguminosas, verduras e, em alguns locais, ovos, leite e um pedaço ocasional de carne. Em alguns lugares, pouca coisa mudou. Na aldeia de Boulpon, a dieta local é típica da África rural: o painço e o sorgo são transformados em farinha e misturados num mingau saboroso, mergulhado num molho de legumes cultivados no local. Vez ou outra um frango é abatido e comido, e durante a estação chuvosa os cupins às vezes oferecem uma guloseima apetitosa. Esse não é bem um plano de refeições que faria sucesso num livro sobre a dieta ideal – tipo "o que deveríamos comer" –, mas é provável que seja mais representativo da dieta de nossos ancestrais recentes do que uma típica dieta da moda no estilo caçadores-coletores e rica em carne. As crianças italianas, enquanto isso, estavam comendo produtos comuns de uma dieta ocidental moderna: pizzas, massas, montes de carnes e queijos, sorvetes, refrigerantes, cereais no café, chips de batatas, e assim por diante.

Não surpreende que esses dois grupos de crianças tivessem micro-organismos totalmente diferentes nos intestinos. Enquanto as crianças italianas tinham sobretudo bactérias pertencentes ao filo Firmicutes, a microbiota das crianças de Burkina Faso era dominada pelo filo Bacteroidetes. Mais de metade dos micróbios nos intestinos das crianças africanas pertenciam a um só gênero, *Prevotella*, e outros 20% eram do gênero *Xylanibacter*. Mas esses dois gêneros, que pareciam tão importantes para elas, estavam completamente ausentes do intestino das crianças europeias.

Esses dados evidenciam a quantidade absurda de gordura e açúcar (carboidratos simples) que as crianças italianas estão comendo. Todos nós achamos que consumimos demais esses tipos de comida e que, acima de tudo, eles são responsáveis pela epidemia de obesidade e doenças associadas ao peso. Com certeza, o meio mais rápido de engordar um rato de laboratório é alimentá-lo com uma dieta rica em gorduras e açúcar. É o que os cientistas que estudam o microbioma chamam de "a dieta ocidental". Após apenas um dia comendo assim, a flora intestinal dos ratos já terá mudado sua composição e seus habitantes estarão utilizando um conjunto diferente de genes. Duas semanas após a mudança para a dieta ocidental, os ratos começam a engordar.

Será que a recíproca é verdadeira? Será que retornar a uma dieta pobre em gorduras e carboidratos é suficiente para reverter as alterações microbianas e provocar perda de peso? Ruth Ley, a mulher que pela primeira vez notou a alta proporção de Firmicutes em relação a Bacteroidetes em seres humanos obesos, quis saber se o equilíbrio entre as espécies encontrado em pessoas esguias voltaria ao normal nas pessoas com excesso de peso caso elas fizessem uma dieta. Assim, ela usou pesagens e amostras fecais de voluntários humanos obesos que estavam inscritos num teste de dieta.

Os voluntários tiveram que seguir uma dieta pobre em carboidratos ou pobre em gorduras durante seis meses. Seu peso foi registrado e amostras de sua flora intestinal foram examinadas antes e durante o experimento. Os dois grupos perderam peso nesse período, e a proporção entre Firmicutes e Bacteroidetes ficou de acordo com a quantidade de peso corporal que haviam perdido. O intrigante foi que essa alteração microbiana só ficou evidente depois que os voluntários haviam perdido certa proporção de seu peso. Para aqueles que estavam adotando uma dieta pobre em gorduras, foi necessária uma perda de 6% de seu peso antes que a quantidade relativa de Bacteroidetes começasse a refletir seus esforços. Trata-se de uma perda de peso de 5,4 quilos para uma mulher obesa de 1,68m com um peso inicial de 91 quilos. Para aqueles que estavam num regime pobre em carboidratos, uma perda de peso de apenas 2% já foi suficiente para começar a afetar a proporção microbiana: uma perda de 1,8 quilo para a mesma mulher obesa.

Ainda precisamos verificar se essa discrepância na perda inicial de peso necessária para levar a microbiota a um melhor equilíbrio observada em apenas doze voluntários é significativa, assim como a importância da própria proporção microbiana. Mas é interessante mencionar que as dietas pobres em carboidratos são famosas por seus resultados rápidos, embora em períodos de dieta mais longos as dietas pobres em gorduras alcancem e às vezes ultrapassem as dietas pobres em carboidratos em termos de perda de peso total.

No experimento de Ley, porém, tanto uma quanto outra dieta também eram de baixa caloria, permitindo às mulheres 1.200-1.500 calorias por dia e aos homens 1.500-1.800. O fato é que adotar uma dieta que seja pobre o suficiente em calorias por um período de tempo significativo sempre resultará em perda de peso, não importando se é pobre em gorduras ou em carboidratos, se só permite que você se empanturre nos fins de semana ou se deixa de fora os cereais e laticínios da Revolução Neolítica. Mesmo dietas de nutrientes balanceados, que não reduzem o teor relativo de gordura nem de carboidratos, resultam em perda de peso – desde que a ingestão calórica seja baixa. Ley e outros agora acreditam que a relação entre Firmicutes e Bacteroidetes pode corresponder aos hábitos alimentares – mais do que reflete a própria obesidade. Se qualquer dieta pobre em calorias funciona, será que faz sentido restringir a ingestão de gorduras ou carboidratos?

Fazer declarações genéricas de que gorduras ou carboidratos fazem "mal" à saúde não faz jus à grande complexidade desses alimentos. Trata-se de ignorar o fato de que são cruciais para a sobrevivência.

É muito difícil avaliar a reação até então desconhecida da microbiota à ingestão de gordura e açúcar, mesmo em condições experimentais. Imagine que você quer usar camundongos para testar o impacto de uma dieta rica em gorduras sobre sua flora intestinal. Você suplementa a ração normal com gordura extra e vê o que acontece. Mas agora seus camundongos estão recebendo muito mais calorias do que antes, de modo que você não sabe se as alterações se devem ao aumento de consumo de gordura ou de calorias. Assim, em vez disso, você aumenta a ingestão de gorduras, mas mantém a ingestão calórica constante, reduzindo a quantidade de carboidratos na ração deles. O problema é que agora você não sabe se eventuais mudanças se devem ao aumento da gordura ou à redução nos carboidratos... Nada na nutrição pode ser estudado de forma isolada.

Como eu disse, pôr camundongos em uma dieta rica em gorduras mas pobre em carboidratos causa uma mudança na composição microbiana e um aumento no peso. Junto com essas alteração vêm o aumento na permeabilidade da mucosa intestinal, na quantidade de lipopolissacarídeos no sangue e de marcadores de inflamação. Essas mudanças foram associadas não apenas com a obesidade, mas com diabetes tipo 2, doenças autoimunes e transtornos mentais. Uma dieta rica em açúcares simples como a frutose parece criar as mesmas mudanças – ao menos em roedores.

Assim, parece que gordura e açúcar de mais fazem mal a você e que o aumento de seu consumo acompanha o aumento da obesidade em muitos países ao redor do mundo. Mas eis o paradoxo: no Reino Unido, em partes da Escandinávia e na Austrália, em contraste com a imagem da mídia, de uma pessoa morbidamente obesa agarrada a um hambúrguer e um milkshake superdoce, o consumo de gordura e açúcar na verdade *caiu* desde a Segunda Guerra Mundial. No Reino Unido, a Pesquisa Nacional de Alimentação conduzida pelo governo manteve registros da ingestão de alimentos nos lares britânicos de 1940 a 2000. As estatísticas contrariam todas as nossas suposições sobre as mudanças na nossa dieta ao longo do tempo. Por exemplo, em 1945, o teor de gordura médio da dieta britânica era de 92 gramas por pessoa por dia. Em 1960, quando pouquíssimos britânicos tinham excesso de peso, era de 115 gramas. Mas, em 2000, havia caído para 74 gramas por dia. Mesmo decompor a gordura em seus diferentes ácidos graxos – saturados e insaturados – não oferece uma explicação. Os ácidos graxos, tradicionalmente considerados mais benéficos para nós – os insaturados –, formam uma parcela cada vez maior da ingestão de gorduras dos britânicos. Manteiga, leite integral e banha de porco estão em queda, e leites desnatados, óleos e peixe estão em alta. No entanto, os britânicos continuam engordando.

Examinar a relação entre ingestão de gordura (como uma proporção do consumo total de energia) e IMC tampouco revela qualquer ligação. Em dezoito países europeus, não foi observada qualquer associação entre o IMC médio e a ingestão média de gordura nos homens: a proporção de gordura que os homens ingeriam e seu peso não estavam relacionados. Nas mulheres, a relação foi contrária à esperada: países com maior ingestão de gordura (até 46% da dieta) tinham IMCs médios menores, e aqueles com menor ingestão de gorduras (até 27% da dieta) tinham IMCs maiores. Comer mais gordura não necessariamente vai deixá-lo mais gordo.

Quanto ao consumo de açúcar, é mais difícil avaliá-lo porque a pesquisa coletou dados sobre tipos de comida, mas não sobre o teor de açúcar. De qualquer forma, o consumo de açúcar de mesa, geleias, bolos e artigos de confeitaria diminuiu ao longo do tempo. No caso do açúcar de mesa, o consumo despencou de uma média estonteante de 500 gramas semanais por pessoa, no fim dos anos 1950, para cerca de 100 gramas semanais por pessoa em 2000. Porém os britânicos agora consomem muito mais suco de fruta e cereais matinais açucarados do que no passado. No geral, as estimativas são de que, desde a década de 1980, os britânicos venham ingerindo cerca de 5% menos açúcar. Desde a década de 1940 – lembrando que isso inclui o período de racionamento durante e após a Segunda Guerra Mundial –, é provável que o declínio tenha sido bem maior. Os australianos também reduziram sua ingestão de açúcar a partir dos anos 1980. Enquanto costumavam consumir cerca de trinta colheres de chá por dia em 1980, em 2005 o consumo havia caído para 25 colheres. Nesse mesmo período, três vezes mais australianos se tornaram obesos.

Um aumento no consumo geral de calorias tampouco parece explicar essas mudanças. A Pesquisa Nacional de Alimentação do Reino Unido mostra que, na década de 1950, a ingestão calórica média por dia, para adultos e crianças combinados, atingiu 2.660 calorias, mas em 2000 havia caído para 1.750 calorias por pessoa por dia. Mesmo nos Estados Unidos, alguns estudos apontam que a ingestão calórica caiu durante períodos de aumento de peso em geral. Os números da Pesquisa Nacional de Consumo da Alimentos do Departamento de Agricultura norte-americano (USDA) mostram uma queda na ingestão energética, de 1.854 calorias para 1.785 calorias por pessoa por dia entre 1977 e 1987. Ao mesmo tempo, a ingestão de gordura caiu de 41% para 37% da dieta. Nesse meio-tempo, a proporção de pessoas com excesso de peso cresceu, passando de um quarto para um terço da população. Um simples excesso nas calorias que entram em relação às que saem parece ter contribuído para esse cenário em certos períodos e em alguns lugares, mas muitos cientistas observaram que isso não é suficiente para explicar a grande escala que a epidemia da obesidade alcançou nos Estados Unidos e em outras partes.

Não estou dizendo que gordura e açúcar não nos fazem mal quando consumidos em excesso – eles podem fazer, sim. Nem que o consumo de um deles, ou ambos, não cresceu no mundo como um todo – pois provavelmente cresceu. Pelo contrário, é que, como nas dietas experimentais em camundongos, um aumento no consumo de um nutriente *deve* afetar o consumo de outros, sobretudo se a ingestão calórica total permanecer estável. Saber se é o açúcar ou a gordura que está causando a epidemia de obesidade tem sido o grande debate nos últimos anos. Mas e se não for nem uma coisa nem outra?

Se mudanças no consumo de gordura, açúcar e calorias não dão conta de explicar plenamente o aumento da obesidade, o que daria? À medida que mais pessoas vêm engordando, temos indagado: o aumento de que na nossa alimentação pode explicar esse ganho de peso? A resposta parecia óbvia: gordura e açúcar. Em muitos lugares, um aumento no consumo desses dois elementos foi acompanhado de um aumento na prevalência de obesidade.

Mas apesar de o consumo excessivo de gordura ter um apelo intuitivo como a causa do aumento de peso, a questão não é tão simples como parece. Quando vemos a gordura excessiva em nosso corpo, tendemos a compará-la à gordura excessiva em nossa alimentação. Mas isso não faz o menor sentido. A gordura em nosso corpo pode ser criada a partir de qualquer fonte de alimentação que precise ser armazenada: proteína, carboidrato ou gordura.

Embora intuitivamente acreditemos que deveria ser o contrário, na verdade não existe grande diferença entre a ingestão de gordura na dieta das crianças em Burkina Faso e na Itália. As crianças de Boulpon consumiam cerca de 14% da dieta em forma de gordura, enquanto as florentinas consumiam cerca de 17%. E se tentar encontrar o aumento de um determinado elemento em nossa dieta for simplista demais? E se devêssemos também examinar o que *diminuiu*?

Não parece tão lógico assim associar a queda de um fator a um aumento de outro, mas trata-se de algo igualmente plausível. Voltando a examinar a dieta das crianças de Burkina Faso em comparação com as da Itália, podemos ver uma diferença clara na ingestão de um tipo de nutriente: as fibras.

As verduras, os cereais e as leguminosas, que constituem o grosso da dieta de Boulpon, têm alto teor de fibras. Em média, as fibras correspondem a menos de 2% da dieta de crianças entre 2 e 6 anos em Florença. Já as crianças de Boulpon ingerem mais de três vezes essa proporção de fibra em sua alimentação: 6,5%.

Uma segunda olhada nas estatísticas alimentícias dos países desenvolvidos nas últimas décadas reflete essa mesma diferença. Um adulto da década de 1940 no Reino Unido consumia cerca de 70 gramas de fibras por dia, enquanto a média atual dos britânicos é de cerca de 20 gramas diárias por pessoa. Parece que estamos consumindo menos frutas, legumes e verduras. Em 1942, ingeríamos quase o dobro dos vegetais que comemos hoje – e isso durante a guerra, quando os suprimentos eram limitados. Nossa ingestão de verduras frescas, como brócolis e espinafre, apresenta um forte declínio que não mostra sinais de que vá ceder. Nossa ingestão de leguminosas, cereais (inclusive pão) e batatas – ricos em fibras – também vem caindo. Simplesmente comemos menos alimentos vegetais do que no passado.

Examinando os genes presentes no microbioma dos habitantes de Burkina Faso, é fácil entender por que sua microbiota contém uma proporção tão grande das espécies *Prevotella* e *Xylanibacter* – 75% do total. Esses dois grupos bacterianos abrigam genes que codificam enzimas que lhes permitem decompor xilana e celulose – dois compostos químicos indigeríveis que formam a estrutura da parede celular das plantas. Com mais indivíduos dos gêneros *Prevotella* e *Xylanibacter* dentro delas, essas crianças conseguem extrair muito mais energia dos cereais, das leguminosas, das frutas, dos legumes e das verduras que compõe o grosso de sua dieta.

As crianças italianas, por sua vez, não têm espécies dos gêneros *Prevotella* e *Xylanibacter* em sua microbiota. Elas não são capazes de manter a população dessas bactérias estável porque tanto uma quanto a outra requerem um influxo constante de resíduos de plantas para sobreviverem. Em vez disso, a microbiota das crianças florentinas é dominada por Firmicutes – o mesmo filo de bactérias associado à obesidade em vários estudos americanos. De fato, a relação entre Firmicutes – ligados à obesidade – e Bacteroidetes – ligados à magreza – nas crianças italianas foi de quase três para um, em comparação com a proporção de um para dois nas de Burkina Faso.

Uma dieta rica em plantas parece resultar em uma flora intestinal "magra". Então o que acontece se você dá a um grupo de americanos uma dieta animal, com muitas carnes, ovos e queijos, e a outro grupo uma dieta vegetal, com muitos cereais, frutas, legumes e verduras? Já era de esperar que a composição de sua flora intestinal se alterasse. Os comedores de plantas viram um rápido aumento nos grupos bacterianos que decompõem as paredes celulares dos vegetais, enquanto os comedores de carne perderam essas bactérias e ganharam espécies que decompõem proteínas, sintetizam vitaminas e desintoxicam os compostos cancerígenos encontrados na carne queimada. O microbioma de uns começou a se assemelhar aos dos animais herbívoros, enquanto o dos outros, ao dos animais carnívoros. Um dos voluntários tinha sido vegetariano a vida inteira, mas foi designado para o grupo da dieta à base de alimentos de origem animal. Seus níveis de *Prevotella* – antes altos – caíram assim que ele começou a comer carne, e em quatro dias o número de indivíduos dessa espécie já havia sido superado por micróbios que preferem proteínas animais.

Essa adaptação rápida mostra que pode ser muito útil se associar aos micro-organismos quando se trata de aproveitar a comida disponível. Usando essa adaptabilidade, nossos ancestrais foram capazes de explorar ao máximo o banquete de fibra na época da colheita ou um ou outro naco de carne quando matavam um animal. Trata-se de um artifício útil, especialmente para dietas que incluem ingredientes pouco comuns. É provável que um grande número dos micróbios e genes microbianos que nos permitem aproveitar diferentes tipos de alimentos originalmente tenham vindo das bactérias vivendo nesses mesmos alimentos. Alguns sugerem que nossa aliança com o gado se mostrou benéfica não apenas pela carne e pelo leite que nos fornecem, mas também devido à transferência de micróbios que digerem fibras de seus intestinos para o nosso.

A ideia de que a diminuição de nossa ingestão de fibras possa desempenhar um papel importante na epidemia da obesidade não significa que gordura e açúcar sejam irrelevantes. Uma dieta rica em gorduras e açúcar necessariamente é pobre em outros macronutrientes: os carboidratos complexos. Como grande parte das fibras *são* carboidratos, incluindo os polissacarídeos "diferentes do amido", como celulose e pectina, e os "amidos resistentes", encontrados em bananas, cereais integrais, sementes e até arroz e ervilhas que foram cozidos e depois esfriados, quando você aumenta o teor relativo de gordura e açúcar da alimentação, seu consumo de fibra diminui. Assim, será que nossa dieta poderia estar causando excesso de peso não por causa do alto teor de gordura e açúcar, mas devido à redução na ingestão de fibras?

Lembra-se de Patrice Cani, do capítulo 2? Ele é o professor de Nutrição e Metabolismo que descobriu que pessoas magras têm níveis bem maiores da bactéria *Akkermansia muciniphila* do que pessoas com excesso de peso. Ele percebeu que essa espécie parecia estar encorajando a mucosa intestinal a se fortalecer, em parte forçando-a a produzir uma camada de muco mais espessa. Com isso, essa espécie estava impedindo que a molécula LPS bacteriana transpusesse a mucosa do intestino e penetrasse no sangue, onde causava inflamação do tecido adiposo, resultando num ganho de peso nocivo.

Entusiasmado com a possibilidade de que a *Akkermansia* pudesse ajudar no processo de perda de peso – ou ao menos impedir seu aumento –, Cani experimentou incluir um suplemento dessa bactéria na alimentação dos camundongos. Funcionou. Não apenas seus níveis de LPS caíram, mas os animais perderam peso. Porém trata-se de uma solução temporária para um problema de longo prazo. Sem novos suplementos, a população de *Akkermansia* diminui. Então, como manter seus níveis altos? E o que é mais pertinente para a maioria de nós: como podemos aumentar a população que nós já temos das bactérias dessa espécie?

Cani descobriu a resposta tentando aumentar a população de outro tipo de micro-organismo – as bifidobactérias. Ao proporcionar aos camundongos uma dieta rica em gorduras, ele observara que a quantidade de bifidobactérias diminuía. Isso também se aplicava aos seres humanos: quanto maior o IMC, menos bifidobactérias essa pessoa possui. Cani sabia que esse tipo de bactéria tem uma predileção por fibras, e se perguntou se fornecer um suplemento de fibra poderia aumentar sua população em camundongos sob uma dieta rica em gorduras e mesmo deter o aumento de peso. Ele experimentou suplementar sua alimentação rica em gordura com um tipo de fibra conhecida como oligofrutose (às vezes denominada fruto-oligossacarídeo, ou FOS), encontrada em alguns alimentos, como bananas, cebolas e aspargos. Isso fez uma grande diferença: a população de bifidobactérias aumentou.

Mas embora as bifidobactérias tenham parecido prosperar com a oligofrutose, foram os níveis de *Akkermansia* que decolaram de verdade. Após cinco semanas, um grupo de camundongos *ob/ob* geneticamente obesos cuja dieta havia sido suplementada com oligofrutose tinha oitenta vezes a quantidade de *Akkermansia* dos camundongos *ob/ob* que não tinham recebido o suplemento de fibra. Em camundongos geneticamente obesos, a ingestão de fibra reduziu a velocidade do aumento de peso e, nos camundongos engordados por uma dieta rica em gorduras, induziu a perda de peso.

Cani testou em seus ratos com obesidade induzida pela dieta outro tipo de fibra, chamada arabinoxilano. Essa molécula responde por uma enorme parcela da fibra encontrada em cereais integrais, incluindo o trigo e o centeio. Camundongos com uma dieta rica em gorduras suplementada por arabinoxilano tiveram os mesmos benefícios à saúde que os que haviam ingerido oligofrutose. Além do aumento nas bifidobactérias, a população de *Bacteroides* e a de *Prevotella* também voltaram aos níveis encontrados em camundongos magros. Apesar da dieta rica em gorduras, as fibras vedaram o intestino permeável dos camundongos, encorajaram suas células adiposas a se tornarem mais numerosas em vez de aumentarem de tamanho, diminuíram os níveis de colesterol e reduziram o ritmo do aumento de peso.

"Se oferecemos aos camundongos uma dieta rica em fibras e gordura, eles conseguem resistir à obesidade induzida pela alimentação", explica Cani. "Podemos argumentar que, se não adotarmos uma dieta rica em fibras para 'compensar' nossa alimentação rica em gorduras, isso terá um impacto deletério sobre a barreira do intestino. Sabemos que nossos ancestrais tinham uma dieta riquíssima em carboidratos não digeríveis, comendo cerca de 100 gramas de fibra ao dia, aproximadamente dez vezes a quantidade que comemos hoje."

Em nosso passado evolutivo, engordar era benéfico, permitindo que estocássemos energia em tempos de fartura para sobreviver às épocas de escassez. Portanto, é intrigante tentar entender por que o aumento de peso parece tão ruim para nós – contribuindo para o surgimento de doença cardíaca, diabetes e vários tipos de câncer. Muitos pesquisadores dizem que nosso peso atingiu proporções que vão tão além das expectativas normais do corpo humano que transpusemos o limite que leva às doenças ligadas ao excesso de peso. A pesquisa de Cani oferece mais uma pista da razão por que um processo que era tão benéfico ao longo de nossa história evolutiva se tornou tão prejudicial agora. Talvez comer gordura não seja tão ruim, contanto que haja uma quantidade suficiente de fibra na dieta para proteger a mucosa do intestino de seus efeitos. Se a ingestão de fibras estimula micróbios que fortalecem as defesas da parede intestinal, o LPS não penetra na corrente sanguínea, o sistema imunológico consegue se manter calmo e as células adiposas se tornarão mais numerosas – em vez de ficarem cheias, quase transbordando.

Na verdade, talvez não sejam os micro-organismos propriamente ditos que importam, mas os compostos químicos que eles sintetizam quando decompõem a fibra alimentar: os ácidos graxos de cadeia curta, ou AGCCs que mencionei no capítulo 3. Os três AGCCs principais – acetato, propionato e butirato – estão presentes no intestino grosso em quantidades substanciais depois que você ingere alimentos vegetais. Esses produtos da digestão microbiana das fibras são chaves que se encaixam em inúmeras fechaduras, e há décadas sua importância para a nossa saúde vem sendo subestimada.

Uma dessas fechaduras se chama receptor acoplado à proteína G43, ou GPR43, e pertence às células imunológicas. Elas ficam lá, esperando que as chaves – os AGCCs – venham destrancá-las. Mas o que fazem? Ao testar camundongos com o GPR43 "desativado", que não têm essas fechaduras, uma equipe de pesquisadores descobriu que, sem esses receptores, os animais contraem inflamações terríveis e tendem a desenvolver colite, artrite ou asma. O mesmo acontece se você deixa as fechaduras intactas, mas retira as chaves. Camundongos livres de germes não conseguem produzir AGCCs porque não têm micro-organismos para decompor fibras. Assim, suas fechaduras GPR43 permanecem fechadas e, mais uma vez, os animais se tornam propensos a doenças inflamatórias.

Esse resultado intrigante nos mostra que o papel do GPR43 é oferecer uma rota de comunicação entre os micróbios e o sistema imunológico. Ao produzir chaves na forma de AGCCs, nossos micro-organismos apreciadores de fibras instruem as células imunológicas a não atacarem. Além disso, o GPR43 não está presente apenas em imunócitos, mas também nas células adiposas, que são forçadas a se dividirem em vez de aumentarem de tamanho – armazenando energia de forma saudável – quando o GPR43 é "destrancado" por uma chave AGCC. Esse processo também resulta na liberação de leptina, o hormônio da saciedade. Desse modo, comer fibras faz você se sentir saciado.

Todos os três principais AGCCs são importantes, mas precisamos falar sobre um em particular. O butirato tem um lugar de destaque porque parece

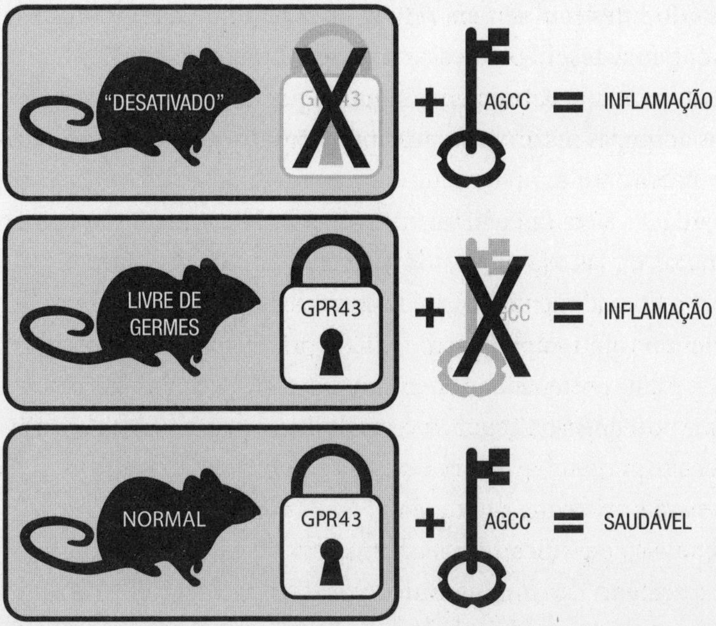

Esquema do funcionamento das fechaduras GPR43 e chaves AGCC

ser a peça que estava faltando no quebra-cabeça do intestino permeável. Já vimos que uma comunidade microbiana desequilibrada vem acompanhada do afrouxamento das cadeias que mantêm as células que revestem a parede intestinal unidas. Uma vez frouxa, a parede se torna permeável, e todos os compostos químicos, que não deveriam ser capazes disso, se infiltram na corrente sanguínea. No caminho, alertam o sistema imunológico, e a inflamação que se segue está por trás de uma série de doenças do século XXI. A função do butirato, portanto, é impedir o desenvolvimento da porosidade na parede intestinal.

As cadeias proteicas que mantêm as células intestinais unidas são produzidas por nossos genes. Mas são os nossos micróbios que decidem aumentar ou diminuir a expressão dos genes que constroem as cadeias proteicas da parede do intestino. O butirato é o mensageiro que enviam. Quanto mais butirato conseguirem produzir, mais cadeias proteicas nossos genes produzirão e mais firme ficará a parede intestinal. Para isso, você só precisa de duas coisas: os micro-organismos certos (como bifidobactérias para decompor certas fibras em moléculas menores, e espécies como *Faecalibacterium prausnitzii*, *Roseburia intestinalis* e *Eubacterium rectale* para converter essas moléculas menores em butirato) e uma dieta rica nas fibras que vão alimentá-los. Eles vão se encarregar do resto.

As descobertas de Patrice Cani e outros pesquisadores dão um novo rumo à nossa compreensão do efeito da alimentação sobre o nosso peso. Em vez de se reduzir ao simples equilíbrio entre calorias ingeridas e gastas, o vínculo que liga dieta (e particularmente o consumo de fibras), micróbios, ácidos graxos de cadeia curta, permeabilidade do intestino e inflamação crônica faz a obesidade parecer mais uma doença que afeta a regulação de energia do que um simples caso de ingestão de comida em excesso. Cani acredita que uma dieta ruim é apenas um dos caminhos para o aumento de peso e que tudo que seja capaz de desequilibrar a microbiota – inclusive os antibióticos – pode ter o mesmo efeito se permitir a passagem de LPS do intestino para a corrente sanguínea.

Será que isso significa que podemos comer nosso bolo em paz desde que acompanhado de uma guarnição de ervilhas? Talvez. Vários estudos já demonstraram que a obesidade está associada à baixa ingestão de fibra. Num estudo de jovens adultos americanos por um período de dez anos, uma maior ingestão de fibra esteve associada a um IMC menor, independentemente da ingestão de gorduras. Em outro, que acompanhou 75 mil enfermeiras durante doze anos, aquelas que consumiam mais fibras em forma de cereais integrais tinham um IMC sistematicamente menor do que as que preferiam cereais refinados com baixo teor de fibra. Outros estudos descobriram que acrescentar fibra a dietas de baixa caloria acelera a perda de peso. Um deles mostrou que, após seis meses adotando uma dieta de 1.200 calorias/dia, mulheres com excesso de peso perderam 5,8 quilos com um suplemento placebo e 8 quilos com um suplemento de fibra.

Alterar a ingestão de fibra ao longo do tempo também parece ter um efeito sobre o peso. O monitoramento de peso e ingestão de fibras de 250 mulheres americanas durante vinte meses revelou que, para cada grama adicional de fibra por cada mil calorias, as mulheres perderam 250 gramas. Não parece muito, mas, com uma dieta típica de 2 mil calorias/dia as mulheres que aumentaram seu consumo de fibras em 8g/1.000 calorias perderam 2 quilos. Isso equivale a acrescentar meia xícara de farelo de trigo e meia xícara de ervilhas cozidas à sua alimentação diária.

Os carboidratos merecem uma menção especial. Como as gorduras e as fibras, nem todos os carboidratos são iguais. Os defensores de uma dieta pobre em carboidratos sustentam que todos eles fazem "mal" a você, mas pense nisto: o açúcar é um carboidrato, mas as lentilhas também. Um bolo, por exemplo, compõe-se de cerca de 60% de carboidratos graças à farinha de trigo branca e ao açúcar refinado, que são rapidamente absorvidos no intestino delgado, mas o brócolis contém aproximadamente a mesma quantidade de carboidratos, que respondem por 70% de seu peso. Quase metade deles são fibras que serão consumidas pelos micro-organismos. O rótulo de "carboidrato" incorpora um enorme espectro de comidas, do açúcar puro aos carboidratos refinados – como o pão francês – e aos carboidratos não refinados – como o arroz integral, que costuma ter uma grande proporção de fibra totalmente indigerível. Dietas pobres em carboidratos dão a impressão de que uma colher de geleia e uma abóbora são igualmente nocivas – e por isso essas dietas tendem a ser muito pobres em fibra.

O comportamento dos carboidratos em seu corpo depende muito de quais tipos de moléculas eles contêm. Sua ação não afeta apenas sua absorção de calorias, mas quais micróbios você alimenta – e, em consequência disso, a forma como seu apetite é regulado, quanta energia você armazena como gordura, quão permeável é seu intestino, com que rapidez a energia armazenada é utilizada e o grau de inflamação em suas células. Quando se trata de carboidratos, como observa Rachel Carmody, "é muito importante saber se são absorvidos no intestino delgado ou no cólon depois de convertidos em AGCCs. E isso não vem escrito nos rótulos dos alimentos."

Pulverizar a comida ou transformá-la em suco também afeta seu teor de fibra. Enquanto 100 gramas de trigo integral intacto contêm 12,2 gramas de fibra, sua transformação em farinha integral reduz esse teor para 10,7 gramas, e o refinamento para farinha branca cai para apenas 3 gramas. Um suco de frutas de 250 mililitros pode conter de 2 a 3 gramas de fibras, mas a fruta que lhe deu origem teria fornecido 6 ou 7 gramas se tivesse sido comida. Uma garrafa de 200 mililitros de suco de laranja teria 1,5 grama de fibra, enquanto as quatro laranjas que originaram o suco contêm oito vezes essa quantidade.

Outra moda dietética que provavelmente afeta a microbiota é a ingestão exclusiva de alimentos crus. Uma escola de pensamento, defendida pelo Professor Richard Wrangham – o biólogo evolucionista humano de Harvard que foi o orientador da Dra. Rachel Carmody –, sustenta que o uso do fogo pelo ser humano para cozinhar tornou possível nossa transição como espécie, para que nosso corpo crescesse e nosso cérebro também. Como Carmody descobriu em sua pós-graduação, cozinhar alimentos de origem animal e vegetal altera sua estrutura química e torna disponíveis ao corpo nutrientes que seriam inacessíveis se a comida estivesse crua. O efeito de cozinhar também se aplica aos nutrientes disponíveis à nossa microbiota. Além disso, o calor também destrói algumas das substâncias químicas de defesa presentes nas plantas, que poderiam matar micro-organismos benéficos de nossa flora intestinal.

É bem verdade que ingerir comida crua ajuda a emagrecer – simplesmente porque haverá menos calorias disponíveis para serem absorvidas. Mas, a longo prazo, o efeito de uma alimentação desse tipo é tão extremo que conservar um peso saudável parece impossível. "Se você monitora adeptos da comida crua por um longo período de tempo", diz Carmody, "constata que não conseguem manter a massa corporal. Eles comem quantidades absurdas de comida, mesmo em termos de calorias, mas continuam perdendo peso. Os crudívoros rigorosos podem experimentar déficits energéticos tão graves que mulheres em idade reprodutiva chegam a parar de ovular." A partir de uma perspectiva evolutiva, essa com certeza não é uma boa estratégia. As evidências indicam que cozinhar não é uma mera invenção cultural para a comida ficar mais gostosa, mas uma inovação a que nossa espécie se adaptou fisiologicamente e que agora somos obrigados a continuar. Agora Camody pretende desvendar o impacto do ato de cozinhar sobre nossa flora intestinal.

Você deve estar se perguntando... Se as fibras são tão boas assim, por que tantas pessoas são intolerantes ao trigo e ao glúten? Trigo e outros cereais integrais estão repletos de fibra e oferecem muitos benefícios comprovados à saúde – de reduzir o risco de doença cardíaca e asma a melhorar a pressão arterial e ajudar a prevenir derrames. Mas a popularidade da última moda em dieta – as dietas "livres de" qualquer coisa – baseia-se na ideia de que o glúten oculto nos grãos de trigo, centeio e cevada faz mal.

O glúten é a proteína que dá a maciez esponjosa ao pão. Filamentos de glúten "se desenvolvem" quando a massa é sovada, aprisionando então o dióxido de carbono produzido pelo levedo – o que faz o pão "crescer". Trata-se de uma molécula grande, um pouco parecida com um colar de pérolas. Esse colar é parcialmente rompido por enzimas humanas no intestino delgado, deixando que cadeias menores prossigam até o intestino grosso.

Não faz muito tempo, não havia alimentos livres de glúten – assim como de lactose e caseína – disponíveis em restaurantes nem em supermercados, mas o mercado dos "livre de" floresceu na última década, seguindo a tendência crescente da culpabilização dos alimentos. Algumas pessoas querem que acreditemos que não fomos "feitos" para comer trigo e que consumir laticínios não é "natural". Cheguei a encontrar um site alegando que os seres humanos eram a única espécie que bebia o leite de outras espécies, e que, portanto, isso fazia mal. Não importa que essa mensagem não-tão-científica-assim tenha chegado até mim por meio da internet, também sabidamente não utilizada entre outras espécies.

O trigo, os laticínios e os compostos que eles contêm – glúten, lactose, etc. – são consumidos por algumas populações humanas desde a Revolução Neolítica, cerca de 10 mil anos atrás, mas só recentemente passaram a causar problemas. Essa história nos traz de volta ao gastrenterologista italiano Alessio Fasano, do Hospital Geral Infantil de Massachusetts, em Boston. Ele estava tentando desenvolver uma vacina para o cólera, mas acabou fazendo a descoberta inesperada da "zonulina" – uma proteína que afrouxa as cadeias da mucosa intestinal, tornando-a permeável. Ele percebeu que a zonulina estava por trás da doença celíaca. O glúten estava conseguindo atravessar a parede intestinal dos pacientes celíacos, que haviam se tornado porosas por causa de um excesso de zonulina, o que desencadeava uma reação autoimune que atacava as células do intestino dos pacientes.

A doença celíaca tornou-se mais comum nas últimas décadas, e a única forma de tratá-la é evitando ingerir até as quantidades mais ínfimas de glúten. Mas os celíacos não são os únicos que evitam essa proteína. Milhões de pessoas se consideram intolerantes ao glúten – para o prazer dos fabricantes de alimentos especiais e a consternação de muitos médicos. Os defensores da dieta livre de glúten afirmam que sua eliminação, além de reduzir o inchaço e melhorar a função intestinal, também proporciona uma pele reluzente, energia de sobra e uma melhora na concentração. As vítimas da síndrome do intestino irritável são particularmente propensas a essa dieta. A intolerância à lactose também se tornou mais comum, sendo agora normal encontrar produtos sem lactose em todo supermercado.

Mas se trigo e laticínios fazem tão mal, por que nossos ancestrais começaram a consumi-los? No caso da lactose – o açúcar encontrado no leite –, muitas populações humanas desenvolveram a chamada "persistência da lactase". Todos conseguimos tolerar a lactose quando bebês. Está no leite da nossa mãe. Nós possuímos um gene que produz uma enzima – a lactase – especificamente para decompô-la. Antes do Neolítico, esse gene "desligava" após a infância, quando a lactase já não era necessária. Mas durante a Revolução Neolítica algumas populações humanas começaram a desenvolver a persistência do gene da lactase. Ele não desligava mais após o desmame, permanecendo ativo ao longo da vida adulta.

A seleção natural para a persistência da lactase ocorreu *muito rápido* em termos evolutivos, o que significa que, se as pessoas são capazes de digerir a lactose quando adultas, é porque isso *realmente as ajuda* a sobreviver e se reproduzir. Em uns poucos milhares de anos, começando no Oriente Próximo, os seres humanos por toda a Europa passaram a ser tolerantes à lactose. Agora, cerca de 95% dos europeus do norte e do oeste conseguem tolerar o leite durante a fase adulta. Em outros locais, as populações humanas que pastoreiam animais, como os beduínos pastores de cabras do Egito e os tutsis pastores de Ruanda, desenvolveram a persistência da lactase de forma independente, por meio de uma mutação diferente da dos europeus.

É muito pouco provável que o fato de tantos de nós sermos agora incapazes de tolerar o glúten e a lactose seja um sinal de que não fomos "feitos" para consumir esses alimentos. Afinal, os ancestrais de muitos de nós, especialmente aqueles de origem europeia, os vêm consumindo há milhares de anos. É quase como se as mudanças no estilo de vida dos últimos sessenta anos tivesse retrocedido quase 10 mil anos de evolução alimentar humana. Meu argumento não é que as intolerâncias dietéticas não sejam um fenômeno real, mas que a origem desses distúrbios não reside em nosso genoma, mas em nosso microbioma desequilibrado. Nós *evoluímos* para comer trigo e muitos de nós evoluímos para tolerar lactose como adultos, mas podemos ter ficado suscetíveis a uma reação imunológica excessiva a esses alimentos.

Não são os alimentos em si, mas o que vem acontecendo com eles dentro do nosso corpo que tem causado o problema. Ao contrário da doença celíaca, porém, a mucosa intestinal está perfeitamente intacta em pessoas com sensibilidade ao glúten. Nesse caso, parece que, por causa da disbiose, o sistema imunológico passou a se preocupar exageradamente com a presença dessa proteína. Acredito que, em vez de rejeitar o glúten e a lactose, poderíamos reconstruir o relacionamento que tínhamos com eles no pós-Neolítico ao mesmo tempo que restauramos nosso equilíbrio microbiano.

O escritor americano Michael Pollan tem uma afirmação famosa: devemos "comer comida, não em excesso, na maioria plantas". Embora tenha escrito isso antes da revolução na nossa compreensão da microbiota, sabemos agora que esse conselho é mais válido do que nunca. Evitando comida embalada em caixas de papelão e mantidas "frescas" por conservantes químicos com perfis de segurança a longo prazo questionáveis, não nos empanturrando além do ponto que nosso pâncreas, tecido adiposo e apetite consigam aguentar e lembrando que as plantas alimentam a nós e a nossos micróbios, podemos cultivar um equilíbrio microbiano que servirá de base ao bem-estar e à felicidade.

Passei este capítulo inteiro defendendo as fibras, mas vale a pena enfatizar que nenhum elemento de nossa dieta está isolado. A grande complexidade dos prós e contras de qualquer tipo de alimento, seja as diferentes formas de gorduras, seja o tamanho das moléculas de carboidratos, precisa se enquadrar em nossa dieta como um todo. Não basta dizer que a gordura faz mal e as fibras fazem bem, porque o velho adágio – tudo com moderação – continua válido, não importa o que diga a última dieta da moda. O valor da fibra está em seus efeitos sobre a comunidade específica de micróbios que nossa espécie cultivou na jornada desde nossos primórdios herbívoros até nosso presente onívoro. A anatomia de nosso sistema digestivo – com sua ênfase no intestino grosso como um lar para micro-organismos que se alimentam de plantas e um longo apêndice que age como um refúgio e depósito – serve para nos lembrar de que não somos carnívoros e que as plantas devem formar a base de nossa dieta. O nutriente que está fazendo falta é a fibra, mas são as *plantas* que estamos esquecendo de comer.

Às vezes penso que somos muito sortudos por termos a obrigação fisiológica de comer todos os dias. Esse é um dos maiores prazeres da vida – e é *essencial*. Quase nenhuma outra atividade humana é tão agradável e necessária para a sobrevivência. Mas deve haver um equilíbrio entre esses dois aspectos da alimentação: o hedonismo e o sustento. O paradoxo é que, embora aqueles que vivem nos países desenvolvidos tenham acesso à maior abundância de alimentos frescos, variados e nutritivos da Terra, a qualquer estação do ano, a grande maioria morrerá de doenças provocadas pela dieta e relacionadas à alimentação. Sim, podemos jogar grande parte da culpa nas empresas multinacionais de alimentos que enchem os produtos de açúcar, sal, gorduras e conservantes. Claro que precisamos saber mais sobre as consequências das práticas agrárias intensivas e medicalizadas. Sem dúvida é verdade que médicos e cientistas ainda não possuem todas as respostas quando se trata do equilíbrio perfeito da ingestão de nutrientes. Mas, em última análise, cada um de nós é responsável por sua própria alimentação e tem a liberdade necessária para assumir o controle daquilo que come.

Você é o que você come. Mais do que isso: você é o que *eles* comem. A cada refeição que fizer, pense um pouquinho nos seus micróbios. O que *eles* gostariam que você comesse hoje?

SETE

Desde o primeiro minuto

Aos seis meses, um filhote de coala começa a espiar para fora da bolsa abdominal da mãe. Está na hora de começar a fazer a transição da alimentação, passando da ingestão exclusiva de leite para sua dieta adulta de folhas de eucalipto. Para a maioria dos herbívoros, essa não seria a mais apetitosa das dietas. As folhas são duras, tóxicas e quase destituídas de nutrientes. O genoma dos mamíferos nem sequer está equipado com os genes necessários para produzir as enzimas capazes de extrair algo de nutritivo do eucalipto. Mas os coalas conseguiram contornar esse problema. Como vacas, ovelhas e muitos outros, os coalas utilizam seus micróbios para extrair, do material vegetal fibroso, o grosso da energia e dos nutrientes de que precisam.

O problema é que os filhotes não dispõem dos micro-organismos necessários para digerir as folhas de eucalipto. Cabe às suas mães semear uma comunidade microbiana no intestino deles. Quando chega a hora certa, a mamãe coala produz uma substância mole que escorre, chamada "papa" – uma pasta parecida com fezes, constituída de eucalipto pré-digerido e um inóculo de bactérias do intestino. Ela oferece essa papa aos filhotes, proporcionando a eles não só o início de uma microbiota, mas também alimento suficiente para a colônia começar. Uma vez que esta tenha se estabelecido, o filhote já passa a dispor de sua própria força de trabalho minúscula que transforma suas habilidades digestivas e torna o eucalipto comestível.

Receber a microbiota da mãe é algo comum, mesmo entre os não mamíferos. As mamães baratas mantêm a microbiota em células especializadas chamadas bacteriócitos, que expelem seu conteúdo microbiano ao lado de um ovo em desenvolvimento dentro do corpo dela. O ovo então engloba as bactérias antes de ser posto. Mamães percevejos, por sua vez, adotam uma abordagem mais semelhante à do coala, untando a superfície de seus ovos com fezes cheias de bactérias ao depositá-los. Depois que os ovos são chocados, as ninfas imediatamente consomem essas fezes. Aves, peixes, répteis e outros animais também são conhecidos por transmitirem sua microbiota à prole, seja dentro do ovo ou quando o filhote nasce.

Quaisquer que sejam as inclinações dos pais, suprir a prole de um bom conjunto de micróbios que lhe sirva de auxílio em seu percurso parece um ritual quase universal. O fato de ser algo tão comum diz muito sobre os benefícios evolutivos de passar a vida em companhia de micro-organismos. Se untar ovos e engolir bactérias são a norma, esses comportamentos se desenvolveram para serem assim e, de alguma forma, devem oferecer vantagens em termos de sobrevivência e reprodução para os indivíduos que os possuem. E quanto a nós, humanos? Está claro que nossa microbiota é benéfica, mas como asseguramos que nossos bebês recebam as sementes de sua própria colônia?

Nas primeiras horas de vida, um bebê passa de predominantemente humano para microbiano – ao menos com relação ao número de células. Submerso em seu saco morno de líquido amniótico dentro do útero, o bebê está protegido dos micróbios do exterior, inclusive os de sua mãe. Mas quando a bolsa se rompe, a colonização começa. A jornada do bebê para nascer é como um corredor polonês de micro-organismos. Na verdade, "corredor polonês" dá a impressão errada, porque os seres microscópicos que o bebê encontra não são inimigos, mas amigos. Trata-se de um rito de passagem microbiano, revestindo o bebê – antes quase estéril – de micróbios vaginais.

Ao emergir à luz, o bebê recebe outra dose de micróbios. Por mais repugnante que pareça, ingerir fezes no início da vida não é exclusividade dos coalas. Durante o trabalho de parto e o nascimento, os hormônios responsáveis por induzir as contrações e a pressão do bebê descendo faz a maioria das mulheres defecar. Os bebês tendem a nascer com a cabeça primeiro, voltada para o bumbum da mãe, parando por um momento com cabeça e boca em posição estratégica, enquanto aguardam a próxima contração para ajudá-los a sair. Ainda que isso cause nojo, trata-se de um começo auspicioso. Após o nascimento, a nova camada de micróbios fecais e vaginais que a mãe forneceu ao recém-nascido lhe proporciona uma proteção simples e segura.

Também é provável que esse seja um comportamento "adaptativo". Ou seja, o fato de o ânus estar tão próximo da vagina não deve ser por acaso, nem que os hormônios que provocam contrações no útero tenham um efeito laxante. A seleção natural pode muito bem ter feito assim por beneficiar o bebê – ou ao menos não causar mais mal do que bem. Receber o presente dos micro-organismos e seus genes, que vêm atuando em harmonia com o genoma de sua mãe, é um bom ponto de partida.

Se comparados com aqueles encontrados em amostras retiradas da vagina, das fezes e da pele da mãe e do pai, os micróbios presentes no intestino de um recém-nascido mais se assemelham aos da vagina da mãe. Espécies pertencentes aos gêneros *Lactobacillus* e *Prevotella* são as mais comuns. Esses micróbios vaginais são um grupo bem seleto – bem menos diversificados do que aqueles no intestino da mãe –, mas parecem ter um papel especializado no trato digestivo em desenvolvimento do bebê. Acredita-se que, onde existem *Lactobacillus*, não há patógenos. Nenhum *C. diff*, nada de *Pseudomonas* nem *Streptococcus*. Essas bactérias nocivas não conseguem se estabelecer porque são expulsas. Conhecidos como bactérias do ácido láctico, os lactobacilos criam esse composto – que confere o sabor azedo ao iogurte e cria um ambiente hostil para outras bactérias. Além disso, essas espécies também produzem antibióticos próprios – as bacteriocinas – para eliminar patógenos que estejam competindo com elas pelo espaço nobre no intestino vazio do recém-nascido.

Mas por que os micróbios encontrados no intestino dos bebês se assemelham mais aos do canal vaginal do que aos do intestino de sua mãe? Se eles estão no intestino para ajudar na digestão, não seriam os mais adequados? Os médicos, e muitas mulheres, sabem muito bem que os lactobacilos prosperam na vagina – há muito tempo se sabe que um pouco de iogurte pode ser usado como remédio caseiro para tratar um surto de candidíase. Supõe-se normalmente que essas bactérias do ácido láctico estejam lá para proteger a vagina de infecções, mas embora façam isso bem, este não é seu propósito principal.

As bactérias da vagina se alimentam de leite. Elas extraem o açúcar encontrado no leite – a lactose –, convertendo-o em ácido láctico para gerar energia. Os bebês também se alimentam de leite, convertendo a lactose em duas moléculas mais simples – glicose e galactose –, que são absorvidas pelo intestino delgado e depois convertidas em energia para o bebê. Qualquer lactose que consiga atravessar o intestino delgado sem ter sido digerida não é desperdiçada, indo direto para as bactérias do ácido láctico presentes no intestino grosso. Os lactobacilos que um bebê adquire ao passar pelo canal vaginal não estão lá para proteger a vagina da mãe, mas para colonizar o bebê. Talvez pareça exagerado ter uma vagina permanentemente colonizada por bactérias do ácido láctico, mas a função principal desse órgão é dar à luz – e com muito mais frequência do que ocorre hoje no mundo desenvolvido. A vagina é o portão de entrada do bebê e evoluiu de forma a fornecer o melhor ponto de partida na corrida da vida.

Embora as bactérias do ácido láctico sejam boas para os bebês nos primeiros dias da vida, mais à frente eles vão precisar de uma flora intestinal que faça mais do que decompor leite – ou seja, de alguns micróbios do intestino da mãe. Além da saudação fecal no nascimento, eles também adquirem algumas bactérias da flora intestinal encontradas na microbiota vaginal da mãe. A comunidade bacteriana que vive na vagina de mulheres grávidas é diferente. Entre as espécies, passam a ser encontradas algumas que normalmente estariam no intestino.

Tomemos o *Lactobacillus johnsonii*, que costuma ser encontrado no intestino delgado, onde produz enzimas para decompor a bile. Durante a gravidez, porém, sua população na vagina dispara. É uma bactéria agressiva, produzindo grandes quantidades de bacteriocinas capazes de matar patógenos ameaçadores, o que lhe garante mais espaço no intestino do bebê.

Durante a gravidez, a microbiota vaginal muda, perdendo a diversidade. É como se estivesse reduzindo a comunidade, preparando-se para semear o bebê com seus primeiros micróbios mais essenciais. Quando um bebê é colonizado, sua flora intestinal é relativamente diversificada – incluindo algumas das bactérias fecais (do intestino) da mamãe e vaginais. Mas essa coleção inicial também se reduz depressa, passando a se limitar apenas às bactérias capazes de ajudar na digestão do leite. Acredito que as espécies fecais que o bebê obtém da mãe sejam rapidamente escondidas no refúgio do apêndice, prontas para serem usadas depois.

A colônia inicial que fixa residência no intestino do bebê forma um ponto de partida crucial para a microbiota que vai se desenvolver nos meses seguintes, possivelmente fixando sua trajetória por diversos anos. Em nosso mundo macroscópico, um trecho exposto de rocha acumulará liquens, depois musgo, até que o movimento desses pioneiros resulte em solo suficiente para sustentar plantas pequenas e, no futuro, arbustos e árvores. Um trecho de solo exposto poderá um dia se tornar um bosque de carvalhos na Grã-Bretanha, uma floresta de bordos nos Estados Unidos ou uma floresta tropical na Malásia. O mesmo vale para o "terreno exposto" do intestino – a microbiota começa com uma seleção simples de bactérias do ácido láctico e depois vai se tornando cada vez mais complexa e diversificada. Trata-se de uma sucessão ecológica: cada estágio proporciona o habitat e os nutrientes necessários ao próximo.

A sucessão em escala microscópica ocorre no intestino do bebê e em sua pele também. Os colonizadores iniciais – os pioneiros – influenciam quais espécies vão se instalar ali a seguir. Assim como uma floresta de carvalhos fornece nozes e uma floresta tropical fornece frutas, a microbiota produz diferentes recursos para o bebê em desenvolvimento. Ela desempenha um papel importante no refinamento do metabolismo do bebê e na educação de seu sistema imunológico. Células imunológicas, tecidos e vasos sanguíneos crescem e se desenvolvem sob as instruções de uma microbiota "interesseira", mas benevolente. Graças a uma dose saudável de micróbios vaginais, a parceria microbiana do bebê já começa bem.

Até aí tudo perfeito. Não fosse o fato de que, hoje em dia, milhões de bebês nascem sem nem chegar perto da vagina da mãe. Em alguns lugares, dar à luz por cesariana é mais comum que os partos normais. Quase metade das mulheres no Brasil e na China se submetem a uma cirurgia cesariana em vez de darem à luz. Levando em conta o número de mulheres vivendo na área rural desses países – sem acesso a um hospital –, a taxa média de cesarianas na área urbana tende a ser ainda maior. De fato, em certos hospitais no Rio de Janeiro, a taxa de cesarianas excede 95% dos nascimentos. O caso chocante de Adelir Carmen Lemos de Goés, em 2014, dá uma ideia de como a preferência por cesarianas está arraigada na sociedade brasileira. Tendo passado por duas cesarianas, Adelir queria dar à luz por parto normal, e deixou o hospital quando lhe informaram que isso não seria possível. Quando voltava para casa para ter seu bebê, foi apanhada por policiais militares, levada de volta ao hospital e forçada a se submeter a uma cesariana. Parece que os partos normais são considerados prolongados e imprevisíveis demais para muitos hospitais brasileiros.

Mesmo em países onde a escolha da mulher é respeitada, cesarianas são surpreendentemente comuns. Muitas pessoas são informadas de que, depois da primeira cesariana, terão que fazer sempre cesariana, porque a cicatriz no útero poderia se romper sob a pressão das contrações, mas isso não é verdade. Hoje acredita-se não haver risco extra significativo em dar à luz por parto normal após até quatro cesarianas anteriores. Em alguns hospitais nos Estados Unidos, até 70% dos nascimentos são por cesariana. A média no país fica em substanciais 32%. É típico que haja entre um quarto e um terço dos nascimentos por cesariana nos países desenvolvidos, e muitos países em desenvolvimento não ficam atrás. Na verdade, alguns estão até à frente: República Dominicana, Irã, Argentina, México e Cuba estão na faixa dos 30% e 40%.

Desnecessário dizer que nem sempre foi assim. Cesarianas são usadas com parcimônia há séculos, geralmente para salvar um bebê de ficar aprisionado dentro de uma mãe agonizante. O último século, porém, com o avanço da anestesia e o aperfeiçoamento das técnicas cirúrgicas, trouxe a oportunidade de salvar não apenas o bebê, mas a mãe também. Se antes um bebê podia morrer por falta de oxigênio num parto difícil ou uma mãe podia sofrer hemorragia, as cesarianas proporcionaram uma alternativa mais segura. A partir do final da década de 1940, tornaram-se cada vez mais comuns à medida que os antibióticos atenuavam o risco à mãe. A década de 1970 testemunhou um grande crescimento, que continua com força total desde então. As cesarianas são agora a cirurgia abdominal mais comum do mundo.

Grande parte da imprensa popular, alimentando as polêmicas, pode levar você a acreditar que esse aumento se deva à opção comodista pela alternativa rápida, conveniente e indolor – em vez de horas de trabalho de parto –, além da preservação da vagina. Embora as taxas de cesarianas eletivas pré-trabalho de parto venham crescendo, a maior parte do aumento deve-se na verdade às cesarianas extras realizadas *durante* o trabalho de parto, seguindo recomendações de parteiras e obstetras. Mesmo nos serviços de saúde públicos, como o National Health Service do Reino Unido, os médicos passaram a recorrer mais depressa às cesarianas quando as coisas ficam difíceis. Estamos falando de trabalhos de parto que não avançam com rapidez suficiente, bebês grandes que poderiam ficar presos ou partos pélvicos, em que o bebê está numa posição ruim e não pode ser virado.

Para muitas mulheres, a recomendação médica de uma cesariana durante o trabalho de parto vem na forma de um alívio cheio de culpa, oferecendo a oportunidade de escapar da dor, da exaustão e do medo de um parto normal. A própria existência de uma alternativa prontamente disponível ao parto natural contribui para que as mulheres achem que forçar a saída do bebê é difícil ou arriscado demais. Mas a realidade é diferente. Na média, os riscos envolvidos em uma cesariana planejada excedem os riscos de um parto normal. Na França, por exemplo, cerca de quatro mulheres saudáveis morrem em cada 100 mil após o parto normal, mas cerca de treze morrem após uma cesariana. Mesmo em circunstâncias não fatais, as cesarianas são mais perigosas que os partos normais: infecções, hemorragia e problemas com anestesia – em suma, todos os riscos de uma cirurgia abdominal estão presentes.

As cesarianas são uma alternativa crucial ao parto normal em circunstâncias necessárias – algumas mulheres não têm opção senão dar à luz dessa maneira. A Organização Mundial da Saúde estima que a taxa ideal de cesarianas deveria estar entre 10% e 15% de todos os nascimentos. É neste ponto que as mulheres e seus bebês estão protegidos dos riscos do parto, mas sem riscos desnecessários da cirurgia. No entanto, para os médicos, é um desafio decidir *quais* mulheres devem passar pela cesariana. Para mulheres que optam por uma cesariana eletiva, os riscos não costumam ser plenamente explicados ou sequer mencionados pelos profissionais de saúde.

Nas circunstâncias atuais, os maiores riscos da cesariana para o bebê tendem a estar ligados aos primeiros dias e semanas de vida. Eis o que o Serviço Nacional de Saúde do Reino Unido tem a dizer sobre o assunto:

> Às vezes a pele do bebê pode ser cortada ao se abrir o ventre. Isso acontece em dois entre cada cem bebês nascidos por cesariana, mas geralmente é curado sem qualquer dano adicional. O problema mais comum afetando bebês nascidos por cesariana são dificuldades na respiração, embora isso costume ser um problema para bebês prematuros. Para bebês nascidos de cesárea com 39 semanas ou mais, esse risco respiratório se reduz significativamente a um nível semelhante ao associado ao parto normal. Logo após o nascimento, e nos primeiros dias de vida, seu bebê pode respirar rápido demais, mas a maioria dos recém-nascidos recupera-se completamente após dois ou três dias.

Raras são as menções aos impactos de longo prazo do nascimento por cesariana no bebê em desenvolvimento. O que antes era considerado uma alternativa inofensiva ao parto normal vem tendo seus riscos à saúde – tanto da mãe quanto do bebê – cada vez mais reconhecidos. Nos primeiros dias, por exemplo, os bebês nascidos por cesariana são mais suscetíveis às infecções. Até 80% dos casos de infecções por SARM em recém-nascidos ocorrem nos nascidos por cesariana, que também têm uma tendência maior a desenvolver alergias. Os bebês de mães alérgicas – que são provavelmente predispostos à alergia – têm uma chance sete vezes maior de também desenvolver alergia se tiverem nascido por cesariana.

Os bebês de cesariana também têm uma chance maior de serem diagnosticados como autistas. Pesquisadores do Centro para Controle de Doenças (CDC) dos Estados Unidos estimam que oito em cada cem crianças atualmente autistas estariam protegidas de desenvolver a doença caso ninguém nascesse de cesárea. Da mesma forma, pessoas com transtorno obsessivo-compulsivo têm o dobro de chances de terem nascido por cesariana. Algumas doenças autoimunes também foram associadas à cesariana, como a diabetes tipo 1 e a doença celíaca. Até a obesidade tem alguma ligação. Num estudo de brasileiros adultos jovens, 15% daqueles nascidos por cesariana eram obesos, comparados com 10% daqueles nascidos de parto normal.

Você deve ter notado a conexão. Essas são as doenças do século XXI. Embora cada uma delas resulte de múltiplos fatores – de riscos ambientais a predisposições genéticas –, a coincidência entre cesarianas e o maior risco de surgimentos dessas doenças é impressionante. Amostras da microbiota do intestino de bebês podem revelar se eles nasceram de parto normal ou não, muitos meses após o nascimento. A microbiota vaginal que coloniza o corpo de um recém-nascido por dentro e por fora não consegue colonizar um bebê nascido por cesariana. Em vez disso, ele encontra primeiro os micróbios do ambiente, enquanto seu corpinho é puxado por mãos com luvas, mostrado aos ansiosos pais e depois conduzido pela sala de cirurgia para ser enxugado com uma toalha e examinado. Numa cirurgia esterilizada, isso pode significar as piores infecções hospitalares – *Streptococcus*, *Pseudomonas* e *Clostridium difficile* talvez – bem como a pele da mãe, do pai e da equipe médica. São esses micro-organismos da pele que formam a base da microbiota do intestino do bebê nascido por cesariana.

Se, por um lado, a microbiota da vagina da mãe e do intestino da criança são semelhantes após um parto natural, por outro, a comunidade microbiana do bebê nascido por cesariana não se assemelha à de sua mãe. Em vez das bactérias que digerem lactose – *Lactobacillus*, *Prevotella* e assemelhadas – fornecidas pelo parto normal, os micróbios da pele estão presentes: *Staphylococcus*, *Corynebacterium*, *Propionibacterium*, e assim por diante. Não são bactérias que digerem lactose, mas espécies que adoram sebo e muco. O que deveria ser o início de um bosque de carvalhos mais parece uma floresta de pinheiros.

Pesquisas aos poucos vêm desvendando quais são as consequências dessa diferença na microbiota associadas ao nascimento por cesariana. Qualquer que seja o mecanismo subjacente, as preocupações com o impacto da forma de parto no desenvolvimento futuro da microbiota do intestino foram suficientes para levar o cientista do microbioma Rob Knight à ação quando sua esposa teve que passar por uma cesariana de emergência no nascimento de sua filha em 2012. Tendo se envolvido em diversos estudos sobre o desenvolvimento da flora intestinal infantil, Knight estava disposto a tentar impedir quaisquer consequências negativas da cesárea. Após aguardar que a equipe médica saísse da sala, usou um cotonete para transferir microbiota vaginal de sua esposa para a filha.

Embora esse ato subversivo não costume receber apoio entre a equipe médica obstétrica, seu potencial é grande. Rob Knight e Maria Gloria Dominguez-Bello, que é professora do Departamento de Medicina da Universidade de Nova York, agora vêm realizando um grande teste clínico para descobrir se o ato de transferir micróbios da vagina de uma mulher para seu recém-nascido pode atenuar alguns dos efeitos de curto e longo prazo das cesarianas. A técnica experimental é simples: um pequeno pedaço de gaze é inserido na vagina da mãe uma hora antes de entrar na sala de cirurgia. Logo antes do primeiro corte, a gaze é removida e colocada num pote esterilizado. Poucos minutos depois, quando o bebê já saiu, ele é esfregado com a gaze: primeiro na boca, depois pelo rosto e no resto do corpo.

Trata-se de uma intervenção simples, mas eficaz. Resultados preliminares da análise de dezessete bebês nascidos em hospitais de Porto Rico mostram que a flora intestinal dos bebês inoculados estava mais próxima da microbiota vaginal e anal de sua mãe do que a dos outros bebês nascidos por cesariana. Embora essa medida não tenha normalizado por completo a microbiota daqueles bebês, o impacto foi significativo, aumentando o número das espécies normalmente vistas em crianças nascidas de parto normal.

As consequências microbianas dos nascimentos por parto normal e cesariana levantam algumas questões intrigantes para as quais ainda não temos respostas. Qual o impacto de um parto na água sobre o primeiro inóculo do bebê? Qual a ação da água morna, possivelmente impregnada com os restos de algum composto antibacteriano usado para limpar a superfície da banheira, sobre a microbiota vaginal e sua transferência para a pele e a boca do bebê? E os nascimentos em que o recém-nascido surge ainda envolto no saco amniótico, sem nenhum contato com os micróbios genitais da mãe? E como comparar, em termos microbianos, o parto domiciliar e o realizado no ambiente supostamente mais limpo de um hospital?

Mesmo os partos normais são relativamente estéreis no mundo ocidental. Em comparação com os partos – muitas vezes feitos em casa – de grandes áreas da África, Ásia e América do Sul, dar à luz na maior parte da Europa, da América do Norte e da Australásia é um processo altamente medicalizado. Camas, mãos e instrumentos são lavados com sabonetes antibacterianos e esfregados com álcool antes de entrarem em contato com a mulher em trabalho de parto e seu bebê. Quase metade das mulheres americanas recebem aplicações intravenosas de antibióticos para impedir que transmitam bactérias nocivas, como estreptococos do Grupo B, aos seus bebês. E *todos* os bebês americanos recebem uma dose de antibióticos logo após o nascimento, para o caso de a mãe ter gonorreia – o que poderia, em raras situações, causar uma infecção ocular. Ignaz Semmelweis ficaria satisfeito em ver suas medidas antissépticas empregadas de forma tão completa e eficaz, e não há dúvida de que alguns milhares de mães e bebês estejam vivos hoje graças a essa higiene. Mas isso é *diferente* do que o genoma e o microbioma humano esperam. E essa diferença e suas consequências deveriam orientar o próximo passo na melhoria dos cuidados médicos a gestantes e bebês.

Em última análise, esse não é um dilema que a mulheres devam enfrentar sozinhas ou lidar com a culpa. Não é o grupo relativamente pequeno de mulheres que optam pela cesariana eletiva pré-trabalho de parto que precisa mudar, mas toda uma cultura de medicalização do nascimento. Já existem muitas iniciativas para reduzir a taxa de cesarianas ao redor do mundo, a maioria enfocando os riscos para a mãe e o uso de recursos escassos em procedimentos cirúrgicos desnecessários. A essas preocupações deveria se juntar uma maior compreensão dos riscos e benefícios dos partos por cesariana para a saúde dos recém-nascidos, tanto a curto quanto a longo prazo.

Depois dos primeiros segundos de vida e dos micróbios que os acompanham, as sementes da microbiota de um bebê ainda têm um longo caminho a percorrer para chegar à maturidade. O que se desenvolverá depois depende dos cuidados nos dias, semanas e meses que virão.

Em 1983, a Professora Jennie Brand-Miller teve um filho. Alguns dias depois, foi forçada a desenvolver um interesse particular pela cólica infantil. Seu bebê chorava inconsolavelmente, embora parecesse saudável. Brand-Miller e seu marido haviam se envolvido antes em pesquisas sobre a intolerância à lactose – a incapacidade de digerir a lactose do açúcar do leite usando a enzima lactase. Eles acharam que essa poderia ser a causa da cólica. O marido de Brand-Miller se concentrara em responder a essa questão em seu Ph.D., organizando um teste controlado por placebo de gotículas da enzima lactase para bebês com cólicas. Infelizmente, não houve nenhuma diferença no tempo de choro entre os bebês que receberam a lactase e o placebo. Mas *houve* uma diferença na presença de hidrogênio no hálito deles.

Isso os intrigou. O excesso de hidrogênio no hálito indica que bactérias no intestino estão decompondo a comida. A maior parte da lactose, porém, deveria ser decomposta pelas enzimas do próprio corpo em dois açúcares menores: glicose e galactose. Se as bactérias vinham produzindo hidrogênio, deviam estar recebendo uma refeição considerável, o que indicava que alguma outra molécula não decomposta no intestino delgado estava passando adiante. Brand-Miller conhecia um conjunto de compostos chamados oligossacarídeos que formavam grande parte do leite materno. Mas essas moléculas eram consideradas inúteis, já que o corpo humano não dispõe das enzimas necessárias para decompô-las. Então ela e o marido tiveram um palpite. Talvez os oligossacarídeos estivessem lá não para alimentar o bebê, mas as bactérias de seu intestino.

Os oligossacarídeos são carboidratos constituídos de cadeias curtas de açúcares simples (*oligo* significa "poucos"). O leite humano contém uma enorme variedade deles – cerca de 130 tipos diferentes. Isso é bem mais do que o leite de qualquer outra espécie. O leite de vaca, por exemplo, tem poucas variedades. Quando adultos, nada em nossa alimentação contém essas moléculas, e no entanto elas são produzidas pelo tecido mamário de mulheres grávidas e lactantes. Esta é uma pista sobre sua importância: por que produzir especificamente algo que não tem função?

Para verificar sua teoria, Brand-Miller e seu marido fizeram um teste. Mediram a quantidade de hidrogênio no hálito de bebês ao receberem glicose com água e a compararam com a de bebês que ingeriram água com oligossacarídeos purificados. A glicose não causou aumento no hidrogênio, indicando que foi absorvida no intestino delgado, e não digerida pelas bactérias do intestino. Mas a mistura de oligossacarídeos produziu um pico nos níveis de hidrogênio – aqueles compostos estavam passando direto pelo intestino delgado para alimentar não o bebê, mas sua flora intestinal.

Os oligossacarídeos são agora conhecidos como fundamentais para encorajar as espécies certas de micróbios a florescerem na flora intestinal incipiente do bebê. Os que recebem leite materno têm a microbiota dominada por lactobacilos e bifidobactérias – que, ao contrário do corpo humano, produzem enzimas capazes de usar oligossacarídeos como sua única fonte de alimento. Na forma de resíduos, elas sintetizam os importantíssimos ácidos graxos de cadeia curta (AGCCs): butirato, acetato, propionato e, o mais valioso para os bebês, lactato (também conhecido como ácido láctico). Esse ácido alimenta as células do intestino grosso e desempenha um papel crucial no desenvolvimento do sistema imunológico do recém-nascido. Em termos simples: enquanto os adultos precisam ingerir fibra alimentar, os bebês precisam dos oligossacarídeos do leite materno.

A função dos oligossacarídeos encontrados no leite materno humano não se resume a servir de alimento para bactérias. Nos primeiros dias e semanas de vida, a flora intestinal do recém-nascido é muito simples e altamente instável. Populações de bactérias passam por altos e baixos. Com isso a comunidade fica vulnerável. A entrada de um patógeno – *Streptococcus pneumoniae* por exemplo – pode causar um estrago, dizimando os grupos benéficos. Os oligossacarídeos também prestam um serviço de limpeza. Antes que uma bactéria patogênica possa causar qualquer dano, precisa aderir à parede intestinal usando pontos específicos em sua superfície. Os oligossacarídeos encaixam-se perfeitamente nesses pontos, privando espécies nocivas de um local onde se estabelecer. Dos cerca de 130 tipos de oligossacarídeos, dezenas já são conhecidos como específicos para determinados patógenos, encaixando-se em seus locais de aderência como uma fechadura e uma chave.

A composição do leite materno se adapta às necessidades do bebê à medida que vai crescendo. Logo após o nascimento, o leite inicial, chamado colostro, está repleto de células imunológicas, anticorpos e umas quatro colheres de chá de oligossacarídeos por litro de leite. Com o tempo, conforme a microbiota vai se estabilizando, o teor de oligossacarídeos diminui. Quatro meses após o nascimento, cai para menos de três colheres de chá por litro, e no primeiro aniversário do bebê contém menos de uma.

De novo, podemos aprender com o coala e outros marsupiais, desta vez sobre a importância dos oligossacarídeos no leite. A maioria desses animais possui duas tetas, que ficam dentro da bolsa. Apenas uma delas é usada pelo filhote durante todo o seu período de amamentação. Se dois filhotes nascem em duas temporadas consecutivas, cada um fica com sua própria teta. O notável é que as tetas fornecem leite adequado à idade de cada filhote. O recém-nascido recebe leite rico em oligossacarídeos e pobre em lactose, enquanto o mais velho recebe uma dose menor de oligossacarídeos, mas bem mais lactose. Uma vez que o filhote tenha deixado a bolsa, o teor de oligossacarídeos em seu suprimento de leite cai ainda mais.

Esse leite sob medida mostra que os oligossacarídeos não estão diminuindo simplesmente porque a mãe não consegue manter sua produção. Pelo contrário, os marsupiais se adaptaram para fornecer à sua prole o leite apropriado à comunidade microbiana de cada um. A natureza selecionou o leite que traz benefícios aos micróbios, porque os micróbios trazem benefícios aos mamíferos.

Os oligossacarídeos não são o único ingrediente-surpresa no leite materno. Por décadas, mamães lactantes caridosas têm feito doações a bancos de leite de hospitais. Eles são a salvação de bebês cujas mães não conseguem amamentá-los, muitas vezes porque nasceram prematuros ou doentes demais para começar a mamar, fazendo com que o suprimento da mãe secasse. Mas os bancos de leite sofrem um problema constante: o leite está sempre contaminado por bactérias. Muitos desses micróbios vêm da pele do mamilo e seio, mas por mais que a pele da doadora seja minuciosamente esterilizada antes da coleta, os micro-organismos nunca são eliminados do leite materno.

Técnicas asépticas de coleta cada vez mais sofisticadas, combinadas com tecnologia de sequenciamento do DNA, revelaram a razão por trás dessa suposta contaminação. Essas bactérias *pertencem* ao leite materno. Não são intrusas da boca do bebê ou do mamilo. Pelo contrário, foram acrescentadas ao leite no próprio tecido mamário. Mas de onde vêm? Muitas não são bactérias típicas da pele que, de sua moradia normal na superfície do seio, se infiltraram nos canais de leite. São bactérias de ácido láctico, mais normalmente encontradas na vagina e no intestino. De fato, o exame das fezes da mãe revela grupos correspondentes em seu intestino e leite. De algum modo, esses micróbios saíram do intestino grosso e foram até os seios.

A procura de micro-organismos migrantes no sangue mostra a rota que tomaram. Eles são passageiros clandestinos, deslocando-se dentro de imunócitos chamados de células dendríticas – que participam voluntariamente do tráfico das bactérias. Situadas em meio ao denso tecido imunológico que circunda o intestino, essas células são capazes de estender seus longos braços (dendritos) intestino adentro para verificar quais micróbios estão presentes. Em geral são responsáveis por englobar os patógenos e depois aguardar que outro grupo de células imunológicas – as células NK, ou "células exterminadoras naturais" – apareça e as destrua. Extraordinariamente, as células dendríticas também podem aprisionar bactérias benéficas desatentas dentre a multidão para transportá-las pelo sangue até os seios.

É possível ver esse mecanismo em funcionamento num estudo com camundongos. Enquanto apenas 10% das fêmeas não grávidas tinham bactérias em seus gânglios linfáticos, esse número crescia para 70% nas fêmeas em gravidez avançada. Após dar à luz os filhotes, o número de bactérias nos gânglios linfáticos caiu vertiginosamente, mas ao mesmo tempo a proporção de fêmeas com bactérias no tecido mamário aumentou para 80%. Tanto nos camundongos quanto nos humanos, parece que o sistema imunológico está agindo não apenas para manter os micróbios ruins a distância, mas também para proteger os micróbios bons para que possam ser transmitidos ao recém-nascido. É uma ótima estratégia: as bactérias ganham um novo lar com poucos competidores pelo espaço, e o bebê/filhote ganha um suprimento de bactérias úteis para suplementar as recebidas no nascimento.

Assim como o teor de oligossacarídeos no leite materno muda à medida que o bebê vai crescendo, o mesmo acontece com a combinação de micróbios presentes no leite. As espécies necessárias ao bebê no primeiro dia são diferentes das necessárias com um, dois ou seis meses. O colostro contém centenas delas. Gêneros como *Lactobacillus*, *Streptococcus*, *Enterococcus* e *Staphylococcus* foram detectados, em quantidades de até mil indivíduos por mililitro de leite. Isso significa que um bebê pode chegar a consumir cerca de 800 mil bactérias por dia só no leite. Com o tempo, os micróbios no leite ficam menos numerosos e passam a ser de espécies diferentes. Alguns tipos de bactérias que habitam a boca dos adultos são encontradas no leite produzido vários meses após o nascimento, talvez preparando o bebê para a introdução de alimentos sólidos à sua dieta.

Curiosamente, a forma como um bebê nasce tem um grande impacto sobre os micróbios encontrados no leite de sua mãe. O teor microbiano do colostro de mulheres que deram à luz por cesariana eletiva é notadamente diferente daquele das que deram à luz por parto normal. Essa diferença persiste por pelo menos seis meses. Mas em mulheres submetidas a cesarianas emergenciais durante o trabalho de parto, a microbiota do leite se assemelhou bem mais à de mães que deram à luz por parto normal. Algo no trabalho do parto soa um alerta, informando ao sistema imunológico que está na hora de se preparar para o bebê sair do corpo e começar a ser nutrido por leite materno em vez de placenta. Parece provável que os muitos hormônios poderosos liberados durante o trabalho de parto sejam esse alerta. Sua liberação altera quais micróbios são transferidos do intestino para os seios. A cesariana, portanto, cria uma diferença duplamente perniciosa: altera não apenas o inóculo microbiano que o bebê recebe ao adentrar o mundo, mas também os micróbios que ele vai receber pelo leite materno.

Os oligossacarídeos, bactérias vivas e outros compostos encontrados no leite materno proporcionam o alimento ideal para o recém-nascido e sua microbiota, encorajando a instalação de micróbios benéficos e guiando a flora intestinal até que sua comunidade fique mais parecida com a dos adultos. Ele também impede a colonização por espécies nocivas e educa o sistema imunológico infantil sobre o que deveria levantar alguma suspeita e o que merece permanecer ali.

Então como fica a alimentação por mamadeira (ou seja, com fórmula infantil)? Como a fórmula afeta a microbiota em desenvolvimento do bebê? Os modismos da alimentação infantil são tão volúveis quanto os do comprimento das saias. Mesmo antes de a alimentação por mamadeira se tornar uma opção realista para as mães, havia uma alternativa. As amas de leite eram comuns antes do século XX, com as tendências entre as classes sociais mudando de forma semelhante às da alimentação por mamadeira nos últimos cem anos. Em dado momento, parecia impróprio às mulheres da aristocracia alimentarem seus próprios bebês; em outro, as da Revolução Industrial estavam adotando amas de leite, enquanto a elite social voltava a amamentar os próprios bebês.

No fim do século XIX e início do XX, as amas de leite perderam o emprego para as alternativas cada vez mais práticas de alimentação por mamadeira. Mamadeiras de vidro facilmente esterilizáveis, bicos laváveis de borracha e fórmulas de leite de vaca modificado transformaram a alimentação por mamadeira: de uma alternativa por necessidade passou a uma alternativa por opção. As taxas de amamentação despencaram. Em 1913, 70% das mulheres amamentavam os próprios recém-nascidos, mas essa cifra caiu para 50% em 1928 e apenas 25% ao final da Segunda Guerra Mundial. Em 1972, a amamentação alcançou seu nível histórico mais baixo: apenas 22%. Após dezenas de milhões de anos de lactação mamífera, a amamentação de bebês recém-nascidos quase parou no período de apenas cem anos.

Se os oligossacarídeos e as bactérias vivas do leite materno são responsáveis por nutrir as sementes da microbiota do intestino de um bebê, mudando de acordo com seu crescimento, quais as consequências microbianas da mamadeira? O leite usado nas fórmulas ainda é, com frequência, leite do "peito", mas de uma vaca, não de uma pessoa. O leite de vaca evoluiu – apesar da grande interferência humana nos últimos 10 mil anos – para ser a nutrição ideal para bezerros e seus micróbios. Só que a flora intestinal de um bezerro é drasticamente diferente da de uma criança de peito. Portanto, o leite de vaca sozinho deixa muito a desejar como alimento de recém-nascidos, com frequência levando a deficiências de vitaminas e minerais que podem causar escorbuto, raquitismo e anemia. As fórmulas modernas são suplementadas com muitos extras essenciais, mas não costumam conter células imunológicas, anticorpos, oligossacarídeos ou bactérias vivas.

A diferença mais óbvia na flora intestinal dos bebês alimentados por mamadeira é a diversidade de espécies e grupos. Bebês que não mamam no peito têm cerca de 50% *mais* espécies no intestino. Em particular, os que são alimentados exclusivamente por mamadeira tinham bem mais espécies do grupo *Peptostreptococcaceae*, que inclui o patógeno nocivo *Clostridium difficile*. Se o *C. diff* assume o controle, pode causar diarreia incurável, sendo fatal nas crianças com uma frequência assustadora. Enquanto um quinto dos bebês que só tomam leite materno porta o *C. diff*, esse micróbio está presente em quase quatro quintos dos bebês que se alimentam de leite em pó. É provável que muitas dessas crianças o tenham contraído na sala de parto – quanto mais longa a estadia no hospital, maiores as chances de o recém-nascido contrair esse patógeno.

Enquanto a grande diversidade de micróbios parece ser um indicador de boa saúde nos adultos, nos bebês ocorre o inverso. Parece importante cultivar um grupo bem seleto de espécies nos primeiros dias de vida – com ajuda das bactérias do ácido láctico da vagina e dos oligossacarídeos do leite materno – para proteger os bebês de infecções e preparar seu sistema imunológico em formação. Mesmo combinar a amamentação com a mamadeira já aumenta a diversidade indesejada de micróbios, inclusive da bactéria *C. diff*, produzindo uma microbiota com uma composição intermediária entre a dos bebês exclusivamente amamentados e a dos que só são alimentados por mamadeira.

Mas será que importa mesmo se os bebês têm uma diversidade só um pouco maior de micro-organismos na barriga? Será que encorajar um grupo diferente de bactérias pode mesmo causar algum mal? O fato de a amamentação ser melhor costuma ser bem enfatizado, mas com pouca compreensão do que isso realmente significa para a saúde da criança. O exame dos dados mostra um forte contraste entre a saúde de bebês amamentados e a daqueles alimentados por mamadeira.

Para começo de conversa, bebês alimentados por fórmula infantil têm uma tendência maior a contrair infecções. Quando comparados com bebês que só mamam no peito, os que são alimentados exclusivamente por mamadeira têm o dobro de chance de ter infecções no ouvido, uma chance quatro vezes maior de irem parar no hospital com infecção do trato respiratório, o triplo de chance de sofrer uma infecção gastrointestinal e uma chance 2,5 vezes maior de contrair enterocolite necrosante – na qual parte do tecido do intestino morre. Têm também o dobro de chance de morrerem de síndrome da morte súbita infantil. Nos Estados Unidos, a mortalidade infantil (antes de um ano) é 30% maior entre os bebês que não foram amamentados, mesmo levando em conta inúmeros outros fatores – como tabagismo na gravidez, pobreza e educação – e excluindo bebês cuja doença os impediu de mamarem no peito.

Os bebês alimentados por mamadeira também têm quase o dobro de chance de desenvolver irritações de pele e asma, maior risco de desenvolver leucemia infantil – um câncer do sistema imunológico – e diabetes tipo 1. É provável que também tenham mais chances de contrair apendicite, amigdalite, esclerose múltipla e artrite reumatoide. Para os pais, muitos desses riscos são suficientemente pequenos. Mas, como com o impacto da alimentação por mamadeira sobre a mortalidade infantil, o impacto sobre os milhões de bebês nascidos todos os anos é significativo o bastante para que *devamos* nos preocupar.

Talvez o mais importante seja que alimentar os bebês com fórmula infantil praticamente duplica suas chances de desenvolverem excesso de peso. Quando os cientistas querem saber se um efeito é uma causa verdadeira, não apenas uma correlação coincidente, procuram pela "dependência da dose". Se um fator – digamos, o volume de álcool consumido – é mesmo responsável por causar um efeito – digamos, maior tempo de reação – seria de esperar que o tempo de reação aumentasse de acordo com o consumo (doses extras) de álcool – ao menos até certo ponto. Quanto maior a dose, maior o tempo de reação.

A mesma relação pode ser vista entre a amamentação e o risco de obesidade. Um estudo descobriu que, para cada mês extra de amamentação no peito até a idade de nove meses, o risco médio de crianças apresentarem excesso de peso caía cerca de 4%. Dois meses de amamentação faz o risco cair 8%, três meses, 12%, e assim por diante. Após nove meses de amamentação, uma criança tem 30% *menos* chances de desenvolver excesso de peso – em comparação com uma criança alimentada por mamadeira desde o nascimento. Já a amamentação sem qualquer suplementação de fórmula infantil parece ter um efeito ainda mais significativo, reduzindo o risco de desenvolvimento de excesso de peso em 6% a cada mês. O impacto da mamadeira sobre as chances de ter excesso de peso ou obesidade não se limita à primeira infância. Crianças mais velhas e adultos continuam mais passíveis a terem dificuldades com peso como consequência de seu tipo de alimentação quando bebês. A obesidade costuma vir acompanhada da diabetes tipo 2, e bebês que não mamaram no peito não são exceção. Crescer tomando apenas fórmula infantil torna uma criança 60% mais passível de desenvolver diabetes na vida adulta. À semelhança da cesariana, muitos dos riscos da falta do leite materno estão relacionados às doenças do século XXI.

Para a geração *baby boomer*, nascida numa época em que a mamadeira era a norma, esses fatos e cifras talvez sejam bem tangíveis. Em meados dos anos 1970, o aleitamento materno voltou à moda, sobretudo entre os mais abastados e instruídos. Na década seguinte, quase o triplo de mulheres já vinham amamentando seus recém-nascidos.

Mas a Geração X e a Geração do Milênio não estão livres dos riscos trazidos pela mamadeira. Embora nas últimas duas décadas a amamentação nos países desenvolvidos tenha aumentado progressivamente, passando de cerca de 65% em 1995 para quase 80% nos últimos anos, o comportamento quanto à amamentação ainda está longe das recomendações oficiais. Para os 20-25% dos bebês que jamais recebem um único gole de leite materno e os outros 25% que passam a tomar fórmula infantil nas primeiras oito semanas, o aumento no índice de amamentação não é um grande consolo. Mesmo entre os bebês que são amamentados depois do nascimento, metade começa a receber suplemento de fórmula já durante a primeira semana. Nos Estados Unidos, apenas 13% das mães seguem as recomendações da Organização Mundial da Saúde, de seis meses de amamentação exclusiva seguida da introdução de alimentos complementares apropriados, mas mantendo o leite materno por até dois anos ou mais. Na Grã-Bretanha, menos de 1% das mães amamentam exclusivamente até o sexto mês do bebê.

Claro que amamentar é difícil, sobretudo nos primeiros dias e semanas. Para algumas mães, não há possibilidade de escolha e a amamentação está fora de cogitação, talvez devido a algum problema de saúde do bebê ou falta de leite. Para outras mães, pressões financeiras e a falta de apoio determinam as opções disponíveis. Mas é provável que a sociedade como um todo tenha perdido de vista o que é "normal" em termos de aleitamento materno. Nas sociedades tradicionais pré-industrializadas, os bebês são amamentados bem mais tempo do que no Ocidente. É comum a criança ser desmamada aos 2, 3 ou 4 anos, com frequência até a chegada do próximo bebê.

As mulheres devem ser livres para escolher como criar os próprios filhos, mas nenhuma deveria ter que fazer essa escolha sem acesso a informações honestas sobre o impacto de cada opção. Além disso, seria bom para os bebês se houvesse melhorias na qualidade da fórmula infantil. No momento, poucas contêm oligossacarídeos ou bactérias vivas. O problema é que decifrar a mescla perfeita dos 130 tipos diferentes de oligossacarídeos e incluir uma comunidade saudável dos grupos mais benéficos de bactérias é algo que por enquanto está além de nosso alcance. Tentar antes de conhecermos as consequências poderia trazer resultados desastrosos.

Nos primeiros três anos de vida, a flora intestinal de uma criança é altamente instável. Populações de bactérias chegam e partem, lutando pelo território. Novos grupos invadem, outros recuam. No primeiro ano de vida, há um declínio lento e constante na população do gênero *Bifidobacterium*. Porém as maiores mudanças ocorrem entre os 9 e 18 meses de vida, provavelmente acompanhando a introdução de novas variedades de alimentos sólidos. Em um experimento, a introdução de ervilha e outros legumes e verduras precedeu uma alteração na microbiota: antes dominada pelos filos *Actinobacteria* e *Proteobacteria*, ela passou a ser composta de *Firmicutes* e *Bacteroidetes*. Essas alterações drásticas constituem marcos no desenvolvimento do bebê.

No período entre 18 meses e 3 anos, a flora intestinal fica cada vez mais semelhante à de um adulto, ganhando estabilidade e diversidade ao longo do tempo. No terceiro aniversário de uma criança, as diferenças iniciais na composição da microbiota causadas pelo tipo de alimentação que receberam quando bebês já foram superadas pelos grupos novos contraídos de outras pessoas e lugares. As bactérias do ácido láctico, antes tão abundantes, tornam-se mais raras à medida que a microbiota se adapta a novos alimentos e circunstâncias.

À medida que a criança vai ficando mais velha, os micróbios em seu intestino passam a ficar menos parecidos com a microbiota vaginal e cada vez mais semelhantes à flora intestinal da mãe. Em parte, isso se deve ao fato de morarem na mesma casa, cercados dos mesmos micróbios, e comerem a mesma comida. Mas também se deve aos genes compartilhados. É notável que nosso genoma tenha certo controle sobre as espécies que abrigamos. Os genes envolvidos na programação do sistema imunológico também influenciam as espécies bacterianas autorizadas a viver dentro do corpo. Como mãe e filho compartilham cerca de metade de seus genes, para a criança é bom receber um conjunto equivalente de micróbios. Afinal, nos primeiros minutos de vida, o sistema imunológico de um bebê precisa enfrentar uma invasão maciça de bactérias, do tipo que nunca mais encontrará. Conseguir sobreviver ao que poderia ter sido considerado uma enorme infecção revela que o bebê já estava genética e imunologicamente prevenido. É provável que ter certa informação prévia sobre quem é amigo e quem é inimigo já dê uma grande ajuda ao bebê para enfrentar o ataque das bactérias vaginais de sua mãe ao cair de cabeça num mundo repleto de micróbios.

A beleza do microbioma é o fato de ser adaptável de formas que o genoma humano jamais será. À medida que seus hormônios aumentam e diminuem, que você envelhece, que prova novas comidas e visita lugares novos, seus micróbios tiram o máximo de proveito da situação. Nutrição carente? Sem problemas – seus micróbios o ajudarão a sintetizar as vitaminas que estão faltando. Muito churrasco? Não tem problema, seus micróbios vão desintoxicar as partes queimadas. Mudando de hormônios? Ótimo – seus micro-organismos também vão se adaptar a isso.

Na juventude e na fase adulta, o corpo precisa de quantidades diferentes de vitaminas e minerais. Os bebês, por exemplo, precisam de muito ácido fólico, mas não conseguem ingerir os alimentos que o contêm. Seu microbioma, porém, está repleto de genes que sintetizam ácido fólico a partir do leite materno. Por outro lado, os adultos não precisam de tanto ácido fólico e já costumam obter o suficiente na alimentação, de modo que, em vez de genes para sintetizar essa vitamina, seus micróbios contêm genes que a decompõem. Com a vitamina B12 acontece o oposto: quanto mais envelhecemos, aumenta o número de genes para sintetizá-la. Mas seus micro-organismos não fazem isso por pura gentileza – eles também precisam dessas vitaminas ou de seus precursores. Muitos outros genes envolvidos na síntese ou decomposição das moléculas de alimentos mudam com a idade, de modo a tirar o máximo de proveito da alimentação e acompanhar as mudanças no corpo.

As pessoas com quem você vive também podem ter um grande impacto nos micróbios que você carrega. Assim como deixa vestígios de sua presença quando passa tempo num local – impressões digitais, pegadas, DNA em células da pele e fios de cabelo –, você costumar deixar sua assinatura microbiana para trás. Um estudo descobriu que era fácil identificar qual família pertencia a qual casa pela simples comparação dos micróbios existentes nos pés, nas mãos e no nariz delas com os encontrados no chão, nas superfícies e nas maçanetas.

Durante esse estudo, três dessas famílias mudaram de casa. Em poucos dias, suas novas moradias já haviam sido colonizadas por suas bactérias, substituindo as dos moradores anteriores. De fato, a contribuição dos membros da família à microbiota da casa foi tão dinâmica que, se ficassem ainda que uns poucos dias fora, seu rastro microbiano já começava a esfriar. O declínio constante na pegada microbiana de uma pessoa poderia ser usado para criar uma linha do tempo confiável o suficiente para uso em investigações forenses. A tecnologia do DNA mudou completamente a investigação na cena do crime, mas o seu microbioma é ainda mais específico – imagina quais segredos ele poderia revelar.

Membros da mesma família tendem a ter microbiotas bem semelhantes, enquanto pais costumam compartilhar os mesmos grupos de bactérias com os filhos. Optar por morar com amigos, ou mesmo com estranhos, porém, traz como resultado o compartilhamento de mais que apenas o leite. Um lar incluído no estudo não era habitado por pessoas da mesma família. O convívio no mesmo ambiente foi suficiente para ocasionar uma mescla das microbiotas. Todos os moradores tinham muitos micróbios em comum, especialmente nas mãos. Dois deles mantinham um relacionamento e, por isso, compartilhavam ainda mais micro-organismos entre si do que com o terceiro morador.

Para as mulheres, a flutuação hormonal enfrentada todos os meses pode ter um impacto enorme na constituição microbiana do corpo. Em muitas, o ciclo menstrual está ligado a mudanças abruptas nas espécies vivendo na vagina, com populações se expandindo e se reduzindo em sincronia perfeita com cada período. Mas, para outras, as mudanças na composição da microbiota vaginal parecem completamente aleatórias, sem qualquer ligação com a época do mês. Ainda outras têm uma comunidade quase constante que parece não ser afetada pela menstruação ou ovulação. O interessante é que, entre essas mulheres cujas comunidades aumentam e diminuem, a atividade dos grupos e espécies presentes em geral permanece a mesma. Uma cepa dominante de *Lactobacillus* pode de repente desaparecer, mas é substituída por outro produtor de ácido láctico, talvez uma cepa amigável de *Streptococcus*. Assim, o mesmo serviço continua sendo realizado, embora as espécies tenham mudado.

Eu já mencionei que a composição da microbiota vaginal de uma mulher se transforma durante a gravidez. O mesmo vale para sua flora intestinal. Durante a gravidez, uma mulher ganha entre 11 e 16 quilos. Grosso modo, isso inclui um bebê de 3,2 quilos, mais 3,6 quilos de placenta, líquido amniótico e sangue extra. Os 4,5 a 9 quilos restantes são gordura. No último trimestre, os indicadores metabólicos de uma mulher grávida são muito semelhantes aos de alguém que esteja sofrendo as consequências da obesidade sobre a saúde. Excesso de gordura corporal, colesterol alto, níveis maiores de glicose no sangue, resistência à insulina e indicadores de inflamação podem acompanhar tanto a obesidade quanto a gravidez.

Mas enquanto na obesidade esses sinais apontam para problemas de saúde, na gravidez significam algo bem diferente. As mudanças no metabolismo da mulher – sua capacidade de processar e armazenar energia – são cruciais para a gravidez. A camada extra de tecido adiposo que ela ganha provavelmente fornece ao feto uma rede de segurança, garantindo que sua mãe tenha energia suficiente para suportar seu crescimento. Significa também que ela dispõe da energia de que vai precisar para produzir o leite materno depois do nascimento.

Como Ruth Ley, da Universidade Cornell, já conhecia a diferença entre a microbiota de pessoas magras e gordas, se perguntou se as mudanças microbianas por trás da obesidade também seriam responsáveis pelas alterações metabólicas na gravidez. Ela e sua equipe estudaram os micróbios presentes no intestino de 91 mulheres ao longo da gestação. No terceiro trimestre, a microbiota das mulheres já estava profundamente diferente dos primeiros dias de gravidez, tornando-se menos diversificada, e dois grupos – *Proteobacteria* e *Actinobacteria* – ficaram muito mais abundantes – essas alterações se assemelham aos indicadores de inflamação em roedores e seres humanos.

Já vimos no capítulo 2 que transplantar a microbiota de pessoas obesas para camundongos livres de germes faz com que acumulem gordura corporal rapidamente. Essa é uma boa forma de demonstrar que os micróbios são *responsáveis* pelo aumento de peso, não apenas sua consequência. Ruth Ley adotou a mesma abordagem com a microbiota das mulheres no terceiro trimestre de gravidez. Será que os micro-organismos presentes seriam a causa ou a consequência das mudanças metabólicas da gravidez que se assemelham às da obesidade? Camundongos livres de germes que receberam um transplante da microbiota de mulheres no terceiro trimestre de gravidez ganharam mais peso, tiveram um aumento nos níveis de glicose no sangue e ficaram com mais inflamação do que os que receberam a microbiota de mulheres no primeiro trimestre de gestação. Essas mudanças podem ajudar a coletar e encaminhar recursos para o bebê em crescimento.

Depois que o bebê nasce, a flora intestinal da mãe leva algum tempo para voltar ao normal, mas acaba voltando. Por ora não se sabe ao certo por quanto tempo os micróbios da gravidez permanecem no corpo nem o que os faz mudarem outra vez, mas é intrigante pensar que a amamentação (e talvez os hormônios do parto) pode ter algo a ver com isso. Os efeitos da amamentação no peso do bebê são bem conhecidos, aparentemente por consumir as calorias armazenadas durante a gravidez. Ainda não se sabe, porém, se ela também reverte as mudanças microbianas da gravidez, mas sabemos que reduz os riscos de diabetes tipo 2, colesterol alto, pressão alta e doença cardíaca ao longo da vida da mulher.

Embora seja afetada pela alimentação, por hormônios, viagens ao exterior e antibióticos, a flora intestinal permanece razoavelmente estável no decorrer da vida adulta. A velhice, porém, junto com outras mudanças na saúde, modifica as comunidades microbianas do corpo. À medida que o corpo começa a dar sinais da idade, seus passageiros microbianos fazem o mesmo. Claro que, individualmente, pouquíssimas células humanas duram a vida toda, e a maioria das células microbianas duram poucas horas ou dias. No entanto, como o superorganismo que é, ao envelhecer, a colônia humana começa a ficar menos eficiente e a falhar com mais frequência. O sistema imunológico é o grande responsável por isso, tendo se encarregado de liderar os anticorpos por décadas. Com a idade, ele vai ficando cada vez mais irritável. O constante zunido dos mensageiros químicos pró-inflamatórios percorrendo o corpo idoso lembra a inflamação crônica de baixo nível encontrada nas doenças do século XXI. Essa mescla de inflamação e envelhecimento, a característica médica do final da vida, está intimamente associada à saúde.

Não surpreende que esteja também associada à composição da flora intestinal. Pessoas idosas, com um grau maior de inflamação e saúde mais comprometida têm uma comunidade intestinal menos diversificada, com menos espécies conhecidas por acalmar o sistema imunológico, e mais que o estimulam. Só não está claro ainda se a idade causa inflamação – que por sua vez causa alterações na microbiota – ou se são as mudanças na microbiota que desencadeiam a inflamação. Mas como na velhice a alimentação tem um papel de destaque na manutenção da comunidade microbiana, é provável que a microbiota seja uma força importante no processo de envelhecimento. Apesar de ser uma ideia muito nova, alguns cientistas já estão animados com a possibilidade de manter as pessoas saudáveis por mais tempo ou mesmo estender a vida humana, através de alterações na flora intestinal dos idosos.

Da primeira inspiração até a última, vivemos acompanhados por nossa colônia de micróbios. À medida que nosso corpo cresce e muda, nosso microbioma se adapta, fornecendo uma extensão de nosso próprio genoma capaz de se ajustar em questão de horas para melhor satisfazer nossas necessidades – e as dele. Se tudo correr bem, os micro-organismos representam o melhor presente que a mãe pode dar ao filho, e as escolhas de nossos pais vivem conosco – literalmente – enquanto aprendemos a andar, falar e cuidar de nós mesmos. Quando nos tornamos adultos, a responsabilidade de cuidar de todas as células em nosso corpo – tanto as humanas quanto as microbianas – recai sobre nós. As mães transmitem não apenas os próprios genes, mas os genes de centenas de bactérias e, embora a loteria genética da vida possua um elemento de acaso, também há muito de escolha. Quanto mais conhecimentos reunirmos sobre a importância e as consequências do parto natural e da amamentação prolongada e exclusiva, mais fortes seremos para oferecer a nós mesmos e aos nossos filhos a chance de uma vida melhor, com mais saúde e felicidade.

OITO

Restauração microbiana

Na noite de 29 de novembro de 2006, Peggy Kan Hai, uma advogada de 35 anos, dirigia na chuva a caminho de um encontro com um cliente na ilha de Maui, no Havaí, quando foi atingida por um motociclista que vinha a 260 quilômetros por hora. Presa nas ferragens de seu carro, sangrando na cabeça e pela boca, ela perdia e recobrava a consciência. O jovem morreu na estrada em meio aos destroços de sua moto.

Em 2011, após cinco anos de cirurgias para reparar os ferimentos na cabeça e nas pernas, o pé esquerdo de Peggy necrosou. Com a vida ameaçada pela disseminação da sepse, ela não teve escolha senão se submeter a uma cirurgia para amputar parte do pé e ligar os ossos do tornozelo. Três dias após a operação, Peggy ficou gravemente doente, com náusea e diarreia. Sua enfermeira ficou horrorizada e no dia seguinte convocou o cirurgião, que assegurou à paciente que se tratava apenas de uma reação à medicação – anestésicos, antibióticos e analgésicos. Na mesma noite, ela recebeu alta e foi para casa, com diferentes remédios.

Algumas semanas depois, Peggy parou de tomar os remédios apesar da dor no pé, na esperança de que as coisas melhorassem. Não melhoraram. A manhã seguinte marcou o início de dois meses de até trinta episódios diários de diarreia. Peggy perdeu 20% do peso corporal, seus cabelos caíram, seus nervos ficaram agitados e sua visão ficou embaçada. O médico insistiu que ela tinha sintomas condizentes com abstinência de opiáceos, mas depois concluiu que se tratava de síndrome do intestino irritável ou de doença do refluxo gastroesofágico. Peggy recusou a medicação para diarreia, certa de que mascarar os sintomas da doença apenas agravaria o quadro.

Vários meses depois, ela foi enviada a um gastroenterologista no hospital onde fizera a cirurgia do pé. Após uma colonoscopia (um procedimento em que o interior do cólon é examinado com uma pequena câmera), Peggy encontrou a explicação para a diarreia grave: ela tinha *Clostridium difficile*, ou *C. diff*.

C. diff é aquela bactéria particularmente nociva que já mencionamos no capítulo 4, capaz de causar uma infecção terrível e potencialmente letal. Sempre à espreita, é uma presença constante em hospitais e no intestino de pessoas saudáveis. Vários truques lhe dão uma vantagem em relação a outros micróbios e à equipe de limpeza do hospital. Para começo de conversa, nas últimas décadas, uma nova cepa mais resistente e perigosa que as versões anteriores se desenvolveu. É bem provável que tenha sido uma mutação em reação à constante corrida armamentista entre as bactérias e os antibióticos que lançamos contra ela e seus primos. No momento, a *C. diff* está na frente.

Seu outro truque – que ela compartilha com até um terço das bactérias que vivem no intestino e muitos patógenos – é o fato de ser capaz de formar esporos. Como um tatu assustado enrolado em sua carapaça, a *C. diff* se envolve em uma espessa camada protetora para sobreviver quando os tempos ficam difíceis. Produtos de limpeza antibacterianos, ácidos estomacais, antibióticos e temperaturas extremas não conseguem afetar esses esporos, deixando as bactérias a salvo até o perigo passar.

As circunstâncias de Peggy eram típicas. Ela recebera antibióticos durante a cirurgia e depois passara vários dias no hospital. Os antibióticos, além de impedirem que seus ferimentos infeccionassem, destruíram sua flora intestinal, deixando-a vulnerável à invasão da *C. diff*. Como uma erva daninha, essa bactéria havia feito uma confusão em seu intestino antes que os micróbios benéficos pudessem restabelecer suas colônias. O gastroenterologista prescreveu a Peggy vários tratamentos com altas doses de antibióticos para livrá-la da infecção por *C. diff*, mas essa abordagem fracassou e a paciente acabou ficando ainda mais doente.

À medida que a visão e a audição de Peggy se deterioravam e seu peso se tornava perigosamente baixo, ela e seu marido perceberam que precisavam tomar medidas drásticas para restaurar os micróbios em seu intestino e expulsar a *C. diff*. A questão era como.

O dilema de Peggy Kan Hai não afeta apenas as vítimas da *C. diff*. Muitas outras pessoas que sofrem de doenças do sistema digestivo e outros distúrbios resultantes de um ecossistema microbiano danificado também se empenham em descobrir como desfazer o mal e reintroduzir uma colônia saudável de amigos microbianos. Sem dúvida, manter uma boa alimentação e evitar antibióticos desnecessários são medidas fundamentais para preservar uma microbiota saudável, mas e se sua colônia já foi dizimada? E se espécies importantes há muito já partiram e oportunistas tomaram seu lugar? E se o seu sistema imunológico já não sabe ao certo quais são os inimigos e quais são os aliados? Cuidar das ruínas de uma comunidade microbiana antes próspera talvez seja um pouco como borrifar água nos brotos ressequidos de uma planta abandonada: às vezes a única opção é recomeçar, preparar a terra e plantar novas sementes.

Em 1908, Ilya Mechnikov publicou um livro com um título estranhamente positivo – algo que não era característico do biólogo russo. Ele havia tentado suicídio duas vezes – por uma dose excessiva de ópio e deliberadamente se infectando com febre recidiva, num esforço por se tornar um mártir da ciência. No entanto, seu terceiro livro, *O prolongamento da vida: Estudos otimistas,* tratava não de apressar a morte, mas de adiá-la, e talvez fosse uma tentativa para melhorar seu astral à medida que se aproximava de um confronto final – desta vez inevitável – com a própria mortalidade. Mechnikov, que ganhou um Prêmio Nobel por seu trabalho sobre o sistema imunológico no mesmo ano da publicação de seu livro, compartilhava com seu antigo mestre Hipócrates a ideia de que a morte reside no intestino. De sua perspectiva relativamente moderna e esclarecida, Mechnikov suspeitou de que os recém-descobertos micróbios do intestino seriam a verdadeira causa da senilidade.

Das alturas metodológicas da ciência do século XXI, ler o tratado de Mechnikov é uma experiência alarmante e às vezes divertida. Embora sua hipótese seja interessante, faltam-lhe provas para sustentá-la e ela parece se basear em algumas conclusões equivocadas, como a ideia de que morcegos não têm intestino grosso, possuem pouquíssimos micróbios e, mesmo assim, vivem mais que outros mamíferos pequenos. É a presença de micro-organismos – e o intestino grosso que os abriga – a responsável por trazer a morte prematura a populações mais densas de mamíferos, ele supunha. Então qual seria a função do intestino grosso? "Em resposta à pergunta, formulei a teoria de que o intestino grosso aumentou nos mamíferos para possibilitar que esses animais corressem por longas distâncias sem terem que parar para defecar. O órgão, então, teria a simples função de um reservatório de refugo."

Mechnikov não foi o único a achar que os micróbios do intestino faziam mal à saúde. Uma importante hipótese nova sobre a causa de uma série de doenças, tanto físicas quanto mentais, vinha circulando entre médicos e cientistas. Denominada "autointoxicação", seu princípio central afirmava que o cólon seria, nas palavras de um médico francês, "um receptáculo e laboratório de venenos". As bactérias do intestino estariam apenas apodrecendo os restos de comida e criando toxinas que causavam não só diarreia e prisão de ventre, mas fadiga, depressão e comportamento neurótico. Em casos de loucura ou melancolia profunda, era comum que a remoção cirúrgica do cólon fosse prescrita – conhecida como procedimento de "curto-circuito". Apesar da taxa de mortalidade assustadoramente alta e de um alto impacto na qualidade de vida dos pacientes, os médicos da época achavam que essa intervenção radical valia a pena.

Longe de criticar o grau de respeito ao método científico de um vencedor do Prêmio Nobel, mas as experiências de Mechnikov em microbiologia intestinal, ao menos nesse livro, mal atendiam a padrões razoáveis de repetibilidade ou comparação com um grupo de controle. Sua maturidade científica coincidiu com um momento da história em que os cientistas médicos estavam dominados pelo entusiasmo com os caminhos de pesquisa abertos pela teoria dos germes de Louis Pasteur. Hipóteses abundavam, mas pouco tempo ou energia mental eram dedicados ao estudo paciente, à experimentação ou coleta de indícios antes que a nova tropa de microbiologistas médicos se pusesse, de rabo abanando, a farejar ideias novas.

Mesmo assim, a mídia, o público e uma turma de charlatães logo entraram na onda da autointoxicação no início do século XX. Além das cirurgias de cólon, surgiram alguns outros tratamentos contra as bactérias ruins. Um deles era a hidroterapia do cólon, defendida até hoje pelos "spas medicinais", mas malvista pela comunidade médica. O outro era ingerir uma dose diária de bactérias benéficas, o que chamamos agora de probióticos.

As divagações de Mechnikov sobre o prolongamento da vida humana se originaram de um rumor que ouvira de um estudante búlgaro. Dizia-se que entre os camponeses da Bulgária havia grande número de centenários e que o segredo de sua longevidade era uma dose diária de leite azedo:

o iogurte. Claro que o sabor do leite fermentado vinha do ácido láctico produzido quando a bactéria que Mechnikov denominou "bacilo búlgaro" fermentava o açúcar da lactose. Hoje esse grupo de bactérias é classificado como *Lactobacillus delbrueckii*, subespécie *bulgaricus*, mas costuma ser chamado de *Lactobacillus bulgaricus*. O biólogo russo acreditou que essas bactérias produtoras de ácido láctico estariam desinfetando o intestino, matando os micróbios daninhos responsáveis pela senilidade e pela morte.

Logo, vários comprimidos e bebidas contendo *Lactobacillus bulgaricus* e *Lactobacillus acidophilus* se tornaram disponíveis nas lojas. Anúncios de resultados fantásticos encheram periódicos médicos e jornais. "Os resultados são no mínimo surpreendentes. Não apenas o fim da depressão mental e física, mas uma enxurrada de vitalidade nova", alegava uma marca. A autointoxicação rapidamente passou a ser aceita por médicos e pelo público em geral, e, nas primeiras décadas do século XX, a indústria dos probióticos decolou.

Mas não durou. A teoria da autointoxicação era um castelo de cartas científico que sustentava a indústria cada vez mais instável dos probióticos. Todas as camadas de hipóteses interligadas que formavam sua estrutura tinham seu mérito, mas pouquíssimos indícios para respaldá-las. Assim como com as promissoras e novas pesquisas sobre o papel dos micróbios patogênicos como causa de distúrbios mentais graves, Freud e seus seguidores derrubariam essa teoria. Paradoxalmente, ela seria substituída por um castelo de cartas bem mais pernicioso na forma da psicanálise e do complexo de Édipo.

Um importante protagonista na derrubada da teoria da autointoxicação foi um médico californiano chamado Walter Alvarez. Usando pouco mais indícios do que os que respaldavam as ideias microbianas de Mechnikov, Alvarez adotou a teoria psicanalítica. Rotulava pacientes que levantavam a ideia de autointoxicação como psicopatas, dispensando-os após a consulta inicial. Em vez de adotar uma perspectiva médica, tendia a construir seus diagnósticos com base na personalidade e na aparência de seus pacientes. Segundo ele, mulheres que tinham enxaquecas, por exemplo, seriam aquelas com corpos femininos pequenos, elegantes, com seios bem formados. Ele aconselhava seus colegas médicos a procurarem mulheres assim e verificarem seus sintomas de acordo. Mesmo a mais básica das queixas gastrointestinais – prisão de ventre – já não era vista pelos médicos da época como uma consequência de micróbios incômodos, mas como hipocondria crônica combinada com fixações erótico-anais.

A ciência da autointoxicação sem dúvida carecia de rigor – até porque os microbiologistas não possuíam as ferramentas necessárias. Apesar disso, em meio aos charlatães, as limpezas do cólon e os iogurtes de origem microbiana duvidosa eram boas ideias. Somente em 2003 o valor dos probióticos no tratamento de distúrbios mentais voltou a ser discutido por um grupo corajoso de cientistas. Mas eles já dispunham da tecnologia de sequenciamento do DNA, um sistema de revisão científica por pares e um clima de pesquisa livre das nuvens contaminadas pela culpa do pensamento freudiano.

Os probióticos, então, embora tenham conseguido manter sua presença nas prateleiras dos supermercados em forma de alimentos e comprimidos, só voltaram à consciência científica recentemente. Mais uma vez, a indústria dos probióticos está prosperando. Sem prometer nada, fabricantes de iogurtes e leites fermentados usam uma inteligente estratégia de marketing para sugerir que você vai se sentir mais brilhante, inteligente, vigoroso, menos inchado, mais desperto, feliz e saudável se tomar uma ou duas bebidas reforçadas com lactobacilos toda manhã. As marcas concorrem em torno das cepas contidas em seus produtos e de seus supostos benefícios. Pedidos de patentes reivindicam o direito de produzir e comercializar as combinações específicas de genes e cepas que dão a cada variedade de probiótico seus próprios poderes especiais. *Lactobacillus rhamnosus* mais *Propionibacterium*, por exemplo, para expulsar a *E. coli* 0157. Ou *Lactobacillus* combinado com "dialquil isossorbido" para combater a acne. Que tal uma inserção vaginal composta de nove espécies de *Lactobacillus* e duas de *Bifidobacterium* para equilibrar o pH vaginal? E que tal uma variante genética bem específica de *Lactobacillus paracasei* para as mulheres grávidas prevenirem a alergia em seu bebê recém-nascido?

Tudo vai muito bem, mas, apesar das solicitações de patentes, as normas que regulamentam os medicamentos na maioria dos países não permitem que produtos contendo bactérias façam alegações de benefícios à saúde. O que antes eram apenas alimentos fermentados e suplementos dietéticos estão começando agora a parecer remédios – graças às pesquisas científicas dos benefícios à saúde trazidos pelas bactérias vivas que eles contêm. Claro que, se espécies de *Lactobacillus* conseguem mesmo impedir infecções de *E. coli*, curar acne ou prevenir alergias, os fabricantes de iogurte vão querer que seus clientes saibam disso. Mas medicamentos reais precisam passar por uma cara bateria de testes clínicos antes de serem liberados ao público. Ao menos em teoria, as companhias farmacêuticas precisam comprovar que seus remédios são eficazes e seguros. Claro que comer iogurte é seguro, mas será eficaz? Será que os probióticos conseguem realmente tornar você mais saudável e feliz?

Em termos técnicos, a resposta é um retumbante sim, mas isto porque a própria definição de probiótico, de acordo com a Organização Mundial da Saúde, os considera "micro-organismos vivos que, quando ministrados em quantidades adequadas, trazem benefícios à saúde do hospedeiro". Portanto, perguntar se "os probióticos funcionam mesmo?" não faz sentido. A pergunta real, então, é quais bactérias – e quantas delas – conseguem prevenir, tratar ou curar uma doença?

Gostaria de surpreender você com histórias de recuperações milagrosas provocadas por pouco mais que um pote de iogurte ou uma colônia liofilizada de bactérias amigáveis. Gostaria de lhe contar que *Lactobacillus inventedus* vai curar a febre do feno do seu filho e que *Bifidobacterium fantasium* vai ajudar você a perder peso. Mas é claro que as coisas não são tão simples assim.

Em seu intestino existem 100 trilhões de micróbios. 100.000.000.000.000. São mais ou menos 1.500 vezes o número de seres humanos vivendo no planeta, tudo isso espremido dentro da sua barriga. Esses 100 trilhões de micro-organismos são formados por cerca de 2.000 espécies diferentes, entre as quais estão incontáveis cepas distintas, todas com um arsenal específico de habilidades genéticas. Sim, esses micróbios são na maior parte seus "amigos", mas as relações entre eles nem sempre são tão amistosas assim. Populações lutam por espaço, expulsando oponentes mais fracos, espécies defendem seu pedaço mediante uma guerra química, matando quem ousar invadi-lo. Indivíduos competem por nutrientes, desenvolvendo uma cauda para se propelirem até territórios mais lucrativos.

Agora imagine acrescentar um potinho de iogurte a essa confusão toda. Imagine o pequeno bando de turistas, nadando em meio ao leite e ao açúcar do iogurte que lhe servem de veículo – talvez uns 10 bilhões deles, em busca de um local onde se instalar. Pode parecer uma multidão, mas são quatro zeros a menos que a multidão já instalada. Um exército nada impressionante para um campo de batalha desse tamanho. Como filhotes de tartaruga se aventurando no vasto oceano pela primeira vez, muitos serão provavelmente destruídos aos primeiros salpicos de liberdade fora de sua garrafinha de plástico. Para aqueles que alcançam o intestino – algo com certeza possível –, o desafio é se estabelecer e encontrar meios para sobreviver – algo difícil num território já lotado e nada acolhedor.

Além da inferioridade numérica, o conjunto de habilidades desses bravos turistas é pequeno. Todos pertencem à mesma cepa de bactéria, com os mesmos genes e, portanto, os mesmos recursos. Em comparação com as mais de 2 mil espécies presentes no intestino e os mais de 2 milhões de genes que carregam, os turistas, probióticos ou não, têm um repertório bem limitado de truques sob a manga. Ao final, a influência que podem exercer sobre a saúde de seu hospedeiro – nós! – importa tanto quanto qualquer outro obstáculo em sua jornada para trazer o benefício implícito em seu título de probiótico.

Antes que eu seja processada, porém, permita-me dizer o que os turistas que conseguem se estabelecer por tempo e em número suficiente para fazerem algum efeito têm a oferecer. Não estou falando só de iogurte, mas de pílulas, barras, pós e líquidos de estilo mais medicinal que contêm bactérias vivas – às vezes mais de uma espécie.

Comecemos pela expectativa mais básica que você poderia ter quando se fala em *pro*biótico: algo que compense os efeitos colaterais mais desagradáveis dos *anti*bióticos. A dizimação do exército da microbiota costuma aparecer como consequência indesejada quando tentamos eliminar um tipo de micróbio com antibióticos. Para muitas pessoas – cerca de 30% dos pacientes – o resultado dessa redução microbiana é a diarreia. Chamada "diarreia associada a antibióticos", essa condição costuma passar depois que o tratamento termina, a não ser que você tenha o azar de ter contraído algo como *C. diff*, como ocorreu com Peggy Kan Hai após sua cirurgia no pé. Se a diarreia é causada apenas pela perda de bactérias benéficas, substituí-las por mais bactérias boas deveria deter – ou ao menos melhorar – os sintomas.

É o que ocorre. Não precisamos de nenhum voto de confiança para acreditar que, entre 63 testes clínicos bem projetados, incluindo um total de quase 12 mil participantes, descobriu-se que os probióticos reduziam muito as chances de desenvolver diarreia associada a antibióticos. Das trinta entre cem pessoas que normalmente teriam diarreia, apenas dezessete terão se estiverem tomando também um probiótico. Mas não é tão fácil decidir em termos exatos quais bactérias e qual dose são mais eficazes. É bem provável que antibióticos específicos tenham uma tendência maior a induzir diarreia, e saber quais são eles poderia transformar uma receita de probióticos combinados num meio de evitarmos esse efeito colateral.

Os probióticos também dão sua contribuição aos bebês muito pequenos. Às vezes, quando nascem cedo demais, o intestino deles começa a morrer. Com o uso de probióticos preventivos, o risco de vida desses bebês prematuros diminui em 60%. Além disso, em bebês e crianças com diarreia infecciosa, os probióticos – particularmente uma cepa conhecida como *Lactobacillus rhamnosus* GG – reduziu a duração da doença.

Mas e quanto às doenças mais complexas? E os transtornos que já se estabeleceram? Para distúrbios mentais e autoimunes plenamente desenvolvidos, como diabetes tipo 1, esclerose múltipla e autismo, o problema dos probióticos é que são insuficientes e chegam tarde demais. As células do pâncreas que liberam insulina já pararam de funcionar, as células nervosas já perderam sua bainha e as células cerebrais em desenvolvimento já tomaram o rumo errado. Mesmo nas alergias, embora nenhuma célula seja destruída, o sistema imunológico já está descontrolado. Trazê-lo de volta à normalidade pode ser tão difícil quanto despertar as células do pâncreas ou revestir os nervos de volta.

Estudos reais, bem projetados e revisados por pares descobriram que probióticos de diferentes marcas, espécies e cepas podem de fato deixá-lo mais feliz e saudável, melhorando o humor, aliviando irritações de pele e febre do feno, reduzindo os sintomas da SII, prevenindo a diabetes gestacional, curando alergias e até ajudando na perda de peso. Embora a maioria desses transtornos não seja totalmente curável – ao menos não em apenas poucas semanas ou meses de tratamento –, os probióticos oferecem alguns benefícios. Mas é na prevenção, mais que na cura, que vemos melhor seu real efeito.

Vejamos este experimento com camundongos, por exemplo. Existe uma espécie que, por uma peculiaridade genética, quase com certeza desenvolverá o equivalente da diabetes tipo 1 em ratinhos ao atingir a fase adulta. Mas quando os pesquisadores ministraram a eles todos os dias, a partir da quarta semana de vida, um composto chamado VSL#3 – um probiótico formado por 450 bilhões de bactérias de oito cepas diferentes –, esse "destino" genético se atenuou. Enquanto 81% dos camundongos que receberam placebo desenvolveram diabetes ao atingir 32 semanas, somente 21% dos que receberam o probiótico desenvolveram a doença. Isso significa que três quartos deles foram protegidos de um transtorno autoimune quase inevitável com uma única dose diária de bactérias vivas.

Iniciar seu tratamento com probióticos um pouco mais tarde, com 10 semanas de vida, mostrou-se um caso em que se aplica a máxima do "antes tarde do que nunca". Com 32 semanas, cerca de 75% dos camundongos tratados com placebo estavam diabéticos, mas apenas 55% dos camundongos tratados com probióticos haviam desenvolvido a doença. Embora menos impressionante, a redução nos casos de diabetes ainda assim foi significativa.

As centenas de bilhões de bactérias contidas no VSL#3 – que afirma possuir mais indivíduos e espécies que qualquer outro produto probiótico no mercado – de algum modo alteraram o desenvolvimento da diabetes nos camundongos geneticamente suscetíveis. Seria esperado que o sistema imunológico logo passasse a ter aversão às células do pâncreas, mas essas bactérias parecem impedir isso. O sistema imunológico dos camundongos tratados com esse probiótico arregimenta uma equipe de glóbulos brancos do sangue que marcham para o pâncreas, onde liberam um mensageiro químico anti-inflamatório que impede a destruição das células desse órgão. É um dado muito inspirador: talvez um tratamento com probióticos a intervalos adequados fosse capaz de deter essas doenças antes que se desenvolvessem em seres humanos também. Há um teste clínico em andamento para examinar essa ideia, mas os resultados ainda vão demorar algum tempo.

Os probióticos, portanto, devem ter algum tipo de efeito sobre o funcionamento do sistema imunológico para serem benéficos à saúde. Voltando à origem subjacente das doenças do século XXI – a *inflamação* que assola nosso corpo –, os probióticos precisam derrotá-la para demonstrarem seu real valor. Você se lembra das células T reguladoras (T_{regs}) de que falamos no capítulo 4? Elas são os generais do sistema imunológico encarregados de acalmar os linfócitos sedentos de sangue quando não há nada para atacar. Em última análise, esses generais são controlados pela microbiota, que recruta mais e melhores T_{regs} para impedir que o sistema imunológico lance um ataque contra ela. Os probióticos imitam esse efeito, encorajando as

T_{regs} existentes a suprimir os membros rebeldes das fileiras do sistema imunológico. Mais uma vez, o probiótico VSL#3 mostrou um efeito benéfico sobre os camundongos, reduzindo o efeito do intestino permeável – que parece ser tanto causa quanto consequência da inflamação.

Quando se trata de probióticos, três fatores são importantes. Primeiro: quais espécies e cepas o produto contém? Com frequência, essas informações não são detalhadas ou não correspondem ao conteúdo real quando é feita a cultura ou o sequenciamento de suas amostras. É provável que quanto mais espécies, melhor, embora tenhamos pouca compreensão do impacto de diferentes cepas sobre o corpo. Segundo: quantas bactérias individuais, ou unidades formadoras de colônia (UFCs), o produto contém? Lembre-se da competição que esses turistas enfrentam em seu caminho pelo intestino. Quanto mais UFCs, maiores as chances de surtirem efeito. Terceiro: como essas bactérias estão embaladas? Os probióticos vêm em variadas formas: pós, pílulas, barras, iogurtes, bebidas e até cremes para a pele. Alguns vêm misturados com outros suplementos – um complexo multivitamínico, digamos. Simplesmente não se sabe o que esses compostos fazem com as bactérias, e muitos probióticos em forma de iogurte vêm acompanhados de uma boa dose de açúcar – o que pode até fazer com que ofereçam mais riscos que benefícios à saúde.

O primeiro desses pontos – as espécies e cepas – é provavelmente o mais controverso. O legado de Mechnikov perdura até hoje em muitas das cepas comercializadas como probióticos. Membros do gênero *Lactobacillus*, apesar de todo o seu valor na produção de iogurte, não são tão numerosos assim na flora intestinal de um adulto. É verdade que eles prosperam no intestino de bebês nascidos de parto normal que mamam no peito, mas uma vez feito seu trabalho, sua quantidade passa a representar menos de 1% da comunidade bacteriana intestinal total. Os lactobacilos largaram na frente na indústria dos probióticos por um simples motivo: sua cultura é possível. Já que, ao contrário da maioria dos membros da flora intestinal, conseguem sobreviver em contato com o oxigênio, são relativamente fáceis de cultivar numa placa de Petri ou mesmo num tanque de leite quente. Isso significa que sua presença foi distorcida para mais nos primeiros estudos da flora humana. Se os probióticos tivessem surgido no admirável mundo novo do sequenciamento do DNA e das culturas anaeróbicas (sem oxigênio), é provável que não tivéssemos selecionado os lactobacilos como o grupo mais adequado para fortalecer nossas colônias diversificadas.

É verdade que os probióticos têm seu lugar, mas e se você estiver numa situação como a de Peggy Kan Hai? Com seu peso despencando e sem outras opções de antibióticos, ela estava desesperada. O risco de desenvolver "megacólon tóxico" passou por sua mente. Seu cólon poderia explodir de verdade, liberando seu conteúdo na cavidade abdominal. Se isso ocorresse, suas chances de morrer eram terrivelmente altas. No ano anterior, cerca de 30 mil pessoas haviam morrido de infecção de *C. diff* nos EUA – bem mais do que morrem de AIDS, por exemplo –, e Peggy não queria se juntar à estatística.

Havia, porém, uma opção de tratamento. Peggy ouvira um amigo mencionar que sua irmã, que trabalhava como enfermeira, tinha lhe contado que pacientes com diarreia grave estavam recebendo uma terapia nova, disponível em poucos hospitais no mundo. Aparentemente, vinham melhorando. Peggy estava disposta a tentar qualquer coisa. Após algumas ligações telefônicas para um desses hospitais, ela comprou passagens do Havaí para a Califórnia a fim de começar o tratamento. Seu marido iria acompanhá-la, mas não apenas para dar apoio moral. Seria ele quem forneceria a Peggy a doação de que tanto precisava: um novo conjunto de micróbios. O fato de esses micro-organismos se encontrarem em suas fezes não desanimou nenhum dos dois. Simplesmente não havia outras opções.

Conhecido como Transplante da Microbiota Fecal ou Bacterioterapia, o nome já indica em que esse tratamento consiste. As fezes de um indivíduo são coletadas e inseridas no intestino de outro. Parece nojento, mas não somos a primeira espécie a ter essa ideia. Outros animais, de lagartos a elefantes, entregam-se à coprofagia ocasionalmente. Para alguns deles, como coelhos e roedores, comer as próprias fezes é parte essencial de sua alimentação, permitindo um segundo acesso aos nutrientes ocultos nas células das plantas depois de terem sido rompidas pelos micróbios do intestino. Não se trata de uma contribuição irrelevante à sua ingestão calórica. Ratos atingem apenas três quartos de seu tamanho normal quando são impedidos de comer as próprias fezes.

Para outras espécies, porém, a coprofagia é relativamente incomum e os zoólogos com frequência costumam considerá-la um "comportamento anormal". As matriarcas de manadas de elefantes, por exemplo, produzem um esterco aquoso, aparentemente para que os membros mais jovens da manada possam apanhá-lo com suas trombas e ingeri-lo. Os chimpanzés também comem as fezes uns dos outros. De acordo com a zoóloga britânica Dame Jane Goodall – cujos estudos dedicados dos chimpanzés na Tanzânia levaram a uma revolução em nossa compreensão do comportamento desses primatas –, alguns chimpanzés praticam a coprofagia quando têm diarreia. O excesso de frutas recém-amadurecidas da floresta pode resultar num surto de diarreia, à medida que os micróbios do intestino dos chimpanzés se ajustam à nova fonte de comida. Um dos animais estudados por Goodall, uma fêmea chamada Pallas, sofria de diarreia crônica intermitente por dez anos. Sempre que a diarreia retornava, ela passava a ingerir fezes. De nossa recém-descoberta perspectiva microbiana, é possível especular que Pallas estivesse aproveitando as fezes de chimpanzés saudáveis para restaurar seu próprio equilíbrio microbiano. Talvez chimpanzés com diarreia, após se fartarem com uma nova colheita de frutas, sejam coprofágicos porque isso lhes permite adquirir de outros membros da tropa que já passaram por mais ciclos de frutas os micróbios "certos".

Embora seja algo raro na vida selvagem, animais presos em zoológicos têm um gosto especial pela coprofagia – para o prazer das criancinhas e o desgosto de seus cuidadores. Essa prática costuma ser atribuída ao tédio – acompanhada de comportamentos típicos, como se balançar para a frente e para trás, andar de um lado para outro e se limpar obsessivamente. Um psiquiatra habituado a lidar com pacientes no espectro autista, com síndrome de Tourette e transtorno obsessivo-compulsivo poderia observar algumas semelhanças entre esses comportamentos em seus pacientes e nos animais em cativeiro. Sem falar no fascínio pelas fezes – tanto comê-las quanto esfregá-las por aí – exibido por crianças com autismo mais grave, bem como por alguns pacientes esquizofrênicos e com TOC. A interpretação freudiana para a causa do comportamento repetitivo, tanto de animais quanto de pacientes, poderia ser de ausência dos pais ou frustração psicossocial. A interpretação fisiológica, porém, tem uma abordagem mais microbiana: haveria melhor meio de corrigir uma microbiota aberrante que está produzindo um comportamento repetitivo do que consumir as fezes de indivíduos saudáveis? A coprofagia, então, não seria uma conduta anormal, mas sim adaptativa: um animal doente tentando corrigir sua disbiose.

De fato, em experimentos, fornecer folhas fibrosas a chimpanzés em cativeiro reduz seu comportamento coprofágico. Na verdade, eles não as comem, mas as chupam e as colocam sob a língua. Trata-se de um palpite, mas será que estariam sugando a camada de bactérias que vivem de digerir essas folhas? Assim poderiam semear a própria microbiota com bactérias, ou genes bacterianos, que os ajudam a digerir seus alimentos, como os japoneses cuja microbiota contém genes de bactérias originárias de algas usadas no sushi que comem. Tendo acesso aos micróbios benéficos das folhas, talvez a coprofagia perca a importância para os chimpanzés cativos.

É fácil fornecer uma microbiota nova a camundongos de laboratório livres de germes: basta hospedá-los com camundongos já colonizados. Alguns dias de coprofagia depois, os ratinhos passam a ter os mesmos micróbios. Tantos que mesmo hospedar dois grupos de camundongos que já possuam um conjunto completo de micróbios pode resultar em mudanças nas espécies que cada um abriga. Em outro experimento interessante conduzido por Jeffrey Gordon na Washington University, em St Louis, em 2013, pesquisadores tomaram dois conjuntos de camundongos livres de germes e inocularam um deles com a microbiota do intestino de seres humanos obesos. O detalhe desse experimento foi que cada uma dessas pessoas obesas tinha um irmão gêmeo magro. Assim, o segundo conjunto de ratinhos livres de germes recebeu micróbios do intestino dos irmãos gêmeos magros. Como era esperado, os camundongos com a microbiota obesa acumularam mais gordura corporal que aqueles com a microbiota magra. Cinco dias após a inoculação, os dois conjuntos de ratinhos foram reunidos com seu colega correspondente, que havia recebido as bactérias do irmão gêmeo. O notável é que os camundongos obesos ganharam menos peso vivendo junto com seus "irmãos gêmeos" magros do que se não tivessem sido expostos a eles. O exame da microbiota dos dois grupos de camundongos revelou que a microbiota dos camundongos obesos havia mudado e passado a se parecer mais com a dos magros, enquanto a dos magros permanecera estável.

Se fôssemos chimpanzés, poderíamos compartilhar nossas fezes para nos mantermos magros e saudáveis. Mas a boa notícia é que a coprofagia é inteiramente desnecessária para nos beneficiarmos da microbiota saudável de um colega humano. O que não quer dizer que a alternativa clínica – o transplante fecal – seja completamente palatável. Em sua forma mais grosseira, o procedimento envolve misturar fezes de um doador saudável com soro fisiológico, colocar tudo num liquidificador e depois esguichar esse composto no intestino grosso do paciente através de um longo tubo de plástico com uma câmera acoplada – um colonoscópio – inserido de baixo para cima, por assim dizer. Às vezes, os transplantes fecais também são realizados de cima para baixo, via um tubo nasogástrico, que entra pela narina e desce pela garganta, chegando até o estômago.

Um dos pioneiros no uso moderno dos transplantes fecais, Dr. Alexander Khoruts, recorda suas primeiras experiências na preparação de suspensões fecais: "Fiz os dez primeiros transplantes da forma antiga, com um liquidificador no banheiro da sala de endoscopia. Durante essa experiência, rapidamente percebi os obstáculos práticos à realização de transplantes fecais num ambiente clínico movimentado. A potência olfativa do material fecal humano se revela ao toque do botão do liquidificador e pode ser bem nauseante – capaz de esvaziar as salas de espera." Não apenas isso, mas preparar um aerossol das fezes, por mais livre de patógenos que seja, não é particularmente seguro para o médico que o faz. Mesmo os micróbios mais bem-intencionados podem ser prejudiciais se entrarem no lugar errado – o que é saudável no intestino pode ser muito nocivo nos pulmões.

A ideia de transplantes fecais é nojenta, não é? Se você ainda estiver lendo, vou tentar acabar com essa má impressão. Para mim, existem duas formas de lidar com o fator "nojo" dos transplantes fecais. Uma é dourar a pílula, usar eufemismos e esperar que você não pense demais no assunto. A outra é confrontar seu nojo. Sim, parece repugnante, mas são apenas micróbios, plantas mortas e água – cerca de 70% são bactérias. A cor marrom vem do pigmento dos glóbulos vermelhos decompostos, convertidos por seu fígado e ejetados como refugo. E, sim, o cheiro é ruim. Mas não passam de gases, sobretudo ácido sulfídrico e outros contendo enxofre, criados pelos micro-organismos do intestino ao decompor os restos da sua alimentação.

O nojo é uma emoção protetora que se desenvolve para nos manter afastados de coisas que podem nos fazer mal. Vômito, matéria em putrefação, nuvens de insetos, cadáveres de pessoas que não conhecemos nem amamos, coisas viscosas, pegajosas. E fezes. Sentimos um nojo especial pelas fezes dos animais que comem carne (Onde você ia preferir colocar a mão? Num cocô de cachorro ou de vaca?) e de nossos colegas humanos. No mundo inteiro, fazemos a mesma cara quando somos confrontados com algo nojento: recuamos a cabeça, nosso nariz se achata e franzimos as sobrancelhas. Costumamos levar as mãos ao peito e nos afastar. Se a coisa for realmente repugnante, vomitamos na hora. Essa reação de nojo codificada pela evolução ajuda a evitar que entremos em contato com patógenos que poderiam estar no vômito, na matéria em putrefação, na coisa viscosa, na coisa pegajosa. Ou nas fezes.

Portanto, não querer pensar em cocô, menos ainda no de outra pessoa entrando em seu corpo, é perfeitamente natural. Mas, em vez disso, pense por um momento numa transfusão de sangue. É provável que essa ideia não lhe cause tanto nojo. Pense em bolsas de sangue coletadas de doadores saudáveis com cuidado e examinadas para evitar doenças que poderiam estar ocultas nas células ou no plasma. Rotuladas com o grupo sanguíneo correspondente e data de coleta, penduradas, salvando vidas. Uma imagem bem clínica, estéril, quase futurista.

Mas o sangue, assim como as fezes, pode carregar patógenos, como o HIV e o micro-organismo que causa a hepatite. O sangue, assim como as fezes, apodrece quando é exposto a bactérias no ar. E as *fezes*, tanto quanto o sangue, podem salvar vidas. Pense na suspensão de microbiota fecal pelo que ela realmente é: um líquido com propriedades benéficas à saúde. O Dr. Alexander Khoruts costuma contar a história de uma aluna de medicina que foi doar suas fezes para pacientes com *C. diff.* Quando ela contou aquilo aos amigos, muitos dos quais também estudantes de medicina, em vez de elogiarem sua abnegação e comentarem que precisavam também arrumar um tempinho para doar – como teriam feito se ela estivesse doando sangue –, riram e zombaram de seus esforços.

Os médicos do século XXI, que já conhecem o crescente estudo da microbiota, não foram os primeiros a descobrir as propriedades curativas das fezes. Um médico chinês do século IV chamado Ge Hong escreveu, em seu *Manual de prática e emergência clínica*, que ministrar uma bebida feita das fezes de alguém saudável a pacientes com intoxicação alimentar ou diarreia grave proporciona uma cura milagrosa. O mesmo tratamento é mencionado 1.200 anos depois, de novo em outro livro médico chinês, desta vez referido com "sopa amarela". Parece que naquela época era tão difícil tornar os transplantes fecais palatáveis aos pacientes – metaforicamente falando – quanto agora.

No entanto, convencer alguém que tenha passado os últimos três meses no banheiro e perdido um quinto de seu peso corporal a dar uma chance ao transplante fecal é bem mais fácil. Para Peggy Kan Hai, o nojo de transplantes fecais que porventura tivesse antes de ficar doente desapareceu. Na clínica da Califórnia, poucas horas após a colonoscopia e a irrigação com uma suspensão dos micróbios fecais filtrados de seu marido, ela já tinha melhorado. Pela primeira vez em meses não sentiu necessidade de ir ao banheiro toda hora, ficando quarenta horas seguidas longe dele. Alguns dias depois, a diarreia havia desaparecido. Após duas semanas, seus cabelos tornaram a crescer, a acne em seu rosto começou a sumir e Peggy voltou a ganhar peso.

A taxa de cura de infecções recorrentes de *C. diff* com tratamento de antibióticos é de cerca de 30%. Mais de um milhão de pessoas são infectadas a cada ano, e dezenas de milhares morrem. Mas o tratamento com transplante fecal oferece uma taxa de cura superior a 80%. Para quem tem alguma recaída após o primeiro transplante – como aconteceu com Peggy –, um segundo transplante eleva a taxa de cura para mais de 95%. Difícil pensar em qualquer outra doença potencialmente fatal que possa ser curada em um só procedimento não cirúrgico, sem necessidade de remédios, a um baixo custo e com tão alta taxa de sucesso.

Os transplantes fecais se tornaram a base dos tratamentos oferecidos pelo professor e gastroenterologista Tom Borody no Centro de Doenças Digestivas, em Sydney, na Austrália. Em 1988, esse médico teve uma paciente, Josie, que havia contraído uma bactéria quando foi passar as férias em Fiji e, desde então, vinha sofrendo de diarreia, cólicas, prisão de ventre e inchaço. O que deveria ter sido uma cura fácil com uma prescrição de antibióticos começou a se arrastar, chegando ao ponto de Josie tentar o suicídio. Borody, preocupado com o sofrimento da paciente, já não tinha opções para tentar restaurar seu estado de saúde. Ele mergulhou na literatura médica e descobriu o caso de três homens e uma mulher que, em 1958, haviam desenvolvido diarreia grave com dor abdominal após serem tratados com antibióticos – caso similar ao de Josie. Três deles ficaram à beira da morte, na terapia intensiva, e as estatísticas não eram favoráveis: uma taxa de mortalidade de 75% na época. Seu médico, Ben Eiseman, resolveu tratá-los com um transplante fecal. Horas ou dias após receberem os enemas fecais, todos os quatro conseguiram se levantar e sair do hospital – completamente livres da diarreia que os atormentara por meses.

Borody, entusiasmado com a possibilidade de cura de sua paciente, sugeriu-lhe a ideia. Esta, assim como Peggy Kan Hai, estava disposta a qualquer coisa. O médico ministrou o transplante durante dois dias. Alguns dias depois, Josie estava muito melhor – tanto que já podia voltar a trabalhar. A resistência a esse tratamento era tamanha na época que Borody não teve coragem de contar a ninguém o que fizera para ajudar Josie, mas daquele momento em diante, ele e sua equipe passaram a usar transplantes fecais sempre que acreditavam que uma restauração microbiana pudesse ser benéfica ao paciente. No decorrer do ano seguinte, realizaram 55 transplantes para curar problemas que variavam de diarreia e prisão de ventre a doença inflamatória intestinal. De todos os pacientes, 26 não melhoraram, mas nove melhoraram e vinte se recuperaram por completo.

Nos anos seguintes, Borody e sua equipe descobriram quais doenças respondiam ao transplante fecal. Atualmente, já realizaram mais de 5 mil transplantes, a maioria para tratar síndrome do intestino irritável com diarreia predominante e infecções por *C. diff.* Com uma taxa de cura de 80% em sua clínica, o transplante fecal é de longe a terapia mais eficaz para essa forma de SII. O tratamento da prisão de ventre é mais difícil, pois tem uma taxa de cura de apenas 30% e podem ser necessários muitos transplantes repetidos. Apesar dos casos de sucesso e da demanda dos pacientes, Borody e outros médicos que aplicam essa técnica costumam ser chamados de charlatães. Como as fezes não são um medicamento que possa ser fabricado e vendido, os transplantes não estão sujeitos às regras e regulamentações farmacêuticas – e como testes clínicos não são rigorosamente necessários, muitos médicos duvidam da real eficácia dos transplantes fecais.

Mas Peggy Kan Hai e outras pessoas em sua situação têm se mostrado dispostas a aceitar a ideia. Nas palavras de Peter Whorwell, professor de medicina e gastroenterologia da Universidade de Manchester: "Meus pacientes de SII estão ansiosos por isso." Na realidade, são os médicos que costumam hesitar – seja devido ao fator nojo, seja por considerarem o transplante fecal uma pseudociência.

Embora o Centro de Doenças Digestivas seja uma clínica de gastroenterologia, Borody testemunhou casos de pacientes de outras doenças que tiveram uma recuperação extraordinária. Não é nenhuma surpresa que alguns de seus pacientes com prisão de ventre e diarreia também sofram de certas doenças do século XXI. Bill, um homem que vinha sofrendo de esclerose múltipla havia anos e não conseguia mais andar, fez uma visita a Borody para um transplante fecal na tentativa de aliviar os sintomas de sua prisão de ventre crônica. Após vários dias de infusões fecais, começou a se sentir diferente. Com o tempo, recuperou a saúde e a capacidade de andar. Hoje, é como se nunca tivesse sido afetado pela esclerose múltipla.

Bill não foi seu único paciente de doença autoimune a recuperar a saúde depois de receber transplantes fecais. Dois outros pacientes de esclerose múltipla, uma mulher jovem no estágio inicial da artrite reumatoide, uma vítima da doença de Parkinson e um paciente de púrpura trombocitopênica idiopática – uma doença em que o sistema imunológico destrói as plaquetas de sangue – se recuperaram após transplantes fecais. Resta verificar se essas curas aparentemente milagrosas se deveram aos transplantes ou foram remissões espontâneas.

Como fezes não são medicamentos – e tudo de que você precisa é um liquidificador, um pouco de soro fisiológico, uma peneira e uma ajudinha de alguns vídeos do YouTube –, qualquer um pode ministrar seu próprio transplante fecal, e milhares de pessoas o fazem. Não é de estranhar que entre elas estejam pais de crianças autistas. O próprio Dr. Borody testemunhou melhorias no estado de saúde de crianças autistas após transplantes fecais e a ministração repetida de micróbios fecais através de uma bebida aromatizada. Sua intenção era aliviar os sintomas gastrointestinais, não os psíquicos, da doença, mas o médico conta que várias crianças melhoraram após o tratamento. O caso mais encorajador foi de uma criança com um vocabulário de pouco mais de vinte palavras que disparou para cerca de oitocentas nas semanas após a terapia microbiana. Por enquanto, tudo isso é circunstancial e nenhum teste clínico foi realizado para avaliar os efeitos do transplante fecal em pacientes autistas, embora alguns tenham sido planejados. Mas a falta de provas não é suficiente para deter os pais: para muitos deles, qualquer tentativa é válida.

Para distúrbios como autismo e diabetes tipo 1, os transplantes fecais podem – como os probióticos – ter chegado tarde demais e serem insuficientes. Se o dano já foi causado e as janelas de desenvolvimento se fecharam, a restauração da microbiota saudável pode apenas evitar danos adicionais. No entanto, no caso de outros distúrbios, com sintomas progressivos, talvez seja possível reverter os danos.

Você se lembra do experimento no capítulo 2 em que a microbiota do intestino de uma pessoa obesa foi colocada num camundongo livre de germes? Duas semanas depois, o camundongo havia engordado, mesmo não comendo mais que antes. Mas o que aconteceria se você realizasse o experimento ao contrário? O que aconteceria se você transferisse a microbiota de uma pessoa magra e saudável para uma obesa? Foi exatamente o que uma equipe de cientistas do Centro Médico Acadêmico de Amsterdã fez.

O objetivo não era ver se as pessoas obesas perderiam peso. Em vez disso, eles queriam descobrir qual seria o impacto imediato da microbiota magra. Será que receber uma colônia microbiana de uma pessoa magra melhoraria o metabolismo da pessoa obesa? No capítulo 2 mencionamos a existência de dois grupos de pessoas obesas: as saudáveis e as doentes. Os obesos doentes – de longe, a maioria – não são apenas gordos, mas também possuem sintomas do problema de saúde mais economicamente importante de que você nunca ouviu falar: a síndrome metabólica. Uma constelação perigosa de distúrbios, esta síndrome inclui não apenas a obesidade, mas diabetes tipo 2, hipertensão e colesterol alto. Gastam-se bilhões todos os anos para tratar as vítimas da síndrome metabólica – que, em última análise, está por trás da maioria das mortes no mundo desenvolvido. No topo da lista de mortes associadas à síndrome metabólica estão a doença cardíaca, cânceres relacionados ao sobrepeso e derrames.

Um dos aspectos da síndrome metabólica – a diabetes tipo 2 – oferece um ótimo indicador da saúde de uma pessoa. Ao contrário da variedade "tipo 1", cujas células produtoras de insulina foram destruídas pelo sistema imunológico, o diabético tipo 2 costuma ser capaz de produzir insulina. O problema é que suas células não reagem a ela. A insulina é um hormônio que instrui as células do corpo a armazenarem glicose (o açúcar) do sangue na forma de gordura quando ela não é necessária para gerar energia naquele momento. À glicose proveniente da comida, corresponde a liberação de certa quantidade de insulina para evitar que os níveis de glicose no sangue fiquem perigosamente altos. Mas se os níveis de insulina no sangue estão sempre elevados, o corpo começa a ignorar o pedido de armazenar glicose. Isso constitui a resistência à insulina, uma condição perigosa. Cerca de 30%

a 40% das pessoas com excesso de peso ou obesas têm diabetes tipo 2, e 80% delas acabarão morrendo de complicações cardíacas.

Em pessoas saudáveis – com excesso de peso ou não –, o nível de açúcar no sangue sobe brevemente após uma refeição. A concentração de glicose do sangue aumenta, a insulina é liberada e o nível de açúcar no sangue volta a cair. Essa reação rápida indica que as células são "sensíveis" à insulina – ou seja, estão obedecendo às instruções de armazenar a glicose para uso posterior. Entre as pessoas resistentes à insulina, não existe esse pico de glicose. O açúcar no sangue aumenta, mas começa a cair bem devagar. Um meio de reverter a resistência à insulina poderia impedir muitas mortes associadas à síndrome metabólica.

Assim como transferir micróbios de pessoas obesas para camundongos pode fazer com que eles ganhem peso, Vrieze e Nieuwdorp, que estavam conduzindo o estudo holandês, quiseram saber se transplantar fezes de pessoas magras e saudáveis para pessoas obesas poderia atenuar os sintomas relacionados ao excesso de peso. Para isso, começaram um teste clínico que chamaram de Administração Fecal para Perder Resistência à Insulina. Será que um transplante fecal de microbiota "magra" poderia torná-las mais sensíveis à insulina? Será que suas células passariam a armazenar glicose mais rápido? Eles trataram nove homens obesos com uma infusão das fezes de doadores magros e outros nove com uma infusão das próprias fezes para serem o grupo de controle. Seis semanas após o transplante fecal, os homens que receberam as microbiotas "magras" se tornaram mais sensíveis à insulina. Suas células passaram a armazenar glicose no dobro do ritmo anterior, quase igualando a sensibilidade à insulina dos doadores saudáveis magros. Os homens obesos que tiveram as próprias fezes postas de volta em seu intestino armazenaram glicose no mesmo ritmo – sua sensibilidade à insulina permaneceu baixa como antes.

É incrível pensar que os micróbios vivendo em seu intestino podem representar a diferença entre ser saudável e sofrer de um distúrbio com 80% de chances de doença cardíaca. A diversidade da microbiota dos homens que recuperaram a sensibilidade à insulina aumentou, passando de uma média de 178 para 234 espécies. Entre as espécies extras, estavam grupos de bactérias produtoras do butirato, um ácido graxo de cadeia curta que desempenha um papel importante na prevenção da obesidade. Esse composto é benéfico para as células do intestino grosso, fortalecendo as cadeias de proteína que unem as células de sua mucosa, cobrindo-a de uma camada espessa de muco e impedindo o intestino de se tornar permeável.

Vrieze e Nieuwdorp também querem saber se os transplantes fecais de micróbios magros podem causar a perda de peso em pessoas obesas, como acontece com os camundongos. Um segundo teste para descobrir se isso também funciona com seres humanos ainda está em andamento. Os resultados poderiam revolucionar o tratamento da obesidade e da síndrome metabólica – poupando dinheiro e melhorando a vida de muitas pessoas.

Se os distúrbios da síndrome metabólica – incluindo a diabetes tipo 2 – podem ser revertidos pela restauração da microbiota intestinal saudável, será que os transplantes fecais são na verdade necessários? Será que os probióticos teriam o mesmo efeito? Dois testes bem projetados da espécie *Lactobacillus* ofereceram resultados encorajadores, trazendo benefícios tanto para a sensibilidade à insulina quanto para o peso corporal. Em última análise, quaisquer que sejam a espécie e o resultado, os probióticos são um bálsamo e passam por nós – mas não permanecem muito tempo. Para extrair seus benefícios, você precisa tomá-los repetidamente. E ainda que os tome todos os dias, acrescentar apenas probióticos à dieta é como enviar um soldado de infantaria à guerra sem munições.

Para um efeito persistente, precisamos oferecer aos micróbios benéficos um ambiente onde eles possam florescer, dia após dia, sem a necessidade de uma intervenção externa para aumentar sua população. E, assim, chegamos aos *pre*bióticos. Não se trata de bactérias vivas, mas de comidas de bactéria que estimulam a expansão de populações inteiras das cepas mais saudáveis. Com nomes complicados como fruto-oligossacarídeos, inulina e galacto-oligossacarídeos, parecem aditivos químicos suspeitos listados no rótulo de uma refeição congelada. Mas embora sejam compostos químicos como qualquer alimento – das cenouras (betacaroteno, ácido glutâmico e hemicelulose, por exemplo) à carne (dimetilpirazina, 3-hidroxi-2-butanona e muito mais) –, sua origem não é sintética. São encontrados em alimentos de origem vegetal – nas fibras não digeríveis que deveríamos estar comendo também. No entanto, também estão disponíveis na forma de suplementos alimentares.

Os benefícios dos prebióticos, isolados ou em suas embalagens originais deliciosas (particularmente presentes na cebola, no alho, no alho-poró, nos aspargos e na banana, para citar alguns), podem ser mais amplos que os dos probióticos. Sua eficácia foi constatada na recuperação de casos de intoxicação alimentar, no tratamento de irritações de pele e até na prevenção do câncer de cólon, mas as pesquisas ainda estão no estágio inicial. A boa notícia é que os prebióticos também podem ser um tratamento para a síndrome metabólica, pois encorajam a presença de bifidobactérias e *Akkermansia muciniphila*, que ajudam a vedar o intestino permeável, reduzir o apetite, aumentar a sensibilidade à insulina e estimular a perda de peso.

No fundo, o transplante fecal não é tão diferente de um probiótico: o objetivo dos dois é fornecer ao paciente micróbios benéficos ao intestino. Um costuma ser cultivado em laboratório, enquanto o outro é cultivado no ambiente ideal do intestino de alguém. É só uma questão de tempo antes que os dois conceitos se combinem. Com uma cápsula bem projetada que entregue seu conteúdo no local exato do intestino, a mesma comunidade de micróbios fecais que constituem a solução usada no transplante pode preencher um medicamento que será engolido com um copo d'água. Sua superioridade em relação a um probiótico composto de sobras da história científica – os lactobacilos – seria imensa, sem os inconvenientes, as despesas e a humilhação associada ao transplante fecal realizado por colonoscópio.

O professor Borody vem trabalhando no desenvolvimento de uma cápsula assim em colaboração com Alexander Khoruts. Em dezembro de 2014, no ambiente regulatório relativamente tranquilo da Austrália, ele já conseguiu usar a cápsula para curar um paciente australiano de *C. diff* pela primeira vez. Essas pílulas contêm a mesma solução fecal usada por Borody em transplantes, mas é ministrada por via oral.

A cientista do microbioma Dra. Emma Allen-Vercoe, porém, em meio às regulamentações mais rigorosas do Canadá, vem trabalhando em fezes sintéticas. Usando a mesma tecnologia aplicada nas pesquisas sobre o autismo – a câmara de cultura livre de oxigênio que chamam de Robogut –, ela e a especialista em doenças infecciosas Dra. Elaine Petrof, da Queen's University em Kingston, Ontário, prepararam um coquetel de micróbios conhecidos para substituir as fezes brutas em transplantes fecais. A receita dessa mistura vem sendo aperfeiçoada há 41 anos no intestino de uma mulher cuja saúde é perfeita. Achar alguém tão saudável assim levou quase o mesmo tempo.

Todos os anos, Allen-Vercoe ministra uma disciplina de microbiologia introdutória para cerca de trezentos alunos de graduação na Universidade de Guelph. E todos os anos faz ao grupo a mesma pergunta: alguém aí *nunca* tomou antibiótico? Ninguém jamais levanta a mão. Mesmo entre a população atlética, jovem e saudável de estudantes universitários, parecia impossível encontrar alguém cujos micróbios não tivessem sido sujeitos ao dano colateral potencial dos antibióticos. No entanto, ela acabou achando uma mulher que havia sido criada na área rural da Índia, onde os antibióticos não eram muito disponíveis. Quando criança, nunca tomara antibióticos e, depois de adulta, recebera uma única dose, após levar pontos no joelho. Ela estava fisicamente apta, saudável, sem doenças e seguia uma dieta orgânica, balanceada. Allen-Vercoe enfim achara a doadora de fezes perfeita.

As cientistas usaram as fezes de sua superdoadora para criar uma combinação singular de cultura de micróbios. Selecionaram 33 cepas bacterianas sabidamente não perigosas, fáceis de cultivar e elimináveis com antibióticos se necessário. Petrof tinha duas pacientes mulheres que estavam muito doentes havia meses, com infecções recorrentes de *C. diff* após um tratamento com antibióticos. Em vez de ministrar um transplante fecal tradicional, o plano foi semear o intestino das pacientes com fezes sintéticas. Horas depois, as duas mulheres estavam livres da diarreia e prontas para voltar para casa. Graças ao sucesso inicial desse tratamento, Allen-Vercoe e Petrof transformaram os Transplantes de Microbiota Fecal em algo muito mais moderno: Terapia de Ecossistema Microbiano.

Enquanto Allen-Vercoe, Petrof e Borody aperfeiçoam seus produtos e transpõem as barreiras necessárias, os transplantes fecais tradicionais vão continuar sendo o protocolo-padrão do tratamento de infecções recorrentes de *C. diff*. Mas o futuro do transplante fecal está na personalização. Tudo bem usar as fezes de um doador escolhido e examinado, mas por que não levar esse processo um passo adiante? Pense na escolha de um doador de esperma: as mulheres podem ver vídeos de um pai potencial sendo entrevistado sobre sua vida e seus pontos de vista, podem ler um currículo com suas realizações e seu histórico de empregos, percorrer estatísticas sobre a altura, peso, histórico médico e longevidade de sua estirpe genética: dos futuros avós e bisavós biológicos. Em essência, ao escolher um doador de esperma, as mulheres inspecionam a proveniência dos pequenos feixes de genes que serão misturados aos seus próprios – para complementá-los. Genes para saúde e genes para felicidade.

O mesmo vale para um doador de fezes. Tudo bem, os genes que você obtém vêm embalados em um papel de embrulho microbiano, não em um bando de células humanas especializadas, mas são genes mesmo assim. Genes que contribuem para a altura, para o peso, até para a longevidade. Genes para saúde e genes para felicidade.

É inevitável que, à medida que os transplantes fecais forem se tornando mais comuns, nós iremos, como consumidores, passar a exigir mais de nossos doadores. Embora se faça a triagem dos doadores para doenças relacionadas à microbiota e até para certos transtornos mentais, eles não são escolhidos a dedo nem individualmente compatibilizados. Mesmo sem descermos ao nível dos genes, é fácil imaginar os benefícios de um pouco mais de diferenciação. Que tal doadores vegetarianos para receptores vegetarianos, por exemplo? Presume-se que uma microbiota ajustada à sua dieta resultaria em uma transferência mais tranquila. Talvez um doador mais magro proporcionasse uma vantagem adicional a um receptor com excesso de peso em sua busca por saúde. E há a possibilidade de que traços de personalidade sejam compatibilizados – micróbios extrovertidos, alguém se habilita? Ou mesmo aprimorados – que tal um astral melhor graças a um excremento otimista? Quem sabe até uma dose de *Toxoplasma* para apimentar as coisas?

Por enquanto tudo isso é fantasia, mas lembra os debates sobre os "bebês projetados" dos anos 1990. Depois de dominarmos os detalhes sobre os genes microbianos e entendermos exatamente como interagem com os nossos, poderemos fazer transplantes fecais muito mais personalizados. Por ora, nos baseamos na ideia de que, se uma comunidade de micróbios do intestino é boa para uma pessoa, será igualmente boa para outra. Mas conforme nos aprofundarmos nas forças que moldam cada uma de nossas colônias pessoais – genética, alimentação, histórico, interações pessoais, viagens, etc. – sem dúvida seremos bem mais rigorosos na seleção dos micro-organismos que vamos adotar.

Querer restaurar uma microbiota saudável é ótimo, mas o que *é* uma microbiota saudável? Como Alexander Khoruts e Emma Allen-Vercoe descobriram, encontrar um adulto saudável o suficiente para ser considerado um bom doador de fezes não é fácil e mais de 90% dos voluntários não atendem aos critérios de triagem. Levando em consideração que essas pessoas são voluntárias porque se julgam saudáveis, a porcentagem real de pessoas ocidentais cuja microbiota vale a pena ser transplantada provavelmente começa com zero. Como comparar as microbiotas ocidentais, assoladas por antibióticos, repletas de gorduras e açúcares e privadas de fibras, com as microbiotas não adulteradas das pessoas que vivem em sociedades pré-industriais?

Não surpreende que a diferença seja grande. Uma equipe internacional de pesquisa liderada por Jeffrey Gordon, da Washington University, em St. Louis, Missouri, coletou fezes de mais de duzentas pessoas vivendo em duas culturas pré-industriais, rurais e tradicionais. O primeiro grupo veio de duas aldeias indígenas na Amazônia venezuelana, onde milho e mandioca formam a base de uma dieta rica em fibras e pobre em gorduras e proteínas. O segundo, cuja dieta era semelhante e dominada por milho e verduras, provinha de quatro comunidades rurais no sudeste do Malaui. A equipe de Gordon sequenciou o DNA da microbiota fecal de todos eles e comparou os grupos de micróbios encontrados com os de mais de trezentas pessoas vivendo nos Estados Unidos.

O gráfico com os dados da microbiota das três nacionalidades diferencia claramente as amostras de habitantes dos Estados Unidos daquelas das duas outras populações. Já a microbiota dos índios americanos e a dos habitantes do Malaui coincidiram, apresentando poucas diferenças relativas entre os micróbios que as compunham. Esses dois grupos de pessoas vivem a mais de 11 mil quilômetros de distância, mas seus microbiomas se assemelham mais entre si do que aos de pessoas vivendo em sociedades urbanas mais próximas. Não apenas a microbiota dos norte-americanos tem uma diferença clara em sua composição, mas também é menos diversificada. Enquanto os índios tinham em média mais de 1.600 grupos diferentes de micróbios e os habitantes do Malaui chegaram a 1.400, os norte-americanos tinham menos de 1.200.

É difícil não concluir que a microbiota dos norte-americanos é a aberração neste caso. Examinando os diferentes grupos bacterianos e as funções que desempenham, podemos julgar mais facilmente se a microbiota ocidental está danificada ou é apenas diferente. Os pesquisadores descobriram que os níveis de 92 espécies permitiam prever se a microbiota viera de um intestino norte-americano ou não. Destas, 23 pertenciam a um só gênero:

Prevotella. Você deve se lembrar dele. É o mesmo encontrado no intestino das crianças de Burkina Faso citadas no capítulo 6, que tinham esse grupo de bactérias devido à sua alimentação. As células de plantas fibrosas nos cereais, favas e verduras que comiam tornavam os membros do gênero *Prevotella* as espécies dominantes em sua flora intestinal. Obviamente, as amostras que continham essas 23 espécies de *Prevotella* pertenciam à microbiota dos habitantes de culturas pré-industriais.

Os pesquisadores também quiseram descobrir quais enzimas eram mais diferentes entre as amostras. As enzimas são as abelhas operárias do mundo molecular: cada uma tem uma função específica, decompondo proteínas, por exemplo, ou sintetizando vitaminas. Daquelas produzidas pelos micróbios no intestino das amostras, 52 se distinguiram. Na verdade, o microbioma dos norte-americanos continha *mais* genes para enzimas sintetizadoras de vitaminas. Eles também haviam produzido mais enzimas para decompor substâncias farmacêuticas, o metal pesado mercúrio e os sais de bile produzidos pelo consumo de alimentos gordurosos.

Em essência, as diferenças entre o microbioma das amostras refletiram as diferenças entre mamíferos carnívoros e herbívoros. Enquanto os micróbios no intestino dos norte-americanos eram especializados em decompor proteínas, açúcares e substitutos do açúcar, os do intestino dos índios e habitantes de Malaui eram mais adequados para decompor os amidos encontrados em plantas.

A restauração microbiana é um campo novo e incerto da medicina. Quaisquer que sejam as possibilidades médicas da probiótica, da prebiótica, dos transplantes fecais e da Terapia de Ecossistema Microbiano, vale o velho ditado: é melhor prevenir do que remediar. Nossa espécie chegou perto de perder para sempre a diversidade microbiana que nos torna humanos. Não fossem as sociedades remanescentes vivendo livres de antibióticos e de fast food em algumas partes do mundo, jamais saberíamos como a microbiota do intestino humano "deveria" ser. Agora, cabe àqueles de nós cujo ecossistema interno já reflete a perda de biodiversidade do planeta Terra virar o jogo para o bem de nossos filhos e netos.

CONCLUSÃO

A saúde no século XXI

Em 1917, o Rei George V, do Reino Unido, enviou telegramas a sete homens e dezessete mulheres em reconhecimento e celebração de seu centésimo aniversário. Assim começou uma tradição que dura até hoje, mas é a neta do Rei George quem assina os cartões. Porém a Casa Real tem mais trabalho agora, pois a Rainha Elizabeth II precisa assinar mais cartões de aniversário para centenários por *dia* do que seu avô assinava por ano. Hoje o número de cidadãos no Reino Unido que chegam à idade avançada de cem anos deixou de contar com dois dígitos e atinge a marca de 10 mil pessoas.

No século XX, nossa espécie encontrou os meios para controlar nosso mais velho e temido adversário. Com o advento das vacinações, das práticas médicas higiênicas, do saneamento da água e dos antibióticos, estendemos nossa expectativa de vida, que antes era de, em média, 31 anos. No mundo desenvolvido, onde essas quatro inovações estão mais amplamente disponíveis, o tempo de vida médio hoje se aproxima dos oitenta anos. Grande parte das mudanças que adiaram nossa morte se concentrou num período de uns cinquenta anos, da década final do século XIX ao fim da Segunda Guerra Mundial.

Agora, no século XXI, estamos começando um novo capítulo na atenção à saúde de nossa espécie. Viver muitos anos – como é costume no mundo ocidental – não é o único indicador de saúde. Mesmo quem chega aos 80 ou mais tem que conviver com a qualidade de vida que sua saúde física e mental permite. Para criancinhas aprisionadas no tormento do autismo, para os milhões de crianças sofrendo de irritações de pele, febre do feno, alergias alimentares e asma, para adolescentes que recebem a notícia de que terão que tomar injeções de insulina pelo resto da vida, para jovens adultos enfrentando a destruição progressiva de seu sistema nervoso e para os muitos milhões que estão com excesso de peso e sofrem de depressão e ansiedade, sua qualidade de vida é pior do que deveria.

A boa notícia é que, no mundo desenvolvido, já não temos que enfrentar a varíola, a pólio ou o sarampo – fato que representa um grande salto à frente. Mas as doenças do século XXI de que sofremos em lugar daquelas não são uma alternativa necessária, como implicava a hipótese higiênica original. Nossa busca por uma vida mais longa se transformou na busca por mais qualidade de vida. O dogma da hipótese higiênica e seu princípio central que defende que as infecções nos protegem de alergias e outros distúrbios inflamatórios precisam ser postos de lado na mente do grande público e da comunidade médica. Não é das infecções que estamos sentindo falta, mas dos Velhos Amigos. Agora sabemos que o apêndice, antes considerado um vestígio inútil de nosso passado evolutivo, é na verdade um refúgio microbiano, responsável por "educar" o sistema imunológico do corpo. A apendicite, longe de ser um aspecto inevitável da vida, é a consequência da perda de diversidade de nossa comunidade microbiana – dos Velhos Amigos que deveriam protegê-lo de patógenos invasores. Está ao nosso alcance redespertar essas antigas amizades, as mais velhas que nosso corpo conhece.

No capítulo 1, adotei uma abordagem epidemiológica para tentar desvendar a causa das doenças do século XXI, indagando onde ocorriam, quem afetavam e quando começaram. As respostas a essas perguntas refletiram as mudanças em nosso modo de vida proporcionadas pela riqueza e a engenhosidade do mundo desenvolvido, onde tomamos antibióticos para tudo, do resfriado mais simples às piores infecções. Onde a agroindústria depende desses mesmos medicamentos para turbinar o crescimento de seus animais e permitir que quantidades enormes de indivíduos geneticamente semelhantes fiquem apinhados em espaços pequenos e, mesmo assim, resistam às doenças. Onde nossa ingestão de fibras é a menor de que se tem registro. Onde, em vez de nascerem de maneira natural, tantas crianças são cirurgicamente removidas do nosso corpo. E onde milênios de leite materno foram abandonados a favor da fórmula infantil.

Essas mudanças se concentraram na década de 1940, quando os antibióticos se tornaram disponíveis, o fim da Segunda Guerra Mundial transformou nossa alimentação e as cesarianas e as mamadeiras se popularizaram. O que estava invisível até agora era o impacto dessas mudanças no nível microscópico. Milhares de gerações de evolução conjunta e cooperação com nossos parceiros simbióticos chegaram a um fim involuntário no dia em que declaramos guerra aos micróbios.

As doenças do século XXI afetam todos nós, de recém-nascidos a idosos, tanto homens quanto mulheres de todas as etnias. As mulheres enfrentam o impacto de muitas delas, sobretudo as doenças autoimunes, embora nunca tenha ficado claro por quê. Um belo experimento mostra que mesmo essa diferença entre os sexos está ligada à microbiota. Numa raça de camundongos geneticamente propensa a contrair diabetes tipo 1 conhecida como camundongos diabéticos não obesos (CDNOs), as fêmeas têm o dobro de chance de desenvolver a doença. Essa diferença entre os sexos deve estar ligada ao impacto dos hormônios no sistema imunológico. Castrar camundongos machos deixa-os mais vulneráveis, por exemplo. Mas em CDNOs criados livres de germes, a diferença entre os sexos desaparece. A microbiota parece controlar o risco da doença. Transferir a microbiota de camundongos machos para fêmeas protege-as de desenvolver diabetes, aparentemente por elevar seus níveis de testosterona. Mas essas diferenças específicas aos sexos só são evidentes após a puberdade, o que explica por que a diabetes tipo 1 nos seres humanos não tem diferença entre os sexos, já que tende a se desenvolver antes desse período. Em outras doenças autoimunes, como esclerose múltipla e artrite reumatoide, a disparidade entre mulheres e homens declina quanto mais tarde na vida a doença aparece.

Depois de *onde*, *quem* e *quando*, passei a perguntar *por que* e *como* as doenças do século XXI surgiram. Resumindo: nós danificamos nossa microbiota. Em termos simples, o desequilíbrio de nossas comunidades microbianas – em particular as do intestino – causa inflamação, e inflamação causa doença crônica. Esperávamos que o genoma humano se mostrasse uma mina de informações sobre as causas dos nossos problemas de saúde, mas a pesquisa de nossos genes revelou menos doenças determinadas pelos genes do que havíamos previsto. Pelo contrário, estudos de associação ampla do genoma só revelaram genes que afetam nossa *predisposição* a diferentes doenças. Essas variantes genéticas não são necessariamente erros, mas variações naturais que sob circunstâncias normais poderiam não levar a problemas de saúde. Mas num ambiente particular as diferenças genéticas podem tornar algumas pessoas mais propensas do que outras a desenvolverem uma doença específica. Foi revelador descobrir que muitas das variantes genéticas associadas às doenças do século XXI dizem respeito a genes ligados à permeabilidade da mucosa intestinal e à regulação do sistema imunológico.

Em 1900, as três principais causas de morte no mundo desenvolvido, ceifando a vida de um terço das pessoas, foram pneumonia, tuberculose e diarreia infecciosa. A expectativa média de vida era de aproximadamente 47 anos. Em 2005, as três principais causas de morte, tirando a vida de metade das pessoas, foram doença cardíaca, câncer e derrame. A expectativa média de vida estava em torno de 78 anos. Gostamos de pensar que essas são doenças típicas da velhice, uma consequência inevitável de viver mais. Mas as pessoas que moram em partes não ocidentalizadas do mundo, que sobreviveram às doenças infecciosas, a acidentes e à violência e chegaram à idade avançada, não tendem a morrer devido a essas três grandes categorias de doenças. O que estamos percebendo agora é que o coração não enrijece, as células não se multiplicam descontroladamente nem os vasos sanguíneos estouram só porque estão velhos. A visão emergente entre os cientistas médicos é que não se trata de doenças próprias da velhice, mas de uma consequência da inflamação crônica. Se existe um efeito da idade avançada, é que os insultos modernos que lançamos contra o nosso corpo tiveram o tempo necessário para gerar inflamação até o ponto da catástrofe. Se este é o caso, é possível termos uma velhice maravilhosa, sem décadas de inflamação acumulada.

Assim como a decodificação do genoma humano deu início a uma nova era da biologia, o reconhecimento da microbiota como um órgão oculto anunciou uma nova era na medicina. As doenças do século XXI trouxeram novos desafios para pacientes que chegaram a uma idade avançada, médicos que desejam oferecer cura e empresas farmacêuticas que estão criando drogas para consumo crônico. As terapias convencionais estão num beco sem saída no que tange a muitos distúrbios que nos afligem hoje. Tratamos a longo prazo, em vez de encontrarmos uma solução abrangente: anti-histamínicos para alergias, insulina para diabetes, estatinas para doença cardíaca e antidepressivos para doenças mentais. A busca pela cura desses distúrbios crônicos nos desconcerta – porque até recentemente não éramos capazes nem de localizar sua causa. Agora, com o reconhecimento de que a microbiota não é um mero espectador no funcionamento de nosso corpo, mas um participante ativo, temos uma nova oportunidade de enfrentar as doenças do século XXI em sua origem.

Então o que devemos fazer? O relacionamento com nossos micróbios está sendo ameaçado por três fatores: nosso consumo de antibióticos, a falta de fibras em nossa alimentação e as mudanças na maneira como semeamos e cultivamos a microbiota de nossos bebês. Podemos mudar cada um deles em termos coletivos e individuais.

Mudanças sociais

O princípio central da ética médica é "Não prejudique". Cada tratamento traz o risco de efeitos colaterais indesejados, e os médicos precisam pesar esses riscos em relação aos benefícios do medicamento. Até agora, as consequências indesejadas do consumo de antibióticos eram vistas como pequenas e insignificantes. Ao reconhecermos a importância da microbiota para a saúde humana, precisamos aceitar também que tomar antibióticos às vezes pode fazer mais mal do que bem. Mesmo quando tratam com sucesso alguma infecção, podem causar danos que deveríamos evitar. Já temos um bom motivo para reduzir o consumo de antibióticos: a questão da resistência. Apesar desse risco, o problema não tem se mostrando suficientemente preocupante para persuadir médicos e pacientes a fazerem esforços significativos para reduzi-lo. Mas, se levarmos em conta as consequências profundamente pessoais do dano colateral à microbiota, talvez possamos passar a tratar os antibióticos como tratamos a quimioterapia: um conjunto de medicamentos com graves consequências para as células saudáveis, a que só devemos recorrer quando os benefícios superem os custos.

A sociedade pode tomar algumas providências para reduzir a dependência dos antibióticos e o impacto desses medicamentos quando não houver alternativa. Sabemos que os médicos os receitam em excesso, mesmo quando é provável que a doença do paciente seja viral, não bacteriana. O problema é que, em geral, um médico não tem como dizer quais pacientes estão doentes devido a um vírus e quais devido a uma bactéria. Na situação atual, descobrir o patógeno causador de uma infecção qualquer envolve enviar amostras para exame ou cultura e esperar vários dias pelo resultado.

Para muitos pacientes – e muitas infecções –, isso é demorado demais. Portanto, o primeiro passo na redução do consumo desnecessário de antibióticos seria desenvolver biomarcadores rápidos, capazes de identificar a fonte de uma infecção em questão de minutos ou horas, a partir de amostras de coleta fácil, como fezes, urina, sangue ou mesmo o hálito.

Atualmente, o fato de muitos antibióticos serem de amplo espectro é visto como uma vantagem. Os médicos nem sequer precisam saber qual espécie bacteriana é a responsável por uma infecção para poder tratá-la – é provável que uma droga de amplo espectro já seja eficaz. Mas, num mundo ideal, seríamos capazes de identificar depressa a bactéria por trás de uma infecção para poder atacá-la usando um antibiótico preciso. Descobrindo moléculas específicas a cada patógeno, poderíamos criar antibióticos que destruíssem somente aquele patógeno, poupando a microbiota benéfica que normalmente sofreria com os danos colaterais. Justificar a despesa extra de desenvolver tais medicamentos – um para cada patógeno – dependeria de uma mudança: deixaremos de pagar mais à frente pelas consequências dos danos colaterais para pagar logo no início por uma cura menos arriscada para as infecções.

Reconhecer a importância da microbiota não se resume à redução no consumo de antibióticos. Poderíamos aproveitar alguns micróbios benéficos como aliados na luta contra patógenos. Ao resistir à colonização por patógenos como *Staph. aureus*, *C. diff* e *Salmonella*, nossa microbiota nos presta um grande favor. Estimular suas defesas com o uso de probióticos melhores nos ajudaria a combater infecções e reduzir inflamações.

Entender e manipular a microbiota de um indivíduo para melhorar os resultados dos medicamentos seria o próximo passo na medicina personalizada. O remédio digoxina, para problemas cardíacos, por exemplo, necessita de uma abordagem individual. No momento, os médicos precisam fazer um jogo de adivinhação para decidir que dose prescrever aos pacientes. Durante semanas ou meses, precisam ajustar a dosagem de cada paciente tratado, equilibrando custo e benefício. A variação na reação do paciente não se deve a diferenças genéticas, mas à composição de sua flora intestinal. Pacientes que abrigam uma única cepa da bactéria *Eggerthella lenta* reagem mal à digoxina, porque esse micróbio comum do intestino desativa o medicamento, tornando-o ineficaz. Se os cardiologistas soubessem quais pacientes portam *E. lenta*, poderiam recomendar a eles o aumento da ingestão de proteína, já que o aminoácido arginina impede a desativação da digoxina por essa bactéria.

As reações aos medicamentos estão longe de serem previsíveis. Os 4,4 milhões de genes extras da microbiota, em parte herdados e em parte adquiridos, desempenham um papel importante na reação de um indivíduo a uma medicação. Os micróbios conseguem ativar, desativar os remédios ou torná-los tóxicos. Em 1993, a interferência do microbioma a tratamentos custou caro a dezoito pacientes japoneses que haviam desenvolvido herpes-zóster enquanto sofriam de câncer. Sua flora intestinal normal havia transformado o medicamento contra herpes-zóster num composto químico que tornava seu tratamento anticâncer letalmente tóxico. Os perigos da interação já eram conhecidos quando o remédio contra herpes-zóster foi aprovado, e o rótulo dele trazia uma advertência contra sua ingestão junto com remédios anticâncer. Infelizmente, na época, os médicos japoneses costumavam não revelar o diagnóstico de câncer a seus pacientes e prescreviam remédios sem grandes explicações.

É fácil imaginar que poderíamos começar o sequenciamento genético dos micróbios dos pacientes, não apenas para ajudar no diagnóstico, mas também para assegurar que recebam a medicação mais apropriada nas doses corretas. Manipular a microbiota pelo acréscimo ou remoção de espécies específicas poderia ajudar a reduzir os efeitos colaterais, melhorar os resultados e garantir a segurança. Como o sequenciamento do DNA está ficando cada vez mais barato, a ideia de que poderíamos monitorar o microbioma para avaliar os riscos à saúde e mapear melhorias torna-se cada vez mais realista.

Nosso abuso dos antibióticos estende-se à agropecuária. Na União Europeia, os fazendeiros não estão mais autorizados a usar antibióticos com o único intuito de promover o crescimento do rebanho, mas acabam simplesmente utilizando-os como "tratamento". Os Estados Unidos estão bem atrás no que diz respeito à proibição do uso de antibióticos para promover o crescimento, embora o Food and Drug Administration tenha anunciado sua intenção de limitar seu uso. Não são apenas os produtos animais que são afetados pelo uso de antibióticos, já que o esterco contaminado por essas drogas pode ser usado legalmente para fertilizar mesmo horticulturas orgânicas. No final, a agropecuária sem antibióticos (nem pesticidas, hormônios ou outros medicamentos cuja segurança é questionável em seres humanos) custará mais, mas onde você prefere pagar: no caixa do supermercado ou dia após dia, com problemas de saúde, custos médicos extras e altos impostos para manter os serviços de cuidado à saúde funcionando?

Quando se trata de nossa alimentação, estamos cercados de controvérsias. O que é pior: manteiga ou óleo? Quantas calorias diárias deveríamos ingerir? Nozes fazem bem ou mal? Devemos reduzir os carboidratos ou as gorduras se queremos perder peso? Nem mesmo os especialistas conseguem concordar nas respostas a essas perguntas, mas será difícil achar algum que diga que não deveríamos comer mais fibras.

Na Grã-Bretanha, foi lançada a campanha *Five-a-Day*, para fazer com que as pessoas comam ao menos cinco porções de frutas e verduras por dia, em 2003. Ela agora está tão entranhada na consciência dos britânicos que as pessoas brincam quando falam sobre vinho, geleia e doces com sabor de fruta, chamando-os de "um dos meus cinco por dia". Na Austrália, a mensagem de saúde pública é "*Go for 2&5*", ou seja, duas porções de frutas e cinco de legumes. Parece que essas mensagens tiveram algum impacto sobre os hábitos alimentares das pessoas, mas o problema é que o foco tem recaído sobre vitaminas e minerais, não sobre as fibras. Assim, os fabricantes de alimentos aproveitam a oportunidade para divulgar seus produtos, alimentos diferentes como purê de tomate e suco de fruta obtiveram o selo de aprovação como contribuintes para essa quota. As frutas, muitas vezes em forma de suco ou passadas no liquidificador, recebem mais atenção que os legumes, e outros alimentos vegetais como cereais, sementes e nozes são totalmente ignorados. As fibras, ao que parece, não ganharam o foco que deveriam. Uma mensagem melhor? Coma mais plantas.

Talvez a maior dificuldade que enfrentamos coletivamente quando se trata de alimentos seja o ritmo apressado da vida. A falta de tempo costuma ser responsável pela falta de fibras. Quando o tempo de preparação é escasso, em geral recorremos a refeições congeladas que não se destacam pelo alto teor de legumes, requentadas às pressas em algum micro-ondas. Mesmo as frutas são embaladas para a conveniência e rapidez – transformadas em suco ou passadas no liquidificador e depois engarrafadas –, eliminando a necessidade de descascar e cortar. Para uma cultura tão focada na comida, dedicamos muito pouco esforço ao ato de comer.

~

Finalmente, chegamos aos bebês. Nos últimos cem anos, fizemos grandes avanços nos cuidados pré-natais e na redução na mortalidade infantil, sobretudo de bebês prematuros. E, após décadas de uma alimentação focada na mamadeira, avançamos bastante, ao menos nos países desenvolvidos, para restabelecer o leite materno como o principal alimento para os lactentes. Mas em outros sentidos estamos retrocedendo. Depositamos muita confiança na ciência e na medicina, e damos um valor enorme à liberdade de escolha. Como resultado, em muitas cidades, as cesarianas são mais comuns do que os partos normais. Deveríamos ser cuidadosos com essa intervenção: há pouca pesquisa sobre os impactos à saúde das mulheres e crianças, particularmente em circunstâncias de "boa saúde", como durante a gravidez, o trabalho de parto e o nascimento.

Obstetras e parteiras precisam conhecer as consequências microbianas das cesarianas e das fórmulas infantis – e as mães *merecem* conhecê-las. As técnicas usadas para trazer os bebês ao mundo se baseiam em nosso conhecimento em constante evolução do que é melhor para a mãe e o bebê. O resultado é que as cesarianas demonstraram não ser tão seguras quanto julgávamos: a comunidade microbiana alterada que um bebê recebe pode afetar sua saúde por dias, meses e anos a fio.

A consequência é que transformamos uma geração inteira de crianças em cobaias de um enorme experimento. O que acontece quando você retira bebês cirurgicamente, muitas vezes dias ou semanas antes de estarem preparados para nascer, em vez de deixar que eles determinem o momento certo de sua passagem pelo canal vaginal? Micróbios à parte, o que acontece quando você priva um bebê dos hormônios liberados durante o trabalho de parto ou da pressão de ser empurrado para o mundo? O que acontece com o corpo de uma mãe quando ela passa de grávida a não grávida pelo mero corte do bisturi de um cirurgião, em vez das horas de preparação química e física do parto? Estamos apenas começando a descobrir as respostas a essas perguntas. Em termos coletivos, devemos reservar as cesarianas para bebês e mães que realmente precisem, deixando a natureza seguir seu curso com os outros.

A geração anterior de crianças também serviu de cobaia em outro experimento: o que acontece quando você alimenta os bebês com o leite da mãe de um bezerro, em vez do seu próprio? Esse experimento persiste para cerca de um quarto dos bebês nascidos nos países desenvolvidos atualmente. Claro que existe um pequeno número de mulheres (segundo as estimativas, menos de 5%) incapazes de produzir o leite necessário para satisfazer as necessidades de seus bebês. Outras têm dificuldades reais em fazer a amamentação dar certo para si e seu recém-nascido. Apoiar essas mulheres e fornecer alternativas de boa qualidade ao leite materno direto do seio, seja por meio de leite extraído, leite humano doado ou fórmula infantil, é crucial. Nossos conhecimentos crescentes sobre os oligossacarídeos presentes no leite humano e os micróbios supridos pelo leite materno são uma importante contribuição para o desenvolvimento de leites em pó melhores, dando um verdadeiro apoio às mães incapazes de amamentar e às que optam por não fazê-lo.

Se parteiras, obstetras e trabalhadores da área de saúde comunitária estiverem atualizados sobre as mais recentes descobertas sobre leite materno, poderão oferecer melhores conselhos e apoio aos pais no momento de avaliarem as opções e equilibrarem as exigências da vida sobre eles e seus bebês.

Mudanças individuais

No mundo desenvolvido, temos a sorte de nossa saúde depender em grande medida das escolhas que fazemos. Ao contrário dos genes que seus pais lhe deram e das infecções a que o ambiente o expõe, você pode moldar, cultivar e cuidar dos micróbios que abriga em seu corpo. Na idade adulta, a comida que você come e os medicamentos que toma determinam os micróbios que possui. Trate-os bem que eles vão retribuir o favor. Se estiver planejando ter filhos, a microbiota deles depende dos pais, especialmente se você vai ser mãe.

Sou a favor da liberdade de escolha – que ao mesmo tempo marca sua presença e torna a liberdade possível. A escolha está no centro de uma sociedade civilizada e capacita os indivíduos a melhorarem a própria vida. Mas não há sentido em tomar decisões ignorando as informações disponíveis. As pesquisas científicas dos últimos cinquenta anos sobre a microbiota revelaram uma nova camada de complexidade e controle no corpo humano, oferecendo uma nova visão sobre como nosso corpo – na verdade, um superorganismo – está programado para funcionar. As opções que você faz com essas informações cabem a você. Tudo o que sugiro é que você tome essas decisões de forma consciente.

Estou defendendo que você assuma o controle consciente sobre sua alimentação.

Muitos de meus amigos médicos estão sobrecarregados e contam que uma das maiores frustrações de seu dia a dia é a dificuldade em ajudar pacientes que não querem se ajudar. O que com frequência gostariam de prescrever é um estilo de vida ativo e uma dieta saudável – pobre em gorduras, açúcar e sal e rica em fibras. Alguns pacientes não querem ouvir isso e simplesmente preferem resolver seus problemas com remédios. Eles não entendem que a comida *é* um remédio.

Nós, os seres humanos, evoluímos para sermos onívoros. Nosso corpo espera receber muitas plantas e um pouco de carne. Só que muitos de nós comemos um monte de carne e umas poucas plantas – além de um montão de alimentos que mal sabemos dizer se são de origem animal ou vegetal. Se você optar por aumentar sua ingestão de fibras comendo mais alimentos vegetais, faça-o devagar e de forma gradual, para dar à sua microbiota tempo de se adaptar. Uma avalanche de fibras num intestino povoado por micróbios mais habituados a uma dieta rica em gorduras, proteínas e carboidratos simples pode produzir alguns efeitos indesejados. Lembre-se de que verduras, sementes e leguminosas (ervilhas, feijões e assemelhados) tendem a conter mais fibra e menos açúcar do que as frutas, e de que passá-las pelo liquidificador ou transformá-las em suco pode reduzir o teor de fibra e aumentar o acesso a calorias digeríveis por enzimas humanas que serão absorvidas no intestino delgado. Se você já sofre de algum distúrbio gastrointestinal, fale com seu médico antes de mudar sua alimentação.

Ingerir alimentos de origem vegetal que estimulem um equilíbrio microbiano benéfico será a base para uma boa saúde. Faça a escolha consciente de comer mais plantas.

Defendo que você tome uma decisão consciente sobre o uso de antibióticos.

Vou ser clara: os antibióticos são medicamentos capazes de salvar vidas e, em muitas situações, seus benefícios ultrapassam seus riscos. Sim, precisamos levar a microbiota em consideração em nossas escolhas sobre quando tomar antibióticos, mas, sem eles, não poderíamos sequer nos dar ao luxo de cuidar de nossos micróbios benéficos. A questão não é que os antibióticos sejam "ruins" – eles são uma arma crucial em nosso arsenal contra bactérias patogênicas. Só não precisamos usar granadas para matar uma barata.

Os médicos não são os únicos que devem ser responsabilizados pelo uso excessivo de antibióticos. Com frequência, um clínico geral atenderá até vinte pacientes antes de conseguir fazer uma pausa para o almoço. Com menos de dez minutos para ouvir um relato, fazer um diagnóstico, aconselhar o paciente preocupado e prescrever um remédio adequado, o médico muitas vezes acaba receitando ao paciente insistente o que ele deseja apenas para conseguir passar para a próxima consulta, igualmente importante, de dez minutos. Faça uma escolha consciente: *você* quer ser esse paciente insistente?

Existem alguns passos para ajudá-lo a decidir se precisa de antibióticos. Primeiro, considere esperar um ou dois dias para ver se seus sintomas melhoram. Observe que eu disse *considere* – use o bom senso. Segundo, se seu médico oferecer antibióticos, sugiro que faça estas perguntas a ele:

1. Com que grau de certeza você pode afirmar que esta infecção é bacteriana, não viral?
2. Os antibióticos vão me deixar muito melhor ou farão com que minha recuperação seja mais rápida?
3. Quais os riscos de não tomar o antibiótico e deixar meu sistema imunológico combater a infecção por conta própria?

Com frequência não há uma resposta clara sobre qual alternativa deveríamos escolher quando se trata de tomar antibióticos, mas tome uma decisão consciente, sabendo que os antibióticos tanto podem fazer mal quanto ajudar. Avaliar se os benefícios superam os custos é a função de um paciente informado que vai se consultar com um médico igualmente informado.

Por fim, se o tratamento de sua doença pode incluir uma boa dieta capaz de ajudar sua microbiota, pense em adotá-la. Isso sempre será uma boa base para melhorar sua saúde. Lembre-se de que não se trata de uma ciência exata. A constituição de sua microbiota, sozinha, não é capaz (ao menos por enquanto) de revelar quais doenças você pode ter.

Quer opte por tomar antibióticos ou não, faça sua escolha de maneira consciente.

Defendo que você faça uma escolha consciente sobre como vai dar à luz e alimentar seu bebê.

Recebemos tantas informações e conselhos sobre gravidez e criação dos filhos hoje em dia que às vezes temos a sensação de que nossos instintos naturais foram sufocados. A boa notícia é que nossa compreensão cada vez maior da microbiota nos fornece uma base direta para tomarmos decisões quanto ao que é melhor para nossos filhos: se tudo correr bem, fique com o que é natural. Se não correr bem, cesarianas e mamadeiras estão aí para ajudar.

O melhor é estar preparado e atento. Faça uma escolha consciente sobre como vai dar à luz, criando um plano de nascimento que inclua dotar seu bebê com as sementes de uma microbiota saudável. A melhor forma de fazê-lo é por meio de um parto normal. Se optar pela cesariana ou ela for inevitável, pense em adotar as técnicas de transferência microbiana de Maria Gloria Dominguez-Bello. Compartilhe seu plano com seu parceiro, seu médico e sua parteira.

Tome uma decisão consciente sobre como vai alimentar seu bebê, lembrando que o leite materno fortalece as sementes de microbiota que ele recebeu durante o nascimento. Se quiser amamentar, acumule conhecimentos, apoio e determinação antecipadamente – várias dicas podem ser encontradas na internet, inclusive no site da Organização Mundial da Saúde, que oferece, junto com informações e conselhos, recomendações para a duração ideal da amamentação que vai determinar a saúde e a felicidade dos bebês. Mas não se desespere se não funcionar – existem várias maneiras de cultivar a microbiota de seu filho.

Há mais boas notícias para você e sua prole. Podemos relaxar quanto aos "germes". A maioria dos micróbios que os bebês encontram no dia a dia não lhe farão mal. Na verdade, vão contribuir para uma microbiota diversificada e ajudar a educar o sistema imunológico das crianças. Usar sprays, sabonetes e lenços antibacterianos provavelmente fará mais mal do que bem.

Quaisquer que sejam suas escolhas, faça-as de forma consciente.

~

Em 2000, alguns dos membros mais inteligentes de nossa espécie decifraram o código de DNA responsável por criar quatro novos seres humanos por segundo. Foi um momento decisivo para a espécie, com uma importância toda especial para mim, que embarcava na carreira da biologia. Passeando pela London's Wellcome Collection anos depois e observando os volumes impressos de As, Ts, Cs e Gs que constituem o genoma humano, ainda sinto um arrepio pela natureza grandiosa dessa realização. Fiquei encantada com o fato de aqueles 120 volumes conterem a alma da humanidade e de termos sido capazes de captar essa essência no papel, reforçando meu fascínio pela carreira que escolhera.

Difícil imaginar que a decifração do microbioma, mesmo representada numa obra de arte tão icônica, pudesse ter o mesmo impacto mágico da decodificação do genoma. Mas nossa percepção nos últimos dez ou vinte anos de que os micróbios do corpo são parte de nós e de que seus genes fazem parte de nosso metagenoma pode ser algo ainda mais significativo para a vida dos seres humanos. A microbiota é um órgão – o órgão esquecido e oculto – do corpo humano e contribui para nossa saúde e felicidade como qualquer outro. Mas esse novo órgão não é imutável como os outros e, ao contrário dos nossos genes humanos, os genes microbianos não são fixos. Tanto as espécies que abrigamos quanto os genes que contêm são nossa propriedade – estão sob nosso controle. Você não pode escolher seus genes, mas com certeza pode escolher seus micróbios.

O conhecimento do relacionamento íntimo que temos com a nossa microbiota joga uma nova luz sobre nosso corpo e nosso estilo de vida. Trata-se de uma ligação inevitável com nosso passado evolutivo, que liga nossa vida moderna em macroescala – rica em tecnologia e pobre em natureza – às suas raízes. Desde que Darwin escreveu *A origem das espécies*, debatemos os papéis desempenhados pela natureza e a criação sobre o estabelecimento de nossa identidade. Um homem é alto porque seu pai também é alto ou porque cresceu com uma abundância de comida saudável à sua disposição? Uma criança é inteligente porque sua mãe é inteligente ou porque teve os melhores professores? Uma mulher desenvolve câncer de mama por causa dos genes que possui ou porque tomou hormônios sintéticos? Trata-se de uma falsa dicotomia, é claro. Tanto a natureza quanto a criação influenciam a grande maioria dos nossos traços distintivos e de nossas doenças. Se o Projeto Genoma Humano nos ensinou algo, é que os genes – a natureza – podem nos *predispor* para uma série de doenças, mas se vamos desenvolvê-las ou não é algo que depende de nosso estilo de vida, da nossa alimentação e das coisas a que somos expostos. Em suma, do nosso ambiente: a criação.

Agora temos um terceiro personagem, situado de forma incômoda entre natureza e criação. Embora o microbioma a rigor seja uma força ambiental que está agindo sobre nossas características finais, ele, ao mesmo tempo, *é* genético e herdado. Não através de óvulos, espermatozoides e genes humanos, mas uma boa parte do microbioma é transmitida pelos pais, especialmente pela mãe, à prole. Muitos pais esperam transmitir o melhor de si aos seus filhos, além de proporcionar a eles o ambiente mais feliz e saudável possível. O microbioma – com sua influência genética e um controle ambiental – dá aos pais o poder de fazer as duas coisas.

Apesar de toda a badalação, nosso genoma humano não correspondeu às nossas expectativas de se tornar um projeto e uma filosofia de vida. "Está no nosso DNA", costumamos dizer ao lidarmos com nossa humanidade e nossas idiossincrasias, mas na verdade sabemos que nosso próprio código genético oferece poucas instruções para nossa vida diária. Aqueles outros 90%, porém – aqueles outros 100 trilhões de células e 4,4 milhões de genes –, também fazem parte de nós. Nós evoluímos lado a lado e não podemos viver sem eles. Pela primeira vez, a teoria da evolução de Darwin e nossos outros 90% estão nos mostrando como viver.

Acolher os micróbios que viajaram conosco por milhões de anos é o primeiro passo para aprendermos a valorizar quem realmente somos e, no fim, nos tornarmos 100% humanos.

EPÍLOGO

100% humano

No inverno de 2010, quando sentia uma dor quase constante e lutava para permanecer acordada por mais de dez horas ao dia, eu estava disposta a tentar qualquer coisa para ficar boa. A possibilidade de que antibióticos pudessem me curar das infecções que vinham infernizando a minha vida era um sonho que eu mal podia acalentar. Sempre serei grata por essas drogas poderosas terem devolvido minha saúde e a plenitude da vida.

Elas me deram algo mais: a consciência dos 100 trilhões de amigos com os quais compartilho meu corpo. Aprender sobre a contribuição que eles dão à minha saúde e à minha felicidade me deu uma perspectiva inteiramente nova, tanto sobre a minha vida quanto sobre a vida no sentido biológico: a existência e coexistência de seres vivos. Na raiz de minha pesquisa para este livro estava uma busca pessoal. Eu queria saber se havia involuntariamente danificado minha saúde ao causar danos à minha comunidade de micróbios, porém, mais que isso, eu queria saber se seria capaz de reconstruir uma microbiota que pudesse me ajudar a ter uma saúde melhor.

A beleza da microbiota é que, ao contrário de nossos genes, temos certo controle sobre ela. Quando comecei minha pesquisa para este livro, enviei uma amostra dos micróbios do meu intestino para o American Gut Project. Ao sequenciarem seções do DNA de minhas bactérias, os pesquisadores do projeto puderam me informar quais espécies eu abrigava. Embora eu tenha ficado satisfeita por saber que restavam ao menos alguns micro-organismos após tantos antibióticos, fiquei preocupada com a predominância de dois filos – *Bacteroidetes* e *Firmicutes* – em detrimento dos outros. Parecia que a diversidade era algo importante. Eu me perguntei se conseguir alguns micróbios adicionais poderia ser bom para mim e se comer bem poderia me ajudar a obtê-los.

Entre os grupos detectados em minha amostra, fiquei fascinada ao constatar uma proporção excepcionalmente alta de um gênero chamado *Sutterella*. Durante a doença, eu havia desenvolvido uma tendência a apresentar "tiques nervosos" quando ficava cansada: os músculos do rosto e do pescoço se contraíam de forma involuntária. Aquilo era irritante e um tanto perturbador. Descobri que bactérias desse gênero também eram abundantes em pessoas com autismo – das quais muitas sofrem de tiques bastante parecidos com os meus. Será que as *Sutterella* extras eram responsáveis por meus tiques? Por enquanto, é impossível saber ao certo, já que restam ainda muitas pesquisas por fazer, mas aquilo com certeza foi instigante. Claro que vale a pena lembrar que esse campo da ciência ainda está engatinhando. Levaremos um tempo para descobrir exatamente quais papéis os genes, as espécies e as comunidades microbianas desempenham em nossa saúde e felicidade, além de ainda não dispormos dos conhecimentos necessários para diagnosticar problemas de saúde a partir da configuração de nosso microbioma.

Antes de tomar conhecimento da existência da microbiota – da *minha* microbiota – eu pensava pouco no que comia. Eu não acreditava na ideia de que "você é o que come" e era cética em relação à noção de que os alimentos pudessem ter um impacto de curto prazo na minha saúde e em meu bem-estar. Eu me alimentava de forma relativamente saudável, nunca exagerava no fast food ou nos doces, mas não estava muito interessada nos legumes, frutas e verduras, comendo apenas uma ou duas porções diárias. Além disso, não tinha ideia do escasso teor de fibras de minhas refeições. Sempre fui magra, o que considerava um sinal de que minha alimentação era saudável. Agora, porém, penso na comida de forma totalmente diferente. Penso não apenas na nutrição que as células humanas podem extrair, mas também no que minhas células microbianas vão comer.

Não precisei fazer muitas mudanças para me adaptar à minha microbiota – minhas refeições continuam parecidas, apenas com um maior teor de fibras. Meu desjejum, por exemplo, deixou de ser uma tigela de cereal matinal – embalado, com conservantes, açucarado e pobre em fibras – e se transformou numa tigela de aveia, trigo e cevada integrais misturados com nozes, sementes, frutas vermelhas frescas, iogurte natural vivo e leite.

É mais gostoso, mais barato e uma festa para os meus micróbios. Continuo comendo uma fritura ou outra nos fins de semana, mas me certifico de que venham acompanhadas de feijões ou uma porção de cogumelos. O arroz branco deu lugar ao integral. Lentilhas substituem as massas de vez em quando. Pão de centeio denso, com nozes, ocasionalmente substitui as fatias torradas de pão branco macio. E, qualquer que seja a comida no almoço, acrescento uma tigela de ervilhas descongeladas no micro-ondas ou espinafre ao vapor. Pelos meus cálculos, aumentei meu consumo de fibras de uns 15 gramas diários para cerca de 60, e foi surpreendentemente fácil. O desjejum sozinho costumava conter apenas 2 gramas de fibras e agora vem abarrotado com 16 gramas – a mesma quantidade que eu comia em um dia inteiro antes.

Então o que essas mudanças alimentares fizeram com minha microbiota? Mandei uma segunda amostra para ser sequenciada depois que passei a ter uma dieta mais amigável com os micróbios. Pode não ser muito científico, mas definitivamente é gratificante ver meus esforços refletidos na minha população microbiana. No topo da lista de mudanças está um florescimento de ninguém menos que nosso velho amigo *Akkermansia*, cuja associação com a magreza foi mostrada no capítulo 2. A segunda amostra continha uma quantidade sessenta vezes maior dessa espécie. Consigo até imaginá-las gentilmente persuadindo minha mucosa intestinal a produzir uma bela e espessa camada de muco, protegendo meu corpo da invasão das moléculas de LPS que perturbam o sistema imunológico e alteram a regulação de energia.

A equipe responsável por produzir butirato, formada por *Faecalibacterium* e *Bifidobacterium*, também ficou muito mais numerosa após minha intervenção dietética. Gosto de pensar nelas ajudando as células da mucosa intestinal a permanecerem coesas, acalmando meu sistema imunológico. Até aqui tudo bem, mas houve algum impacto sobre a minha saúde? Parece que as coisas estão melhorando – minha fadiga diminuiu e minhas erupções cutâneas cessaram, ao menos por ora. O tempo dirá se foi por sorte, efeito placebo ou um resultado genuíno de passar a comer mais fibra, mas não é algo de que eu vá desistir. É claro que as mudanças em minha microbiota após adotar uma dieta rica em fibras não são permanentes. Para sustentar indefinidamente os micróbios que ela alimenta, tenho que manter o teor de fibra das minhas refeições no nível apropriado.

Agora, comer de modo a beneficiar minha microbiota tem uma relevância que vai além da minha própria saúde. Ao considerar a ideia de me tornar mãe, acho que tenho mais motivos do que nunca para cuidar de todas as minhas células, tanto humanas quanto microbianas. Supondo que os antibióticos mudaram para pior minha microbiota, devo recuperá-la ao máximo antes de transmiti-la aos meus futuros filhos. Se comer plantas me ajuda a conseguir isso, então essa é a escolha consciente que faço.

Até recentemente, eu tinha poucas convicções no tocante ao nascimento e à criação de bebês. Eu apenas confiava que a medicina moderna forneceria os melhores cuidados para mim e meu filho. Hoje continuo confiando – mas somente se as coisas derem errado. Se não – se tudo correr bem – fico com a natureza: o processo de parto usado pelos mamíferos por milhões de anos e o leite que evoluiu de forma a ser perfeito para aquele humano em crescimento. Transmitir uma microbiota que não consista nos micróbios da pele de minha barriga e das mãos dos obstetras e enfermeiros é agora uma prioridade para mim. Se a cesariana for a única opção, pretendo imitar a natureza, esfregando meu bebê com micróbios vaginais como sugere Maria Gloria Dominguez-Bello. Quanto à amamentação, sinto-me preparada para conseguir o máximo de informações, força e apoio para enfrentar dias difíceis de dor, exaustão e inexperiência com um novo bebê. E espero ser capaz de dar de mamar de acordo com as diretrizes da Organização Mundial da Saúde: seis meses de amamentação exclusiva, com amamentação adicional até os dois anos ou além. Este é meu objetivo e minha escolha consciente.

Finalmente chegamos aos antibióticos. Essas drogas extraordinárias me fizeram dar uma volta completa, deixando para trás um passado de doença infecciosa e passando a um presente de doenças do século XXI. Elas me devolveram uma qualidade de vida que eu temia jamais recuperar, mas ao longo do caminho me levaram a um território novo que eu nunca antes experimentara. A lição não é que os antibióticos sejam ruins. Eles são preciosos, imperfeitos e cobram um preço. Desde a última dose do meu tratamento, tive a sorte de não precisar mais tomá-los. Se eu, ou meus filhos, precisássemos deles de novo – se precisássemos mesmo – eu não hesitaria. Eu os tomaria junto com probióticos, na esperança de reduzir o risco e os danos colaterais. Mas se tivesse a opção de esperar para ver se meu sistema imunológico conseguiria enfrentar a infecção sozinho, essa seria a minha escolha consciente.

Quanto a mim e meus micróbios, estamos reconstruindo nossa relação aos poucos. Sem antibióticos, minha vida seria bem diferente, mas, agora que estou recuperada, de uma coisa eu sei: meus micróbios devem vir em primeiro lugar. Afinal, sou apenas 10% humana.

AGRADECIMENTOS

Costumo argumentar que a ciência é a fonte mais fidedigna de ótimas e novas histórias que o mundo tem a oferecer. O reconhecimento do papel desempenhado por nossos 100 trilhões de micróbios em nossa saúde e felicidade e o dano que estamos involuntariamente causando a eles é uma dessas histórias. As reviravoltas da trama têm sido, e continuam sendo, reveladas e detalhadas por centenas de cientistas, e sou grata a eles por me proporcionarem uma narrativa tão rica e fascinante. Esforcei-me ao máximo por reproduzir suas descobertas com fidelidade, e quaisquer erros são meus.

Dois cientistas que trouxeram contribuições notáveis à ciência da microbiota ofereceram uma colaboração igualmente notável à minha pesquisa. Patrice Cani e Alessio Fasano discutiram o trabalho deles, leram o meu livro e responderam às minhas perguntas com entusiasmo e detalhes. Os agradecimentos especiais vão para Derrick MacFabe, Emma Allen-Vercoe, Ted Dinan, Ruth Ley, Maria Gloria Dominguez-Bello, Nikhil Dhurandhar, Daniel McDonald, Tony Walters, Garry Egger e Alison Stuebe, que me deram uma ajuda enorme, oferecendo-me um tempo de que mal dispunham. Sou grata também a Gita Kasthala, David Margolis, Stuart Levy, Jennie Brand-Miller, Tom Borody, Peter Turnbaugh, Rachel Carmody, Fredrik Bäcked, Paul O'Toole, Lita Proctor, Mark Smith, Lee Rowen, Agnes Wold, Erin Bolte, Eugene Rosenberg, Franz Bairlein, Jasmina Aganovic, Jeremy Nicholson, Alexander Khoruts, Maria Carmen Collado, Richard Atkinson, Richard Sandler, Sam Turvey, Curtis Huttenhower, Petra Louis, Sydney Finegold e William Parker, que leram rascunhos, responderam a perguntas e se entusiasmaram com *10% humano.* Também quero agradecer aos muitos cientistas pesquisadores a cujo trabalho fiz referência, sem, no entanto, mencioná-los pelo nome. Agradeço imensamente a Ellen Bolte pelas muitas horas de conversas e por compartilhar a história de Andy – Ellen, você é uma inspiração. E agradecimentos enormes para Peggy Kan Hai, por me deixar compartilhar sua história e ser sempre tão positiva.

Sou extremamente grata à maravilhosa equipe da HarperCollins dos dois lados do Atlântico. Arabella Pike e Terry Karten mostraram um grande entusiasmo desde o princípio e entenderam que *10% humano* era um livro sobre humanidade, não (apenas) sobre micróbios – Obrigada. Obrigada também a Jo Walker, Kate Tolley, Katherine Patrick, Matt Clacher, Joe Zigmond, Katherine Beitner, Steve Cox e Jill Verrillo. Agradeço imensamente ao meu agente Patrick Walsh, cujo encorajamento me manteve no rumo, e à equipe na Conville & Walsh, particularmente a Jake Smith-Bosanquet, Alexandra McNicoll, Emma Finn, Carrie Plitt e Henna Silvennoinen, cujos e-mails muitas vezes fizeram minha semana valer a pena. Obrigada aos criadores da Scrivener, que de algum modo me possibilitaram habitar o livro enquanto ele crescia.

Obrigada ao grupo Ampthill Writers, particularmente a Rachel J. Lewis, Emma Riddell e Philip Whiteley, por me fazerem sair de casa ao menos uma vez por mês. Aos meus amigos, obrigada por entenderem minha ausência e me contatarem com persistência. Ao professor Watson e à senhorita Adenine, obrigada pelo estímulo intelectual. A Jen Crees – meu colega de escritório virtual –, obrigada mais uma vez pelas discussões instigantes e pelos feedbacks positivos nos estágios iniciais. Obrigada aos meus pais, que ficaram ao meu lado durante meus problemas de saúde e nunca duvidaram de mim, e em particular à minha mãe por ouvir os incessantes esboços de estruturas possíveis. Obrigada especialmente ao meu melhor amigo e irmão mais velho, Matthew Maltby, exímio contador de histórias, por investir tanto tempo e continuar me contando a verdade, apesar da minha reação. Finalmente, obrigada a Ben, por sua fé inabalável em mim e por lidar de modo tão receptivo com a transição dos fatos sobre morcegos pela manhã aos fatos sobre micróbios à noite.

BIBLIOGRAFIA

A literatura científica sobre o papel da microbiota na saúde física e mental do ser humano vem crescendo com impressionante rapidez. Trata-se de um campo novo, que se estabeleceu há cerca de uma década. Além de muitas conversas pessoais, telefônicas e por e-mail com alguns dos maiores cientistas especializados no assunto, grande parte das pesquisas que serviram de base para este livro vem de fontes primárias – publicações em periódicos científicos em língua inglesa. As informações contidas neste livro vêm de centenas de artigos – mais do que seria possível listar aqui. Incluo, portanto, apenas uma pequena bibliografia com referências aos estudos mais importantes e interessantes abordados em *10% humano* e algumas sugestões de leituras.

Introdução

1. International Human Genome Sequencing Consortium (2004). Finishing the euchromatic sequence of the human genome. *Nature* 431: 931-945.
2. Nyholm, S. V. e McFall-Ngai, M. J. (2004). The winnowing: Establishing the squid-*Vibrio* symbiosis. *Nature Reviews Microbiology* 2: 632-642.
3. Bollinger, R. R. *et al.* (2007). Biofilms in the large bowel suggest an apparent function of the human vermiform appendix. *Journal of Theoretical Biology* 249: 826-831.
4. Short, A. R. (1947). The causation of appendicitis. *British Journal of Surgery* 53: 221-223.
5. Barker, D. J. P. (1985). Acute appendicitis and dietary fibre: an alternative hypothesis. *British Medical Journal* 290: 1125-1127.
6. Barker, D. J. P. *et al.* (1988). Acute appendicitis and bathrooms in three samples of British children. *British Medical Journal* 296: 956-958.
7. Janszky, I. *et al.* (2011). Childhood appendectomy, tonsillectomy, and risk for premature acute myocardial infarction – a nationwide population-based cohort study. *European Heart Journal* 32: 2290-2296.
8. Sanders, N. L. *et al.* (2013). Appendectomy and *Clostridium difficile* colitis: Relationships revealed by clinical observations and immunology. *World Journal of Gastroenterology* 19: 5607-5614.
9. Bry, L. *et al.* (1996). A model of host-microbial interactions in an open mammalian ecosystem. *Science* 273: 1380-1383.
10. The Human Microbiome Project Consortium (2012). Structure, function and diversity of the healthy human microbiome. *Nature* 486: 207-214.

Capítulo 1

1. Gale, E.A.M. (2002). The rise of childhood type 1 diabetes in the 20th century. *Diabetes* 51: 3353-3361.
2. Organização Mundial da Saúde (2014). Global Health Observatory Data – Overweight and Obesity. Disponível em: http://www.who.int/gho/ncd/risk_factors/overweight/en/.
3. Centers for Disease Control and Prevention (2014). Prevalence of Autism Spectrum Disorder Among Children Aged 8 Years – Autism and Developmental Disabilities Monitoring Network, 11 Sites, United States, 2010. *MMWR* 63 (Nº SS-02): 1-21.
4. Bengmark, S. (2013). Gut microbiota, immune development and function. *Pharmacological Research* 69: 87-113.
5. von Mutius, E. *et al.* (1994) Prevalence of asthma and atopy in two areas of West and East Germany. *American Journal of Respiratory and Critical Care Medicine* 149: 358-364.
6. Aligne, C.A. *et al.* (2000). Risk factors for pediatric asthma: Contributions of poverty, race, and urban residence. *American Journal of Respiratory and Critical Care Medicine* 162: 873-877.
7. Ngo, S. T., Steyn, F. J. e McCombe, P. A. (2014). Gender differences in autoimmune disease. *Frontiers in Neuroendocrinology* 35: 347-369.
8. Krolewski, A. S. *et al.* (1987). Epidemiologic approach to the etiology of type 1 diabetes mellitus and its complications. *The New England Journal of Medicine* 26: 1390-1398.
9. Bach, J.-F. (2002). The effect of infections on susceptibility to autoimmune and allergic diseases. *The New England Journal of Medicine* 347: 911-920.
10. Uramoto, K.M. *et al.* (1999) Trends in the incidence and mortality of systemic lupus erythematosus, 1950-1992. *Arthritis & Rheumatism* 42: 46-50.
11. Alonso, A. e Hernan, M. A. (2008). Temporal trends in the incidence of multiple sclerosis: A systematic review. *Neurology* 71: 129-135.
12. Werner, S. *et al.* (2002). The incidence of atopic dermatitis in school entrants is associated with individual lifestyle factors but not with local environmental factors in Hannover, Germany. *British Journal of Dermatology* 147: 95-104.

Capítulo 2

1. Bairlein, F. (2002). How to get fat: nutritional mechanisms of seasonal fat accumulation in migratory songbirds. *Naturwissenschaften* 89: 1-10.
2. Heini, A. F. e Weinsier, R. L. (1997). Divergent trends in obesity and fat intake patterns: The American paradox. *American Journal of Medicine* 102: 259-264.
3. Silventoinen, K. *et al.* (2004). Trends in obesity and energy supply in the WHO MONICA Project. *International Journal of Obesity* 28: 710-718.
4. Troiano, R. P. *et al.* (2000). Energy and fat intakes of children and adolescents in the United States: data from the National Health and Nutrition Examination Surveys. *American Journal of Clinical Nutrition* 72: 1343s-1353s.
5. Prentice, A. M. e Jebb, S. A. (1995). Obesity in Britain: Gluttony or sloth? *British Journal of Medicine* 311: 437-439.
6. Westerterp, K. R. e Speakman, J. R. (2008). Physical activity energy expenditure has not declined since the 1980s and matches energy expenditures of wild mammals. *International Journal of Obesity* 32: 1256-1263.
7. Organização Mundial da Saúde (2014). Global Health Observatory Data – Overweight and Obesity. Disponível em: http://www.who.int/gho/ncd/risk_factors/overweight/en/.
8. Speliotes, E. K. *et al.* (2010). Association analyses of 249,796 individuals reveal 18 new loci associated with body mass index. *Nature Genetics* 42: 937-948.

9. Marshall, J. K. *et al.* (2010). Eight year prognosis of postinfectious irritable bowel syndrome following waterborne bacterial dysentery. *Gut* 59: 605-611.
10. Gwee, K.-A. (2005). Irritable bowel syndrome in developing countries – a disorder of civilization or colonization? *Neurogastroenterology and Motility* 17: 317-324.
11. Collins, S. M. (2014). A role for the gut microbiota in IBS. *Nature Reviews Gastroenterology and Hepatology* 11: 497-505.
12. Jeffery, I. B. *et al.* (2012). An irritable bowel syndrome subtype defined by species-specific alterations in faecal microbiota. *Gut* 61: 997-1006.
13. Bäckhed, F. *et al.* (2004). The gut microbiota as an environmental factor that regulates fat storage. *Proceedings of the National Academy of Sciences* 101: 15718-15723.
14. Ley, R. E. *et al.* (2005). Obesity alters gut microbial ecology. *Proceedings of the National Academy of Sciences* 102: 11070-11075.
15. Turnbaugh, P. J. *et al.* (2006). An obesity-associated gut microbiome with increased capacity for energy harvest. *Nature* 444: 1027-1031.
16. Centers for Disease Control (2014). Obesity Prevalence Maps. Disponível em: http://www.cdc.gov/obesity/data/prevalence-maps.html.
17. Gallos, L. K. *et al.* (2012). Collective behavior in the spatial spreading of obesity. *Scientific Reports* 2: nº 454.
18. Christakis, N. A. e Fowler, J. H. (2007). The spread of obesity in a large social network over 32 years. *The New England Journal of Medicine* 357: 370-379.
19. Dhurandhar, N. V. *et al.* (1997). Association of adenovirus infection with human obesity. *Obesity Research* 5: 464-469.
20. Atkinson, R. L. *et al.* (2005). Human adenovirus-36 is associated with increased body weight and paradoxical reduction of serum lipids. *International Journal of Obesity* 29: 281-286.
21. Everard, A. *et al.* (2013). Cross-talk between *Akkermansia muciniphila* and intestinal epithelium controls diet-induced obesity. *Proceedings of the National Academy of Sciences* 110: 9066-9071.
22. Liou, A. P. *et al.* (2013). Conserved shifts in the gut microbiota due to gastric bypass reduce host weight and adiposity. *Science Translational Medicine* 5: 1-11.

Capítulo 3

1. Sessions, S. K. e Ruth, S. B. (1990). Explanation for naturally occurring supernumerary limbs in amphibians. *Journal of Experimental Biology* 254: 38-47.
2. Andersen, S. B. *et al.* (2009). The life of a dead ant: The expression of an adaptive extended phenotype. *The American Naturalist* 174: 424-433.
3. Herrera, C. *et al.* (2001). Maladie de Whipple: Tableau psychiatrique inaugural. *Revue Médicale de Liège* 56: 676-680.
4. Kanner, L. (1943). Autistic disturbances of affective contact. *Nervous Child* 2: 217-250.
5. Centers for Disease Control and Prevention (2014). Prevalence of Autism Spectrum Disorder Among Children Aged 8 Years – Autism and Developmental Disabilities Monitoring Network, 11 Sites, United States, 2010. *MMWR* 63 (Nº SS-02): 1-21.
6. Bolte, E. R. (1998). Autism and *Clostridium tetani*. *Medical Hypotheses* 51: 133-144.
7. Sandler, R. H. *et al.* (2000). Short-term benefit from oral vancomycin treatment of regressive-onset autism. *Journal of Child Neurology* 15: 429-435.
8. Sudo, N., Chida, Y. *et al.* (2004). Postnatal microbial colonization programs the hypothalamic-pituitary-adrenal system for stress response in mice. *Journal of Physiology* 558: 263-275.
9. Finegold, S. M. *et al.* (2002). Gastrointestinal microflora studies in late onset autism. *Clinical Infectious Diseases* 35 (Suplemento 1): S6-S16.

10. Flegr, J. (2007). Effects of *Toxoplasma* on human behavior. *Schizophrenia Bulletin* 33: 757-760.
11. Torrey, E. F. e Yolken, R. H. (2003). *Toxoplasma gondii* and schizophrenia. *Emerging Infectious Diseases* 9: 1375-1380.
12. Brynska, A., Tomaszewicz-Libudzic, E. e Wolanczyk, T. (2001). Obsessive-compulsive disorder and acquired toxoplasmosis in two children. *European Child and Adolescent Psychiatry* 10: 200-204.
13. Cryan, J. F. e Dinan, T. G. (2012). Mind-altering microorganisms: the impact of the gut microbiota on brain and behaviour. *Nature Reviews Neuroscience* 13: 701-712.
14. Bercik, P. *et al.* (2011). The intestinal microbiota affect central levels of brain-derived neurotropic factor and behavior in mice. *Gastroenterology* 141: 599-609.
15. Voigt, C. C., Caspers, B. e Speck, S. (2005). Bats, bacteria and bat smell: Sex-specific diversity of microbes in a sexually-selected scent organ. *Journal of Mammalogy* 86: 745-749.
16. Sharon, G. *et al.* (2010). Commensal bacteria play a role in mating preference of *Drosophila melanogaster*. *Proceedings of the National Academy of Sciences* 107: 20051-20056.
17. Wedekind, C. *et al.* (1995). MHC-dependent mate preferences in humans. *Proceedings of the Royal Society B* 260: 245-249.
18. Montiel-Castro, A. J. *et al.* (2013). The microbiota-gut-brain axis: neurobehavioral correlates, health and sociality. *Frontiers in Integrative Neuroscience* 7: 1-16.
19. Dinan, T. G. e Cryan, J. F. (2013). Melancholic microbes: a link between gut microbiota and depression? *Neurogastroenterology & Motility* 25: 713-719.
20. Khansari, P. S. e Sperlagh, B. (2012). Inflammation in neurological and psychiatric diseases. *Inflammopharmacology* 20: 103-107.
21. Hornig, M. (2013). The role of microbes and autoimmunity in the pathogenesis of neuropsychiatric illness. *Current Opinion in Rheumatology* 25: 488- 495.
22. MacFabe, D. F. *et al.* (2007). Neurobiological effects of intraventricular propionic acid in rats: Possible role of short chain fatty acids on the pathogenesis and characteristics of autism spectrum disorders. *Behavioural Brain Research* 176: 149-169.

Capítulo 4

1. Strachan, D. P. (1989). Hay fever, hygiene, and household size. *British Medical Journal*, 299: 1259-1260.
2. Rook, G. A. W. (2010). 99th Dahlem Conference on Infection, Inflammation and Chronic Inflammatory Disorders: Darwinian medicine and the 'hygiene' or 'old friends' hypothesis. *Clinical & Experimental Immunology* 160: 70-79.
3. Zilber-Rosenberg, I. e Rosenberg, E. (2008). Role of microorganisms in the evolution of animals and plants: the hologenome theory of evolution. *FEMS Microbiology Reviews* 32: 723-735.
4. Williamson, A. P. *et al.* (1977). A special report: Four-year study of a boy with combined immune deficiency maintained in strict reverse isolation from birth. *Pediatric Research* 11: 63-64.
5. Sprinz, H. *et al.* (1961). The response of the germ-free guinea pig to oral bacterial challenge with *Escherichia coli* and *Shigella flexneri*. *American Journal of Pathology* 39: 681-695.
6. Wold, A. E. (1998). The hygiene hypothesis revised: is the rising frequency of allergy due to changes in the intestinal flora? *Allergy* 53 (s46): 20-25.
7. Sakaguchi, S. *et al.* (2008). Regulatory T cells and immune tolerance. *Cell* 133: 775-787.
8. Östman, S. *et al.* (2006). Impaired regulatory T cell function in germfree mice. *European Journal of Immunology* 36: 2336-2346.

9. Mazmanian, S. K. e Kasper, D. L. (2006). The love-hate relationship between bacterial polysaccharides and the host immune system. *Nature Reviews Immunology* 6: 849-858.
10. Miller, M. B. *et al.* (2002). Parallel quorum sensing systems converge to regulate virulence in *Vibrio cholerae. Cell* 110: 303-314.
11. Fasano, A. (2011). Zonulin and its regulation of intestinal barrier function: The biological door to inflammation, autoimmunity, and cancer. *Physiological Review* 91: 151-175.
12. Fasano, A. *et al.* (2000). Zonulin, a newly discovered modulator of intestinal permeability, and its expression in coeliac disease. *The Lancet*, 355: 1518-1519.
13. Maes, M., Kubera, M. e Leunis, J.-C. (2008). The gut-brain barrier in major depression: Intestinal mucosal dysfunction with an increased translocation of LPS from gram negative enterobacteria (leaky gut) plays a role in the inflammatory pathophysiology of depression. *Neuroendocrinology Letters* 29: 117-124.
14. de Magistris, L. *et al.* (2010). Alterations of the intestinal barrier in patients with autism spectrum disorders and in their first-degree relatives. *Journal of Pediatric Gastroenterology and Nutrition* 51: 418-424.
15. Grice, E. A. e Segre, J. A. (2011). The skin microbiome. *Nature Reviews Microbiology* 9: 244-253.
16. Farrar, M. D. e Ingham, E. (2004). Acne: Inflammation. *Clinics in Dermatology* 22: 380-384.
17. Kucharzik, T. *et al.* (2006). Recent understanding of IBD pathogenesis: Implications for future therapies. *Inflammatory Bowel Diseases* 12: 1068-1083.
18. Schwabe, R. F. e Jobin, C. (2013). The microbiome and cancer. *Nature Reviews Cancer* 13: 800-812.

Capítulo 5

1. Nicholson, J. K., Holmes, E. & Wilson, I. D. (2005). Gut microorganisms, mammalian metabolism and personalized health care. *Nature Reviews Microbiology* 3: 431-438.
2. Sharland, M. (2007). The use of antibacterials in children: a report of the Specialist Advisory Committee on Antimicrobial Resistance (SACAR) Paediatric Subgroup. *Journal of Antimicrobial Chemotherapy* 60 (S1): i15-i26.
3. Gonzales, R. *et al.* (2001). Excessive antibiotic use for acute respiratory infections in the United States. *Clinical Infectious Diseases* 33: 757-762.
4. Dethlefsen, L. *et al.* (2008). The pervasive effects of an antibiotic on the human gut microbiota, as revealed by deep 16S rRNA sequencing. *PLoS Biology* 6: e280.
5. Haight, T. H. e Pierce, W. E. (1955). Effect of prolonged antibiotic administration on the weight of healthy young males. *Journal of Nutrition* 10: 151-161.
6. Million, M. *et al.* (2013). *Lactobacillus reuteri* and *Escherichia coli* in the human gut microbiota may predict weight gain associated with vancomycin treatment. *Nutrition & Diabetes* 3: e87.
7. Ajslev, T. A. *et al.* (2011). Childhood overweight after establishment of the gut microbiota: the role of delivery mode, pre-pregnancy weight and early administration of antibiotics. *International Journal of Obesity* 35: 522-9.
8. Cho, I. *et al.* (2012). Antibiotics in early life alter the murine colonic microbiome and adiposity. *Nature* 488: 621-626.
9. Cox, L. M. *et al.* (2014). Altering the intestinal microbiota during a critical developmental window has lasting metabolic consequences. *Cell* 158: 705-721.
10. Hu, X., Zhou, Q. e Luo, Y. (2010). Occurrence and source analysis of typical veterinary antibiotics in manure, soil, vegetables and groundwater from organic vegetables bases, northern China. *Environmental Pollution* 158: 2992-2998.

11. Niehus, R. M. A. e Lord, C. (2006). Early medical history of children with autistic spectrum disorders. *Journal of Developmental and Behavioral Pediatrics* 27 (S2): S120-S127.
12. Margolis, D. J., Hoffstad, O. e Biker, W. (2007). Association or lack of association between tetracycline class antibiotics used for acne vulgaris and lupus erythematosus. *British Journal of Dermatology* 157: 540-546.
13. Tan, L. *et al.* (2002). Use of antimicrobial agents in consumer products. *Archives of Dermatology* 138: 1082-1086.
14. Aiello, A. E. *et al.* (2008). Effect of hand hygiene on infectious disease risk in the community setting: A meta-analysis. *American Journal of Public Health* 98: 1372-1381.
15. Bertelsen, R. J. *et al.* (2013). Triclosan exposure and allergic sensitization in Norwegian children. *Allergy* 68: 84-91.
16. Syed, A. K. *et al.* (2014). Triclosan promotes *Staphylococcus aureus* nasal colonization. *mBio* 5: e01015-13.
17. Dale, R. C. *et al.* (2004). Encephalitis lethargica syndrome; 20 new cases and evidence of basal ganglia autoimmunity. *Brain* 127: 21-33.
18. Mell, L. K., Davis, R. L. e Owens, D. (2005). Association between streptococcal infection and obsessive-compulsive disorder, Tourette's syndrome, and tic disorder. *Pediatrics* 116: 56-60.
19. Fredrich, E. *et al.* (2013). Daily battle against body odor: towards the activity of the axillary microbiota. *Trends in Microbiology* 21: 305-312.
20. Whitlock, D. R. e Feelisch, M. (2009). Soil bacteria, nitrite, and the skin. Em: Rook, G. A. W. org. *The Hygiene Hypothesis and Darwinian Medicine.* Birkhäuser Basel, pp. 103-115.

Capítulo 6

1. Zhu, L. *et al.* (2011). Evidence of cellulose metabolism by the giant panda gut microbiome. *Proceedings of the National Academy of Sciences* 108: 17714-17719.
2. De Filippo, C. *et al.* (2010). Impact of diet in shaping gut microbiota revealed by a comparative study in children from Europe and rural Africa. *Proceedings of the National Academy of Sciences* 107: 14691-14696.
3. Ley, R. *et al.* (2006). Human gut microbes associated with obesity. *Nature* 444: 1022-1023.
4. Foster, R. e Lunn, J. (2007). 40th Anniversary Briefing Paper: Food availability and our changing diet. *Nutrition Bulletin* 32: 187-249.
5. Lissner, L. e Heitmann, B. L. (1995). Dietary fat and obesity: evidence from epidemiology. *European Journal of Clinical Nutrition* 49: 79-90.
6. Barclay, A. W. e Brand-Miller, J. (2011). The Australian paradox: A substantial decline in sugars intake over the same timeframe that overweight and obesity have increased. *Nutrients* 3: 491-504.
7. Heini, A. F. e Weinsier, R. L. (1997). Divergent trends in obesity and fat intake patterns: The American paradox. *American Journal of Medicine* 102: 259-264.
8. David, L. A. *et al.* (2014). Diet rapidly and reproducibly alters the human gut microbiome. *Nature* 505: 559-563.
9. Hehemann, J.-H. *et al.* (2010). Transfer of carbohydrate-active enzymes from marine bacteria to Japanese gut microbiota. *Nature* 464: 908-912.
10. Cani, P. D. *et al.* (2007). Metabolic endotoxaemia initiates obesity and insulin resistance. *Diabetes* 56: 1761-1772.
11. Neyrinck, A. M. *et al.* (2011). Prebiotic effects of wheat arabinoxylan related to the increase in bifidobacteria, *Roseburia* and *Bacteroides/Prevotella* in diet-induced obese mice. *PLoS ONE* 6: e20944.

12. Everard, A. *et al.* (2013). Cross-talk between *Akkermansia muciniphila* and intestinal epithelium controls diet-induced obesity. *Proceedings of the National Academy of Sciences* 110: 9066-9071.
13. Maslowski, K. M. (2009). Regulation of inflammatory responses by gut microbiota and chemoattractant receptor GPR43. *Nature* 461: 1282-1286.
14. Brahe, L. K., Astrup, A. e Larsen, L. H. (2013). Is butyrate the link between diet, intestinal microbiota and obesity-related metabolic disorders? *Obesity Reviews* 14: 950-959.
15. Slavin, J. (2005). Dietary fibre and body weight. *Nutrition* 21: 411-418.
16. Liu, S. (2003). Relation between changes in intakes of dietary fibre and grain products and changes in weight and development of obesity among middle-aged women. *American Journal of Clinical Nutrition* 78: 920-927.
17. Wrangham, R. (2010). *Catching Fire: How Cooking Made Us Human.* Profile Books, Londres.

Capítulo 7

1. Funkhouser, L. J. e Bordenstein, S. R. (2013). Mom knows best: The universality of maternal microbial transmission. *PLoS Biology* 11: e10016331.
2. Dominguez-Bello, M.-G. *et al.* (2011). Development of the human gastrointestinal microbiota and insights from high-throughput sequencing. *Gastroenterology* 140: 1713-1719.
3. Se Jin Song, B. S., Dominguez-Bello, M.-G. e Knight, R. (2013). How delivery mode and feeding can shape the bacterial community in the infant gut. *Canadian Medical Association Journal* 185: 373-374.
4. Kozhumannil, K. B., Law, M. R. e Virnig, B. A. (2013). Cesarean delivery rates vary tenfold among US hospitals; reducing variation may address quality and cost issues. *Health Affairs* 32: 527-535.
5. Gibbons, L. *et al.* (2010). The global numbers and costs of additionally needed and unnecessary Caesarean sections performed per year: Overuse as a barrier to universal coverage. *World Health Report Background Paper,* Nº 30.
6. Cho, C. E. e Norman, M. (2013). Cesarean section and development of the immune system in the offspring. *American Journal of Obstetrics & Gynecology* 208:249-254.
7. Schieve, L. A. *et al.* (2014). Population attributable fractions for three perinatal risk factors for autism spectrum disorders, 2002 and 2008 autism and developmental disabilities monitoring network. *Annals of Epidemiology* 24: 260-266.
8. MacDorman, M. F. *et al.* (2006). Infant and neonatal mortality for primary Cesarean and vaginal births to women with 'No indicated risk', United States, 1998-2001 birth cohorts. *Birth* 33: 175-182.
9. Dominguez-Bello, M.-G. *et al.* (2010). Delivery mode shapes the acquisition and structure of the initial microbiota across multiple body habitats in newborns. *Proceedings of the National Academy of Sciences* 107: 11971-11975.
10. McVeagh, P. e Brand-Miller, J. (1997). Human milk oligosaccharides: Only the breast. *Journal of Paediatrics and Child Health* 33: 281-286.
11. Donnet-Hughes, A. (2010). Potential role of the intestinal microbiota of the mother in neonatal immune education. *Proceedings of the Nutrition Society* 69: 407-415.
12. Cabrera-Rubio, R. *et al.* (2012). The human milk microbiome changes over lactation and is shaped by maternal weight and mode of delivery. *American Journal of Clinical Nutrition* 96: 544-551.
13. Stevens, E. E., Patrick, T. E. e Pickler, R. (2009). A history of infant feeding. *The Journal of Perinatal Education* 18: 32-39.

14. Heikkilä, M. P. e Saris, P. E. J. (2003). Inhibition of *Staphylococcus aureus* by the commensal bacteria of human milk. *Journal of Applied Microbiology* 95: 471-478.
15. Chen, A. e Rogan, W. J. *et al.* (2004). Breastfeeding and the risk of postneonatal death in the United States. *Pediatrics* 113: e435-e439.
16. Ip, S. *et al.* (2007). Breastfeeding and maternal and infant health outcomes in developed countries. *Evidence Report/Technology Assessment (Relatório Completo)* 153: 1-186.
17. Division of Nutrition and Physical Activity: Research to Practice Series No. 4: Does breastfeeding reduce the risk of pediatric overweight? Atlanta: Centers for Disease Control and Prevention, 2007.
18. Stuebe, A. S. (2009). The risks of not breastfeeding for mothers and infants. *Reviews in Obstetrics & Gynecology* 2: 222-231.
19. Azad, M. B. *et al.* (2013). Gut microbiota of health Canadian infants: profiles by mode of delivery and infant diet at 4 months. *Canadian Medical Association Journal* 185: 385-394.
20. Palmer, C. *et al.* (2007). Development of the human infant intestinal microbiota. *PLoS Biology* 5: 1556-1573.
21. Yatsunenko, T. *et al.* (2012). Human gut microbiome viewed across age and geography. *Nature* 486: 222-228.
22. Lax, S. *et al.* (2014). Longitudinal analysis of microbial interaction between humans and the indoor environment. *Science* 345: 1048-1051.
23. Gajer, P. *et al.* (2012). Temporal dynamics of the human vaginal microbiota. *Science Translational Medicine* 4: 132ra52.
24. Koren, O. *et al.* (2012). Host remodelling of the gut microbiome and metabolic changes during pregnancy. *Cell* 150: 470-480.
25. Claesson, M. J. *et al.* (2012). Gut microbiota composition correlates with diet and health in the elderly. *Nature* 488: 178-184.

Capítulo 8

1. Metchnikoff, E. (1908). *The Prolongation of Life: Optimistic Studies*. G. P. Putnam's Sons, Nova York.
2. Bested, A. C., Logan, A. C. e Selhub, E. M. (2013). Intestinal microbiota, probiotics and mental health: from Metchnikoff to modern advances: Parte I – autointoxication revisited. *Gut Pathogens* 5: 1-16.
3. Hempel, A. *et al.* (2012). Probiotics for the prevention and treatment of antibiotic-associated diarrhea: A systematic review and metaanalysis. *Journal of the American Medical Association* 307: 1959-1969.
4. AlFaleh, K. *et al.* (2011). Probiotics for prevention of necrotizing enterocolitis in preterm infants. *Cochrane Database of Systematic Reviews*, Edição 3.
5. Ringel, Y. e Ringel-Kulka, T. (2011). The rationale and clinical effectiveness of probiotics in irritable bowel syndrome. *Journal of Clinical Gastroenterology* 45(S3): S145-S148.
6. Pelucchi, C. *et al.* (2012). Probiotics supplementation during pregnancy or infancy for the prevention of atopic dermatitis: A meta-analysis. *Epidemiology* 23: 402-414.
7. Calcinaro, F. (2005). Oral probiotic administration induces interleukin-10 production and prevents spontaneous autoimmune diabetes in the non-obese diabetic mouse. *Diabetologia* 48: 1565-75.
8. Goodall, J. (1990). *The Chimpanzees of Gombe: Patterns of Behavior*. Harvard University Press, Cambridge.
9. Fritz, J. *et al.* (1992). The relationship between forage material and levels of coprophagy in captive chimpanzees (*Pan troglodytes*). *Zoo Biology* 11: 313-318.

10. Ridaura, V. K. *et al.* (2013). Gut microbiota from twins discordant for obesity modulate metabolism in mice. *Science* 341: 1079.
11. Smits, L. P. *et al.* (2013). Therapeutic potential of fecal microbiota transplantation. *Gastroenterology* 145: 946-953.
12. Eiseman, B. *et al.* (1958). Fecal enema as an adjunct in the treatment of pseudomembranous enterocolitis. *Surgery* 44: 854-859.
13. Borody, T. J. *et al.* (1989). Bowel-flora alteration: a potential cure for inflammatory bowel disease and irritable bowel syndrome? *The Medical Journal of Australia* 150: 604.
14. Vrieze, A. *et al.* (2012). Transfer of intestinal microbiota from lean donors increases insulin sensitivity in individuals with metabolic syndrome. *Gastroenterology* 143: 913-916.
15. Borody, T. J. e Khoruts, A. (2012). Fecal microbiota transplantation and emerging applications. *Nature Reviews Gastroenterology and Hepatology* 9: 88-96.
16. Delzenne, N. M. *et al.* (2011). Targeting gut microbiota in obesity: effects of prebiotics and probiotics. *Nature Reviews Endocrinology* 7: 639-646.
17. Petrof, E. O. *et al.* (2013). Stool substitute transplant therapy for the eradication of *Clostridium difficile* infection: 'RePOOPulating' the gut. *Microbiome* 1: 3.
18. Yatsunenko, T. *et al.* (2012). Human gut microbiome viewed across age and geography. *Nature* 486: 222-228.

Conclusão

1. Markle, J. G. M. *et al.* (2013). Sex differences in the gut microbiome drive hormone-dependent regulation of autoimmunity. *Science* 339: 1084-1088.
2. Franceschi, C. *et al.* (2006). Inflammaging and anti-inflammaging: a systemic perspective on aging and longevity emerged from studies in humans. *Mechanisms of Ageing and Development* 128: 92-105.
3. Haiser, H. J. *et al.* (2013). Predicting and manipulating cardiac drug inactivation by the human gut bacterium *Eggerthella lenta*. *Science* 341: 295-298.